EEN SCHULDIG HUIS

Van dezelfde auteur zijn de volgende titels verschenen:

Gesloten cirkel

Verjaard bedrog

Dodelijk inzicht

In het niets

De Catalaanse brief

Gestolen tijd

Moorddadig verleden

Verzwegen bestaan

Dodelijk negatief

Afscheid van Clouds Frome

Robert Goddard

Een schuldig huis

Uitgeverij BZZTôH
's-Gravenhage, 2000

Eerste druk: november 1999
Tweede druk: maart 2000

Oorspronkelijke titel: *Set in Stone*

Vertaling: Bob Snoijink
Foto omslag: © John Alexander. By arrangement with Transworld Publishers Ltd.
Ontwerp omslag: Julie Bergen
Typografie en zetwerk: Studio Cursief, Amsterdam
Druk- en bindwerk: Werner Söderström Corporation, Finland
ISBN 90 5501 677 2

Woord vooraf

Misschien weet je al wat ik ga zeggen. Misschien is de dood niet de dichtgeslagen en verzegelde poort die we denken. Ik heb de afgelopen paar maanden genoeg gezien om het te betwijfelen. En als de dood niet zo'n dichte deur is, heb je me misschien al die tijd in de gaten gehouden en je afgevraagd wanneer ik me om zou draaien om het woord tot je te richten.

Ik kan je zien noch horen, Marina. Enerzijds doet dat er niet toe. Aan de andere kant weer wel. Meer dan wat ook. Ik hou van je. Ik zal altijd van je houden. Ik had nooit verwacht zoveel voor iemand te zullen voelen als voor jou. Ik heb het nooit gezocht, want afhankelijkheid is riskant. En afhankelijkheid van een dode is een ingrediënt voor krankzinnigheid. Maar toch hou ik van je. Zo eenvoudig en troosteloos ligt het. Ik hoef geen jacht op je geest te maken. Die is hier, altijd, naast me. Hij is bijna tastbaar, maar niet helemaal. Je zult voor eeuwig net buiten handbereik zijn. Ik kan je niet aanraken. Nooit meer.

Maar wel tegen je praten. En misschien, heel misschien kun je me horen. Ik wou dat ik je iets anders kon vertellen. Ik wou dat ik tegen je kon zeggen dat je dood een voorbeeld van stomme, zinloze pech was. Ik wou dat ik de gebeurtenissen die ertoe hebben geleid, kon uitwissen om je levend en wel terug te krijgen, om je lief te hebben en bemind te worden. Maar bij wensen zal het altijd blijven. Het verandert niets. Ik kan je slechts één versie vertellen en dat is deze.

Een

Ik wilde nooit uit Londen weg, dàt weet je. Die droom over een eenvoudiger, zuiverder leven op het platteland was van jou, niet van mij. Jij had het er altijd over en ik ging erin mee voor de lieve vrede. In stilte vertrouwde ik op een degelijke reeks praktische bezwaren om het te verhinderen. Daarna verhuisden Matt en Lucy naar Leicestershire en met elk weekeinde dat we hen opzochten, werd je vastbeslotenheid om je droom te verwezenlijken groter. Eensklaps had Lucy iets wat jij altijd had gewild, en naar jouw idee sterker dan zij. En jij en je zus zijn altijd rivalen geweest.

Het verschil is dat Matt inmiddels een succes had gemaakt van *Pizza Prego*. Hij kon zich die rol van landjonker wel aanmeten. Wij hadden niet zoveel speelruimte. Wat mijn loopbaan ook mocht voorstellen, het was bepaald niet iets wat je van huis uit in de rimboe kon doen. En jouw cliëntenlijst bestond alleen uit hoofdstedelijke bedrijven. Maar mensen rond de veertig doen rare dingen. Ik liet me door jou overtuigen dat Londen niet alleen jou maar ook mij verstikte, en dat jij als plattelandsadvocate genoeg voor ons beiden kon verdienen tot ik het concept van professionele personeelswerving aan plaatselijke werkgevers had verkocht. Daarna wierp jij je in een zoektocht naar een geschikte kans en voordat ik meer had gedaan dan flirten met de consequenties van waar we aan begonnen, had jij die gevonden.

Het was alles wat je je erbij had voorgesteld. Een knusse, kleine praktijk boven een apotheek in het hart van een echte provincieplaats in Devon. Echte mensen met echte problemen, en geen gehaaide mannen in een pak die contracten bestelden die ze gisteren nog moesten hebben. Ik herinner me nog dat ik voor het eerst met je naar Holsworthy reed en dat we op een stille, zonnige zaterdagmiddag om het plein wandelden. Er blonk een lichtje in je ogen dat me vertelde dat daar onze toekomst lag. Nou ja, in elk geval de jouwe. Ik ging verhuizen, terwijl jij naar huis ging. Jij hoorde daar thuis, direct en totaal; terwijl ik... Voor mij was het een plek waar ik moest zijn om bij jou in de buurt te blijven.

Niet dat ik geen oog voor de aantrekkelijke kanten had. Het tempo van het leven was trager. Het omringende landschap was een ansichtplaatje van slingerweggetjes en glooiende heuvels. En de lucht tintelde als champagne. De rimboe had zijn eigen charme. En Stanacombe was prachtig. Een witgekalkte hoeve van leemgrind en leisteen vlak over de grens van Cornwall, die aan een kleine opknapbeurt toe was. Dat stond in de makelaarstekst. Maar ik zag erin wat jij zag: een particulier stukje van de hemel omringd door groene akkers aan de voet van de laatste hoogte voordat Cornwall de Atlantische Oceaan omhelsde met een grillige reeks hoge kliffen van graniet.

Jij dacht dat ik geen zin had in het werk dat er aan Stanacombe gedaan moest worden. Aanvankelijk was dat ook zo. Maar na de verhuizing begon ik er echt plezier in te krijgen. Het was een stuk bevredigender dan de jacht op eersteklas kaderpersoneel in Londen, ook al werd ik er niet voor betaald. Bovendien hadden we een flinke appel voor de dorst toen we het huis in Chiswick hadden verkocht en jij met je charmes het merendeel van de cliënten van je voorganger in Holsworthy had overreed om te blijven, zodat ik geen haast met een broodwinning hoefde te maken. Drie maanden klussen werden er zes. De lente kwam, schoon, fris en nieuw, en zaaide zijn bloemen over de hoge taluds van de landweggetjes op een manier die ik al naar een pastoraal verleden had verwezen. Toen besefte ik wat jij al die tijd al had geweten: de verhuizing naar het platteland was de beste stap die we ooit hadden genomen.

Die maanden werden we bevangen door tevredenheid. We leken onze Londense vrienden niet te missen. Het isolement dat ik had gevreesd, bleek een vorm van privacy die ik koesterde. We brachten zelfs geen bezoek aan Matt en Lucy – zoals we hadden beloofd met Pasen te zullen doen – om het nieuwe huis te bewonderen dat ze hadden betrokken. Dat zouden we natuurlijk wel gedaan hebben. Vroeg of laat. Het leek gewoon geen haast te hebben. Niet nu er zoveel in ons eigen nieuwe huis te genieten viel.

Er kan – al geloof ik van niet – sprake zijn van een illusie, geboren uit het feit dat ik je kwijt ben. Op Stanacombe zijn we de afgelopen winter en lente weer helemaal opnieuw verliefd geworden. Het lijkt me nu zo duidelijk, door de herinnering aan jou naast me in onze slaapkamer onder de dakspanten: zo duidelijk en toch zo breekbaar. Breekbaarder dan ik besefte.

Wat was het laatste wat je tegen me zei? Ik heb geprobeerd het me te herinneren, maar de woorden willen niet komen. Iets onbeduidends. Alledaagse afscheidswoorden, van geen enkel belang omdat je maar een paar uur weg zou zijn. Je zei dat je vroeg thuis zou zijn om een begin met de tuin te maken. En ik zei dat ik misschien niet thuis zou zijn als je terug zou komen. Het hing ervan af of er iets bruikbaars was op de meubelveiling in

Bideford waar ik omstreeks het middaguur heen zou rijden. Je knikte en riep nog iets over je schouders toen je naar de garage liep. Ik hoorde de auto starten en het weggetje oprijden. Ik liep naar het raam om te zwaaien. Ik dacht dat je terugzwaaide. Maar de zon scheen in mijn ogen en in het felle licht zag ik niet meer dan een schaduw van een beweging. Daarna was je weg. En hoewel ik het nog niet besefte, was je al een herinnering geworden toen het geluid van de auto wegstierf in de vreedzame atmosfeer van de ochtend.

Op de veiling kocht ik een tafel met inklappoten. Ik dacht dat die wel goed zou staan in de gang. Ik wist zeker dat je hem mooi zou vinden. Ik belde je op kantoor om het te vertellen, maar Carol zei dat je al weg was. Kennelijk al twee uur. Ik belde ons privé-nummer, maar thuis werd niet opgenomen. Ik dacht dat je in de tuin bezig was. Ongeveer een uur later ging ik terug en rond zes uur was ik in Kilhampton. Ik stopte om iets te drinken bij de New Inn en probeerde je daar weer te bellen om te vragen of je zin had ook daarheen te komen. Het was zo warm; je zou wel dorst hebben. Maar nu begon het net een beetje af te koelen: het was het uur van de dag waarop we het meest gesteld waren. Maar er werd nog altijd niet opgenomen. Ik dronk mijn glas leeg en vertrok.

Je was niet in de tuin. Je was helemaal niet thuis. Maar je auto stond in de garage en je tas in de werkkamer. En je had kennelijk thee gezet: de pot stond ondersteboven op het aanrecht in de keuken. Zo liet je hem altijd drogen. Buiten voor de keukendeur stond een vuilniszak vol gesnoeide takken, dus je was wel even in de tuin bezig geweest. Maar daar bleef het bij; verder was er geen spoor. Niet dat je ooit veel sporen achterliet. Je was altijd zo verschrikkelijk netjes. Er was een tijd dat het me ergerde, maar die was al lang voorbij.

Ik nam aan dat je een wandeling was gaan maken. Ik nam nog een biertje, las de krant en wachtte. Toen je om halfacht nog niet terug was, begon ik me ongerust te maken. Niets ernstigs, van radeloosheid was geen sprake; het was gewoon iets van onrust. Ik liep het weggetje op en sloeg het wandelpad naar Stowe Woods in: je lievelingsroute voor een wandeling na het werk. Het zou een snel vergeten opluchting zijn geweest als je uit het bos voor me was opgedoken, maar dat gebeurde niet.

Ik maakte rechtsomkeert toen ik besefte dat je verschillende routes door het bos had kunnen nemen. Bovendien had je net zo goed de andere kant op gegaan kunnen zijn, naar Duckpool Beach. Het leek me het verstandigste om weer naar huis te gaan.

Ik zag de politieauto toen ik de oprijlaan inliep. Op dat moment sloeg mijn onrust om in schrik. Ik aarzelde en daarna liep ik met grote stappen naar de politiewagen. Er zat een agent achter het stuur die iets in zijn mobilofoon zei. Door het open raampje hoorde ik wat hij zei. 'Er wordt niet opengedaan. Ik ga...' Toen hij me in zijn spiegeltje zag, zweeg hij. Daarna stapte hij uit. De ondergaande zon flitste in de zijspiegel toen het portier open en dichtging. Hij was jong en had het forse postuur van een rugbyspeler. Hij tuitte zijn lippen en vroeg: 'Meneer Sheridan?'

'Ja.'

'Meneer Anthony Sheridan?'

'Ja.'

'Getrouwd met Marina Sheridan?'

'Wat is er aan de hand?'

'Ik ben bang dat er...'

'Wat is er met haar?'

'Een ongeluk, meneer. Wij denken dat het slachtoffer uw vrouw is.'

'Wat voor ongeluk? Hoe ernstig is het?'

'Het spijt me heel erg dit te moeten zeggen, meneer, maar ze is...'

'Dood.' Dat zei hij. Dood. De punt in het midden van een zin. Het eind voordat je goed en wel begonnen bent. Je kunt erover praten, het je voorstellen, de mogelijkheid erkennen, maar je er niet op voorbereiden, en zeker niet als jij noch de persoon van wie je het meeste houdt oud of ziek is. Niet als alles wat je hebt gedaan in het teken van de toekomst stond.

Ze moesten het me verschillende keren vertellen voordat het tot me doordrong. Ik wilde het niet geloven, dus aanvankelijk kon ik mezelf er ook niet toe brengen. Onder onze alledaagse zorgelijkheid gaat zoveel angst schuil, Marina, zoveel duistere, verborgen angst. Die stoppen we heel diep weg. We doen alsof ze er niet is. En dan barst ze in één misselijkmakend moment naar buiten om ons te verteren. Ik was in shock. Vanzelfsprekend. Maar bovenal was ik bang. Bang voor ieder uur en elke dag en elke week en alle jaren die ik zonder jou zou moeten leven.

Een stel wandelaars had boven op Henna Cliff bij Morwenstow je handtas gevonden. Ze hadden het wandelpad in zuidelijke richting naar de beek gevolgd en waren halverwege op een uitstekende rotspunt gaan staan om een beter zicht op het strand onder aan de steile wand te krijgen. Daarvandaan zagen ze je liggen tussen de rotsen terwijl de golven van het opkomende tij om je heen klotsten. Voor hen was je niet meer dan een verwrongen gestalte tegen een achtergrond van zwarte rotsen en het witte schuim van de branding. Jouw leven was verpletterd en het mijne kapotgeslagen, onder aan die torenhoge rotswand met zijn door de wind geteisterde doornstruiken.

Nu moet ik weer denken aan die keren dat ik je lijk heb gezien: eerst in het mortuarium en vervolgens opgebaard in de kapel. Jij was het niet meer, niet echt althans. Maar dat weerhield me er niet van om van je te dromen: dat je je langzaam oprichtte en naar me glimlachte om alles weer goed te maken. Maar het was slechts een droom. Je was weg en zou niet meer terugkomen.

De politie dacht aan zelfmoord. Dat leidde ik af uit de manier waarop ze hun keel schraapten en mijn blik ontweken. Ik wist natuurlijk wel beter, maar kon ze op geen enkele manier overtuigen. Het was tenslotte een onverklaarbaar ongeluk. Boven op de klif staat een hek en het gevaar spreekt voor zich. Bovendien kende je die omgeving. Verder was er ook nog die handtas. Waarom zou je die daar laten liggen als het niet de bedoeling was dat hij gevonden zou worden om identificatie te vergemakkelijken en mij iets van de spanning te besparen? Iets anders konden ze niet bedenken.

Maar ik wel. Twee dagen later ging ik naar de top van de kliffen toen ik weer een beetje in staat was logisch te denken en te handelen. Het zonlicht was oogverblindend, het blauw van zee en lucht was één gigantische uitgestrektheid en de helderheid van de lucht bijna benevelend. Jij was dol op die kliffen, hè? Misschien was je er wel te dol op. Ik kan me nog herinneren dat je een keer op precies dezelfde plek over het hek bent geklommen om dichter bij de rand te komen, terwijl ik op de bank bij het hekje een stukje terug langs het pad op je wachtte. De wilde bloemen brachten je in verrukking. Je kon alle namen zo opsommen en ze in één oogopslag herkennen, terwijl ik de koekoeksbloem nog steeds niet van standkruid kan onderscheiden. Zoiets moest er volgens mij zijn gebeurd. Je zag een interessant exemplaar op het uiterste randje, legde je tas neer zodat die niet om je schouders zou wapperen in de wind, bukte je om beter te kijken, gleed uit of was even je oriëntatie kwijt, nam een stap in de verkeerde richting en toen...

Een steile val van een kleine honderdvijftig meter. Toen ik daar zo stond, gegeseld door de wind, verward door verdriet en de ongepaste schoonheid van dat hoge, groene hoekje van de rotsen, zag ik de hele gebeurtenis als een plotseling evenwichtsongeluk, niet meer en niet minder. Ik zag het voor me in die gapende kloof van zuivere lucht en voelde de pijn van het verlies. Het zou niet veel gevergd hebben om je achterna te gaan, de leegte in, behalve de moed waarover ik niet beschikte. Maar de had-ik-maars omvatten me als handen die me tegenhielden. Ik kon mezelf er nog altijd niet toe brengen om te geloven dat het waar was. Dus draaide ik me om en dook weer onder het hek door.

Matt en Lucy arriveerden in de loop van de dag. Het was een grauw weerzien. Matt bood me – op zijn vriendelijke, ingehouden manier – alle troost die hij voorradig had, en Lucy was duidelijk net zo geschokt en verbijsterd als ik. Jij was altijd een deel van haar leven geweest. In die zin was ik maar een nieuwkomer. Zij had verwacht je spoedig weer te zien en nu zou dat nooit meer kunnen. Jullie hielden meer van elkaar dan heel wat andere zussen. Je zei altijd dat jullie meer van een tweeling weg hadden, ondanks het leeftijdsverschil van twee jaar. En dankzij een of ander recent dieet leek zij nog meer op jou dan anders. Het was pijnlijk om haar te zien glimlachen en direct en scherp aan jouw glimlach te worden herinnerd. Niet dat ze veel glimlachte. Of huilde, trouwens. Haar verdriet was een soort verlamming waarin ze evenzeer naar betekenis als troost zocht.

Maar betekenis was er niet. Dat was nog wel het ergste. Ik kon ze Stanacombe laten zien en wat we ermee van plan waren. Ik kon ze meenemen naar Morwenstow en Henna Cliff. Ik ging met ze naar Bodmin en wachtte buiten de kapel terwijl zij naar binnen gingen om afscheid van je te nemen. Maar ik had geen logische of passende verklaring voor wat er was gebeurd. Ik had het gevoel dat Lucy mij verantwoordelijk hield voor jouw dood, dat ze het me kwalijk nam dat ik niet beter op je had gelet. Dat zei ze natuurlijk niet. Ze wist dat het niet rationeel of redelijk was. Jij zou net als zij het geringste spoortje van bevoogding verschrikkelijk hebben gevonden. Maar het gevoel was er toch. Zowel bij mij als bij haar.

Ze bleven voor de begrafenis en regelden goddank van alles. Nou ja, eerlijk gezegd deed Matt dat. Lucy en ik waren tot weinig anders in staat dan over jou praten. We reden naar Bournemouth voor een bezoek aan je moeder, maar wat we haar te zeggen hadden, drong totaal niet tot haar door. Misschien heeft dementie toch voordelen.

Als de modeladvocaat die je was, had je natuurlijk in je testament bepaald dat je gecremeerd wilde worden. Zelf zou ik voor een begrafenis hebben gekozen. Dan kon ik je tenminste bezoeken. Maar je hebt het nooit zo op grafstenen en herdenkingen begrepen gehad, hè? Of misschien wilde je niet dat ik bij je graf zou staan kniezen. Ik heb nooit naar je beweegredenen geïnformeerd. Ik wilde niet over je dood nadenken, zelfs niet als een verre, vage mogelijkheid. Maar nu was die ver noch vaag. Het was hier en nu. Het was iets waar ik mee moest leven. En wat ik moest doorleven.

Een heleboel vrienden uit Londen zijn naar de herdenkingsdienst gekomen. Ik was blij dat ze er waren, hoewel ik dat waarschijnlijk niet liet merken. Ik was even blij voor jou als voor mezelf. De kerk van Kilkhampton was bijna vol. Ik had geen idee dat er zoveel mensen waren die jou zouden gaan missen. Je hield van die kerk. Ik herinner me dat je dat een keer hebt gezegd. Daar was ik ook blij mee. Maar in het crematorium in Bodmin waren alleen Matt, Lucy en ik aanwezig. Over die laatste ogenblikken heb ik niets te zeggen. Ze gingen voorbij en het was achter de rug. Ik probeerde er nota van te nemen, maar ik kon alleen maar aan jou denken: levend en lachend. Die klinische verbranding had niets met jou te maken. Jij was er helemaal niet.

Maar je was ook niet ergens anders. Je kleren hingen nog in je kast. Je crèmes en parfums stonden nog in de badkamerkast. Je lijstje nuttige voorwerpen lag nog in de keukenla. Maar dat alles was alleen maar het tastbare bewijs van je afwezigheid. 's Nachts werd ik wakker en dan dacht ik één ogenblik dat je dood maar een droom was. Maar dat was het niet: ik was alleen.

Twee dagen na de crematie gingen Matt en Lucy naar huis. Ze drongen erop aan om dat ik met ze mee zou gaan, maar ik vond met alle geweld dat het beter was om zonder jou te leren leven. Niet dat ik geloof dat ik het ooit zal leren.

'Je wilt toch niet zeggen dat je hier blijft?' vroeg Lucy. 'Dat is niets voor jou, Tony. Dit huis is honderd procent Marina.' Ze had gelijk. Het was misschien anders geweest als we een paar jaar op Stanacombe hadden gewoond. Maar in werkelijkheid waren we amper klaar met de verhuizing. En zonder jou voelde ik me daar een vreemde. Maar aan de andere kant: waar zou dat niet het geval zijn? 'Laat ons een poosje voor je zorgen,' drong Lucy aan. 'Het zal een hele poos duren voordat je hiermee in het reine bent.'

Ik beloofde dat ik erover na zou denken. Lucy schreef me een paar dagen later een brief waarin ze haar aanbod herhaalde. Inmiddels was ik op de hoogte gebracht van de datum van het gerechtelijk vooronderzoek, dus stelde ik voor hen daarna op te zoeken. Ik wist zelfs niet zeker of ik er dan wel zin in zou hebben. Ik kon niet dichter bij jou zijn dan op Stanacombe. Het was niet mijn huis, maar nog altijd wel het jouwe. Ik hielp Carol met het opdoeken van de praktijk in Holsworthy en hervatte de verbouwing, onderbroken door lange wandelingen over de kliffen. Op de een of andere manier putte ik mezelf uit. Ik kwam de dagen door en verheugde me op de nacht waarin ik kon slapen en vergeten dat jij niet naast me lag.

Maar het was niet meer dan een overlevingstactiek voor de korte termijn. Vroeg of laat moest ik een pauze nemen. Waarschijnlijk heeft het gerechtelijk onderzoek daarvoor gezorgd. Lucy kwam op eigen houtje om het bij te wonen. Het was een korte, onopvallende zaak in de rechtbank van Bodmin. De rechter was zakelijk maar meelevend. Hij vroeg me een beschrijving te geven van je geestestoestand in de dagen die aan je dood voorafgingen, zodat ik de kans kreeg om het idee van zelfmoord te ontzenuwen.

'Mijn vrouw kon impulsief zijn,' zei ik. 'Als er al een verklaring gegeven kan worden voor wat er is gebeurd, is dit misschien de beste. Ze moet verveeld zijn geraakt met het werk in de tuin en is gaan wandelen. Ik heb vaak genoeg meegemaakt dat ze veel verder over de kliffen is gelopen dan ze van plan was, gewoon omdat het natuurschoon zo betoverend is. Dat zal de reden zijn geweest dat ze helemaal naar Morwenstow is gelopen. Waarschijnlijk was ze in verrukking van de lentebloemen. Geen van ons tweeën had beseft hoe kleurrijk die waren toen we hierheen verhuisden. Ik weet zeker dat ze daarom zo dicht bij de rand is gekomen. Nergens anders om. Het moet een... misrekening zijn geweest, een ongeluk. Een verschrikkelijk, verschrikkelijk ongeluk.'

Ze hebben mij m'n zin gegeven, Marina: de officiële uitspraak was dood door ongeluk. 'Er is geen enkele reden om aan te nemen,' zei de rechter, 'dat mevrouw Sheridan van plan was zichzelf van het leven te beroven.' Precies. Geen enkele reden. En daarom was een ongeluk de enig mogelijke verklaring.

'Dat geloof je echt, hè?' vroeg Lucy op de terugweg naar Stanacombe. 'Ik bedoel, ik zou het begrijpen, ik zou het echt begrijpen als je er het zwijgen toe zou doen over een... mogelijk motief... voor zelfmoord.'

'Marina was niet suïcidaler dan jij. Ze was er het type niet naar.'

'Dat is waar. Maar een terminale ziekte, of zoiets...'

'Ze was in maanden niet bij de dokter geweest. We hadden ons nog niet eens bij een huisarts laten inschrijven.'

'Mooi. Ik bedoel, ik wilde het alleen maar... zeker weten. Ik had haar al een hele poos niet gezien en ik... Nou ja, waarschijnlijk heb ik daar nu spijt van. We hadden gehoopt dat jullie met de paasdagen zouden komen, weet je.'

'Het spijt me dat het er nooit van gekomen is, Lucy. Er was hier ook zoveel te doen. Je bent net zelf verhuisd, dus je weet hoe het is.'

'Ja. Maar nu is alles klaar. Kom je nog? Je moet er even tussen uit, Tony. Zodat je de zaken op een rij kunt krijgen.'

'Misschien heb je wel gelijk.'

'Dat zou Marina je ook aangeraden hebben.'

En dat is zo, hè? Je zou het zelf gezegd kunnen hebben. Je bent altijd zowel gevoelig als realistisch geweest. Van beide eigenschappen had je meer in huis dan ik. Ik moest eerdaags aan geld gaan denken. Ik moest eerdaags aan een heleboel dingen gaan denken. En Stanacombe was niet de plek om dat te doen. Dus ging ik akkoord met wat iedereen het beste voor me achtte.

Ik nam Lucy mee uit eten in een café in een dorpje ten zuiden van Bude. Daar waren jij en ik nooit geweest. Daarom had ik het ook uitgekozen. Het was merkwaardig om alleen met haar te zijn. Voor zover ik me herinnerde, was dat voor het eerst. Wel met Matt, voornamelijk voordat ik jou leerde kennen. Maar nooit met Lucy. Ik wist dat zij jouw zus was, zowel door de verhalen over jullie kindertijd als uit eigen ervaring. Ik kende haar als een andere uitgave van jou, met soortgelijke manieren en gebaren, maar andere stemmingen en opvattingen. Ze is altijd driftiger geweest dan jij; ik zag dat als oppervlakkiger, minder volwassen. Maar ik begon te denken dat ze was veranderd zonder dat ik het in de gaten had gehad. Ze had iets van een ernst die niet helemaal aan de rouw kon worden toegeschreven.

'Je moet het maar zeggen als je me bemoeizuchtig vindt, Tony,' zei ze toen we nog wat natafelden met een drankje, 'maar zou je nu niet willen dat jij en Marina kinderen hadden gehad? Of zou dat het allemaal nog erger hebben gemaakt?'

'Dat weet ik niet. Daar heb ik nog niet over nagedacht.' Dat was zo. We hadden het niet meer over kinderen gehad, hè? Al in geen jaren. 'Misschien zou het me iemand geven om... het verlies mee te delen.'

'Dat kun je met mij, weet je. En Matt. We hebben elkaar op jouw huwelijk leren kennen, weet je nog?'

'Dat ben ik niet vergeten.'

'Wat ik wil zeggen, is dat het een sterkere band tussen ons schept dan tussen doorsneezussen met hun echtgenoten. Ons vieren. Zo is het al vijftien jaar. Nu is dat veranderd. En ik vind dat we elkaar moeten helpen om met die verandering te leren leven.'

Ik probeerde aandacht te schenken aan wat ze zei, maar haar opmerking over ons trouwen had me naar die tijd teruggevoerd. Hoewel ik ervan overtuigd was dat trouwen met jou was wat ik wilde, was ik toch bang geweest. Niet zozeer voor mijn gelofte aan jou, maar meer voor het feit dat ik de rest van mijn leven op een bepaalde manier had vastgelegd. Ik had het er de avond tevoren met Matt over gehad en hij had me een goede raad gegeven. 'Zolang je maar zeker weet dat het voor nú de juiste stap is, gaat de rest van je leven wel vanzelf.' Daar heb ik hem zes maanden later aan de vooravond van zijn eigen huwelijk nog aan herinnerd. En hier was ik nu, vijftien jaar verder en moest ik het enige soort toekomst onder ogen zien dat ik me van mijn leven niet had kunnen voorstellen. Ik was nergens zeker van, behalve dat het niet vanzelf zou gaan.

'Ben je d'r nog, Tony?'

'Sorry. Ik kan me niet meer zo goed concentreren sinds dit is gebeurd. Vertel eens over je nieuwe huis. We keken ervan op dat je was verhuisd. Wat was er mis met jullie vorige?'

'Niets. Maar Otherways heeft zo zijn bekoring.' In haar ogen keerde iets van de vonk terug die ik er na je dood in had gemist. 'Zodra we het zagen, waren we verkocht.'

'Otherways. Ongebruikelijke naam.'

'Voor een ongebruikelijk huis. Het dateert van even voor de Eerste Wereldoorlog. De architect heeft er allerlei verrassingen in verwerkt. En de grootste verrassing is wel hoe gezellig het is. Alsof ik er mijn hele leven onbewust naar heb gezocht.'

'Ik verheug me erop.'

'Daar hoef je niet op te wachten. Ik heb een foto bij me.' Ze maakte haar tas open en haalde een envelop uit een vakje met een rits. Ik herinner me nog dat ik het raar vond dat iemand een foto van zijn huis met zich rondsjouwde alsof het om een beminde ging. Maar ik nam aan dat ze hem alleen maar had meegenomen om aan mij te laten zien. Ze haalde de foto uit de envelop en gaf hem aan mij. 'Wat denk je hiervan?'

Wat ik dacht, was dat ik nog nooit zo'n huis had gezien. Het had de hoogte en breedte van een klein buitenhuis en stond op een stuk eigen terrein met bomen en grasvelden. Maar het was helemaal rond. Het dak was een kegel van bruine leisteen, onderbroken door dakramen en schoorstenen die de ronde vorm toch geen geweld aandeden. Er was geen geveltop en er waren geen erkers. De onderste ramen volgden stuk voor stuk de ronding van de grijsroze muren en de voordeur zat verzonken in een portaal met een trapje. Op de foto was het moeilijk te zien, maar om het huis leek een soort slotgracht te lopen. Een ronde slotgracht om een rond, stenen huis. De enige zichtbare rechte lijn scheen de brug over de gracht naar de voordeur, hoewel zelfs die smaller leek aan de kant van het huis, zodat de breedte van de gracht werd geaccentueerd. Er waren nog twee bruggen, en – niet zichtbaar op de foto – vermoedelijk nog een vierde achter het huis op gelijke afstand van de andere. Het algehele effect was een bouwkundig bizarre, geometrische symmetrie. Het was een onthutsend solide blikvanger. Het was opvallend aanwezig en toch, op de een of andere manier ook weer niet, alsof het een decor of een projectie was: een vriendelijk oud huis van steen dat dreigde op te lossen als je er lang naar keek.

'Apart, hè?' glimlachte Lucy.

'Dat kun je wel zeggen.'

'Je zult het er heerlijk vinden. Wij hebben het er erg naar ons zin.'

'Hoe heb je het gevonden?'
'Puur toevallig. Of dankzij het lot, misschien. Als je daarin gelooft.'
'Dat weet ik niet zeker.'
Ik wist het niet zeker. Toen niet althans. Maar nu is dat wel anders. En nu schijnt zelfs het lot een te zwakke beschrijving voor de wijze waarop dat huis en de geheimen die het bevatte ons in zijn onzichtbare web verstrikte. Lucy. En Matt. En mij. En ook jou, Marina. Op dat moment had ik het nog niet eens gezien. En jij zult het nooit zien. Maar het was al begonnen ons binnen te halen.

Lucy vertrok de volgende ochtend met mijn belofte dat ik een paar dagen later zou volgen. Ze nam ook een deel van jouw kleren mee, nadat ik haar zover had gekregen om die kleren uit te kiezen die haar van pas konden komen. Wat had het voor zin om ze te bewaren of aan het Leger des Heils te schenken als jij en Lucy dezelfde maat hadden en vroeger vaak genoeg kleren hadden geruild? Het leek me alleen maar verstandig. Jij zou onder zulke omstandigheden niet sentimenteel hebben gedaan over mijn kleren, hè?
Maar het griezelige was dat Lucy's keus precies mijn favorieten waren: de paarse geklede jas, het kersenrode jasje, het smetteloos witte, oversized overhemd met het rode randje; de crèmekleurige zomerbroek; de lichtblauwe zijden sjaal die ik je heb gegeven toen we een jaar getrouwd waren. Ik wist niet of ik blij of verdrietig moest zijn. Maar ze mocht ze meenemen, want ik besefte dat ik altijd aan jou zou denken als ik haar die kleren zou zien dragen, en dat ik altijd kon dromen dat jij het nog steeds was die ze droeg; als ik dat wilde.

Toen Lucy weg was, reed ik naar Holsworthy om de makelaar die ons Stanacombe acht maanden daarvoor had verkocht te vragen het huis weer in de markt te zetten. Daarna reed ik naar Morwenstow, liep ik langs de pastorie Henna Cliff op en ging daar op het bankje zitten. De wind rukte aan de branding beneden en grijze wolken dreven over met regenboogfragmenten en gebroken zuilen van licht in hun kielzog. De lucht was helder en vochtig, transparant en glanzend.
Ik ging met mijn hand langs mijn kin en besefte dat ik me die ochtend niet had geschoren. Ik was het domweg vergeten en Lucy was zo vriendelijk geweest om er niets van te zeggen. Het verdriet had me slordig en vergeetachtig gemaakt. Jij zou me eraan herinnerd hebben; je had het nooit zo op slonzige chic. 'Doorleven,' kon ik je bijna horen zeggen. 'Niet bij de pakken neerzitten omdat ik er niet meer ben.' Jij zou hier zoveel beter in zijn ge-

weest dan ik, Marina. Jij zou veel beter hebben geweten wat je te doen stond dan ik.

Ik bleef een paar uur zitten staren naar het ijzerdraad van het hek waar je overheen was geklommen, terwijl het verslapte en verstrakte in de vlagen van de wind. Het leek me allemaal van een zinloze wreedheid, zo willekeurig en bloeddorstig van degene of datgene dat zulke dingen verordende. Waarom moest je überhaupt mijn vrouw worden als ik je toch op deze manier zou verliezen?

Op dat moment voelde ik voor het eerst iets van woede omdat je me op zo'n stompzinnige manier had verlaten. Een fatale val omdat je zo nodig lentebloemen moest bewonderen. 'Godverdomme,' zei ik hardop, 'waarom heb je gewoon niet uitgekeken?' Er kwam natuurlijk geen antwoord. Noch van jou, noch van iets anders.

Zodra ik terug was op Stanacombe, begon ik met pakken. Ik wist niet precies hoe lang ik weg zou blijven, of dat ik ooit nog terug zou komen behalve om het huis te ontruimen voor een koper. Maar toen ik de volgende ochtend wegreed, zei mijn gevoel dat het voorgoed zou zijn.

Ik stopte in Holsworthy om de sleutels bij de makelaar af te geven en liep tegen Carol op, die net het plein overstak. Ze had een baantje bij de golfclub gevonden en deed haastig wat boodschappen voor haar werkdag begon. Ik vertelde haar dat ik wegging en dat Stanacombe te koop stond.

'Ik hoop dat het u goed gaat, meneer Sheridan,' zei ze.

'Ik ook.'

'Het zal vast wel,' zei ze toen we afscheid namen.

Ik wist het natuurlijk niet. Maar ik ben gelukkig optimistisch van aard. Althans, dat zei jij altijd. Een deel van mij dacht dat het niet erger kon. En dat deel had gelijk. Ik wist alleen niet hoe erg het in feite was. Maar daar zou ik nog achter komen. Of ik het nu wilde of niet. Op Otherways.

Twee

Matts en Lucy's drijfveren om naar Leicestershire te verhuizen, leken me vrij logisch. Toen *Pizza Prego* een landelijke keten werd, moest Matt natuurlijk een basis hebben van waaruit hij makkelijk naar alle windstreken kon reizen. Jij hebt weleens laten vallen – niet helemaal zonder ironie – dat de verhuizing meer met zijn hartstocht voor de vossenjacht te maken had, hoewel je vast wel wist dat die liefhebberij pas na de verhuizing tot bloei kwam. Maar er was van meet af aan een algemeen enthousiasme voor het landjonkerschap. Jij hebt altijd betwijfeld of Lucy die voorliefde deelde. Je had zo af en toe een zusterlijk goed gesprek waaruit bleek dat ze zich verveelde in Market Bosworth. Jij dacht dat de verhuizing naar Rutland – waarvan het nieuws ons bereikte tijdens de voorbereidingen om uit Londen te vertrekken – was bedoeld om haar van de straat te houden met de volgende etappe van woninginrichting. Ze had ook gefrustreerde moedergevoelens geuit, hoewel het nooit duidelijk is geworden of er sprake was van een lichamelijk probleem of van iets anders. Ik weet ook dat je niet al te veel had willen doorvragen om een pijnlijk contrast met onze eigen vrijwillige kinderloosheid te mijden.

Zoals je je zult herinneren, waren ze allebei merkwaardig terughoudend over hun nieuwe huis toen ze met Kerstmis naar Stanacombe kwamen. Ze zeiden alleen dat we ervan op zouden kijken als we het zagen. Nu weet ik waarom. Otherways had niets van de doorsnee bouwkundige steenklomp die ik me er vaag bij had voorgesteld. Het buitenhuis was een wereldje op zich.

Nog afgezien van het ontwerp, lag het op een merkwaardige plek, hoewel dat eigenlijk niets met de architect te maken had. Rutland Water was twintig jaar geleden ontstaan, toen een paar valleien ten oosten van de provincieplaats Oakham onder water waren gezet om als reservoir te dienen. De rug tussen beide valleien had het overleefd als schiereiland van de westkust bijna tot de overkant van het meer. Ik arriveerde in de loop van de middag en reed er vanaf Oakham op af door stukken bos met af en toe een sprankelend uitzicht op het meer. Ik kwam bij het dorp Hambleton – een pijnlijk schilderachtig kluitje natuurstenen huizen in zachte tinten – en volgde Lucy's routebeschrijving langs een weggetje in oostelijke richting tussen velden met schapen, en nu en dan een kijkje op het meer, tot ik bij de afslag naar Otherways kwam.

Het lag verscholen achter struikgewas in een plooi van het land. De foto had me voorbereid op wat ik zou zien, maar het was toch een schok: het huis bevond zich in het landschap van Rutland als een soort luchtspiegeling, waarvan het kunstigste was dat het helemaal geen zinsbegoocheling was. De taartpunt van het meer die zichtbaar was tussen de bomen om het huis hoorde er op de een of andere manier onlosmakelijk bij. Het meer zag er echt uit, maar was kunstmatig. Het huis leek wel een fata morgana, maar was er wel degelijk.

Matt stond me al op te wachten. Waarschijnlijk ging hij ervan uit dat ik zou arriveren voordat Lucy van tennisles zou terugkeren. Hij leek wel bezorgd, of afwezig; misschien wel bij het vooruitzicht van mijn logeerpartij van onbepaalde duur. Maar ik dacht niet echt dat het daardoor kwam. Daar reikten de wortels van onze vriendschap te diep voor. Ik vroeg me af of hij soms zakelijke problemen had. Zo ja, dan wilde hij me daar waarschijnlijk niet mee lastigvallen.

Eerst praatten we alsof alles als vanouds was, alsof jij nog leefde en de gebeurtenissen van de afgelopen weken nooit hadden plaatsgevonden. Hij liet me eerst de buitenkant zien en genoot van de kans om de eigenaardigheden van het huis aan een bezoeker die er voor het eerst kwam uit te leggen, hoewel hij teleurgesteld was omdat ik geen blijk gaf van uiterlijke verbijstering. Weldra bleek dat hij niet wist dat Lucy me een foto had laten zien. Ik kreeg de indruk dat hij niet eens wist dat ze die foto bij zich droeg.

'Het is meer Lucy's speelplaats dan de mijne,' legde hij uit toen we om de bemoste muur om de slotgracht liepen. 'Ik weet niet of ik het huis wel gekocht zou hebben, maar zij wilde het met alle geweld. Ik moest van jachtgebied veranderen, weet je.'

'Het leven kan rampzalig zijn, hè?'

Hij grijnsde. Toen bevroor zijn glimlach. 'Maar voor jou geldt dat wel. Lucy is er natuurlijk kapot van. En ik ook. Maar voor jou...'

'Vertel maar over het huis, Matt. Het heeft m'n nieuwsgierigheid gewekt. En nieuwsgierigheid leidt me af van gedachten over Marina. Althans een poosje.'

'Goed dan. Het is het enige bekende werk van de een of andere zonderlinge Engels/Franse architect die even voor de Eerste Wereldoorlog actief was. Emile Posnan. Hij heeft het gebouwd voor een rijke kluizenaar die Basil Oates heette. Oates is in de jaren dertig overleden. Daarna heeft het verschillende eigenaars gehad waarvan uw verslaggever de laatste is. Alles is precies zoals je het ziet. Rond, of gedeeltelijk rond. De kamers worden naar het midden toe smaller. Elk raam is lichtelijk bol en de meeste deuren zijn aan de binnenkant een beetje hol. De bouw moet een fortuin hebben gekost. Het onderhoud kost in elk geval een klein fortuin. Maar waarschijnlijk is het dat wel waard.'

'Omdat Lucy het mooi vindt?'

'Precies. Ik probeer haar tevreden te houden.'

'Ik wou dat ik Marina nog steeds tevreden kon houden.'

'Dat geloof ik best.'

Hij kneep in mijn schouder. 'Als er iets is, wat... Nou ja, doe maar alsof je thuis bent, Tony. Blijf zo lang als je wilt. We barsten van de ruimte. We willen je graag helpen, weet je.'

'Dat weet ik. En weten helpt al.'

'Wil je de binnenkant zien?' Hij knipoogde. 'Die is nog gekker.'

We liepen terug naar de brug naar de voordeur en staken de gracht over. Toen Matt de voordeur opende, zag ik wat hij met hol en bol bedoelde. De kromming van de deur was zo licht dat je deze pas zag toen hij openzwaaide. Maar hij paste perfect, en dat moest ook wel om de algehele stijl geen geweld aan te doen. Hetzelfde gold waarschijnlijk voor de deurlijst. Posnan moest zijn timmerlui tot de rand van de waanzin hebben gedreven.

Binnen werd het perspectief direct vertekend door de rondheid van de hele stijl. Een gangetje dat er langer uitzag omdat het gaandeweg smaller werd, leidde naar een centrale hal, vanwaar een wenteltrap zich als een enkelvoudige schroefdraad naar de overloop van de galerij op de eerste verdieping, en vervolgens naar de tweede spiraalde. Deuren op de andere kwartierpunten van de hal gaven toegang tot een woonkamer links, een eetkamer recht voor ons en rechts een bibliotheek die was verbouwd tot Matts werkkamer. De grote, identieke kamers waren voorzien van openslaande deuren die toegang gaven tot een eigen bruggetje over de gracht. Ze hadden stuk voor stuk een breed, rond uitzicht op de tuin, en in het geval van de eetkamer ook op Rutland Water. Vanuit die kamer voerden een wenteltrap en een etenslift naar de keuken beneden. Van de keuken liep een korte tunnel onder de gracht door naar de ronde parkeerplaats met kinderhoofdjes waar ik was gestopt nadat ik de oprijlaan was opgereden. Aan de overkant daarvan stonden, verscholen achter ronde muren en spiraalvormige bosjes rododendrons, de garage en de stallen waarin de ronde vormen plaats hadden gemaakt voor een rechthoekig pragmatisme. Volgens Matts theorie was Oates' geduld of geld op voordat Posnans opvattingen zich van alle hoeken en gaten van het terrein meester hadden gemaakt.

Bleef over het huis zelf als eerbetoon aan zijn ronde verbeelding. Op de eerste verdieping waren drie slaapkamers met stuk voor stuk een eigen garderobe en een badkamer, wat voor die tijd ongehoord buitensporig was. Oates was kennelijk niet alleen een kluizenaar, maar ook een pietjeprecies. Een Edwardiaanse heremiet kon evenwel niet zonder bedienden, vandaar de kamertjes met dakkapellen op de tweede verdieping, die vol stonden met spullen die Matt en Lucy nog niet hadden uitgepakt, plus wat rommel die de vorige eigenaar had achtergelaten.

'Duncan Strathallan, een opvliegende ouwe Schot,' zei Matt toen we een kamer vol stoffige oude hutkoffers en een verzameling huishoudelijke rommel bekeken. 'Ik heb hem gevraagd om het weg te halen, maar het ziet ernaar uit dat we het zelf moeten doen.'

'Woonde hij hier alleen?'

'Nog zo'n kluizenaar, bedoel je? Niet echt. Dit is jaren lang zijn familiehuis geweest, voor zover ik het heb begrepen. Maar uiteindelijk is hij alleen achtergebleven. Het leek erop dat hij blij was om weer naar het noorden te kunnen.'

De bovenste kamers hadden het meeste uitzicht tussen de iepen en eiken die de indruk wekten dat ze er al hadden gestaan lang voordat het huis werd gebouwd: dwars door Rutland Water aan beide kanten van de zacht glooiende vallei.

'Oates had een heel stuk land naar het noorden,' zei Matt. 'Strathallan heeft het verkocht en vervolgens is het onder water gezet, terwijl het huis hoog en droog bleef. Het meer maakt het hier natuurlijk afgelegen. Het is hemelsbreed tien kilometer naar de A1 en bijna dertig kilometer met de auto. Maar in ruil daarvoor hebben we privacy en kunnen we vlak voor de deur een lijntje uitgooien.'

'Jagen met hagel. Nu is het vissen. Straks is het schieten met scherp.'

'Jij denkt zeker dat ik mijn ziel en zaligheid aan het landjonkerschap heb verkocht.'

'O, dat is al heel lang geleden gebeurd. Als student had je al een verdachte voorkeur voor tweed.'

'Ik had smaak, Tony. Hoe jij Marina ooit zo gek hebt kunnen krijgen om toezicht op jouw kleerkast vol afdankertjes te houden, zal ik nooit...' Hij stopte en we keken elkaar geschokt aan, waarschijnlijk omdat we weer in oude grapjes en gratuite veronderstellingen waren vervallen.

'Maak je geen zorgen, Matt. Ik wil niet dat je je woorden op een goudschaaltje gaat leggen.'

'Maar toch...'

'Ik begin in het reine te komen met wat er is gebeurd. Ik sta op eigen benen. Net als die arme ouwe Strathallan.'

'Ik kan je verzekeren dat je niets van hem weg hebt.'

'Mooi, houen zo.'

We glimlachten elkaar aarzelend toe en gingen weer naar beneden. De woorden die ik had gebruikt, weerklonken nog in mijn hoofd. Begon ik er echt al mee in het reine te komen?

Toen Lucy thuiskwam en de warme middag plaatsmaakte voor een zwoele avond, dronken we thee in de tuin. Daarna wandelden we naar Hambleton om in het café wat te drinken en een hapje te eten. Ik kan me niet herinneren waar we het over hadden. Waarschijnlijk zochten we alledrie op de tast de weg terug naar een nonchalante en gemakkelijke manier om met elkaar om te gaan. Matt noch Lucy meden jou in hun gesprek, maar andere onderwerpen evenmin. De gewoonheid van het leven na een overlijden is zowel banaal als geruststellend. Het leven gaat door, al wil je er niet aan; al zou je het tegen willen houden.

Die nacht gebeurde er iets merkwaardigs. Toen ik de volgende morgen wakker werd, het zonlicht tussen de spleten van de gordijnen door speelde en de vogels een schril concert aanhieven waarin het gekrijs van zeemeeuwen ontbrak, besefte ik dat ik voor het eerst sinds jouw dood niet van je had gedroomd. Toen pas drong het tot me door hoevéél ik van je had gedroomd. Ik vroeg me af: hoorde dat bij het loslaten? Was dit een van de vele mijlpalen op de weg die van jou vandaan liep? Zo ja, dan wilde ik dat eigenlijk niet. Maar wat ik wilde deed weinig ter zake. De tijd is een weg waarop je niet kunt afremmen, laat staan rechtsomkeert maken. Jij had die weg verlaten, maar ik zat er nog op.

Huishoudster Nesta Worthington was de vorige dag al ter sprake gekomen. Die ochtend ontmoette ik haar voor het eerst. Ze bleek niet het stereotype dat ik me bij haar had voorgesteld. Ze had een zwaar accent, was goed gekleed en zag er meer uit als de vrouw des huizes dan als een betaalde kracht. Matt was naar het kantoor van *Pizza Prego* in Leicester en Lucy zat in het bad na het rondje hardlopen waarmee ze haar dag begon, dus hield mevrouw Worthington me gezelschap aan het ontbijt in de keuken. En het was duidelijk dat ze geen voorstandster van een zwijgzaam ontbijt was.

'Mijn man is vorig jaar overleden,' zei ze uit zichzelf. 'Toen pas kwam ik erachter hoe arm ik in feite was en hoe zinloos het is om de ogen voor de pijnlijke waarheid te sluiten. Volgens Lucy heeft u een erg gelukkig huwelijk gehad. U heeft mijn oprechte deelneming.'

'Heeft u een erg gelukkig huwelijk gehad, mevrouw Worthington?'

'Ooit wel. Maar op het laatst niet. Alle liefde is onderweg opgeraakt. Misschien boft u in dat opzicht wel.'

'Denkt u?'

'Ik zei misschien. Let maar niet op wat ik zeg. Lucy zal u vertellen dat ik praat zoals ik het huishouden doe: grondig maar onhandig. Ze laat me niet bij het porselein. Maar ik zal u één ding zeggen dat de moeite van het onthouden waard is. De dood van een naaste laat je kennismaken met hoe de dingen werkelijk zijn. En die hoeven niet per se te zijn zoals je dacht. Zo'n verlies kan wreed zijn. Maar verlichting nog wreder.'

Lucy had voor die dag een uitstapje op het programma om me de omgeving te laten zien en ik protesteerde niet. Het was warm en ze droeg je witte hemd en de crèmekleurige broek die ze van Stanacombe had meegenomen. Ze zei er niets over, hoewel ze moest hebben beseft dat het me niet zou ontgaan.

We reden om Rutland Water en stopten voor een kijkje in Normanton Church die eenzaam op een schiereiland in het meer bewaard was gebleven, alvorens we door vreedzaam boerenland in zuidelijke richting naar Kirby Hall reden. Dat was een kolossaal en bouwvallig Elizabethaans landhuis, waar we door gangen zonder plafond en verlaten binnenpleinen dwaalden, vergezeld van melancholieke pauwenkreten.

'Dacht je me hiermee op te beuren?' vroeg ik terwijl we over de gazons liepen en omkeken naar het skelet van schoorstenen en geveltoppen.

'Eigenlijk wel,' antwoordde Lucy met een ironische glimlach. 'Ik ga hier altijd naartoe als ik weer eens moet beseffen wat belangrijk is in het leven.'

'En hoe gaat dat dan in zijn werk?'

'Nou, het is allemaal verleden tijd, hè? De mensen, de macht en zelfs het pleisterwerk. Zij hebben waarschijnlijk gedacht dat het allemaal eeuwigheidswaarde had, maar je ziet het. Een ruïne, in stand gehouden door English Heritage om ons eraan te herinneren hoe zinloos het is om in de toekomst te leven.'

'Ik weet niet zeker of dat wel in de statuten van English Heritage staat.'

'Het zou wel moeten. Leef nu. Dat is de les, Tony. Heeft Marina's dood dat niet benadrukt? Zijn er geen dingen die jij en zij tot morgen of volgend jaar hebben uitgesteld en waarvan je nu uit het diepst van je hart zou willen dat je ze had gedaan voordat het niet meer kon?'

'Heel wat.' Ik wendde mijn blik af, bang dat ze de tranen zou zien die me in de ogen sprongen.

'Ik zeg het niet om je pijn te doen.' Ze drukte me tegen zich aan en we stonden dicht bij elkaar naar het kale karkas van Kirby Hall te kijken. 'Ik zeg het omdat het waar is. Matt en ik hebben een leven waar de meeste mensen jaloers op zouden zijn. Rijkdom, vrije tijd en zekerheid. Maar af en toe denk ik dat het te veilig en te risicoloos is. Een van de laatste dingen die Marina tegen me zei – toen ze het over jullie verhuizing haar de West Country had – was dat ze probeerde spontaner te worden. Raken we die spontaniteit niet kwijt als we ouder worden?'

'Misschien.'

'Maar dat hoeft niet.' Ze kuste me op de wang. 'Toch?' Daarna liep ze op een holletje over het gras naar het huis terug.

Ik volgde iets langzamer, liet haar vooruitgaan en zag haar steeds meer op jou lijken naarmate de afstand tussen ons groter werd. Ik keek haar na en vroeg me af wat er door jouw dood bij haar van binnen was gebeurd. Ik durfde het nauwelijks te denken, maar het was bijna alsof er iets was bevrijd, iets wat voorheen gevangen had gezeten. En het had net vleugels gekregen.

De volgende halte op Lucy's uitstapje was Stamford, aan de overkant van de A1. Een schitterend oud stadje waar de tand des tijds niet aan had geknaagd, althans niet de afgelopen paar honderd jaar. Al rondslenterend kon ik me goed voorstellen hoe enthousiast jij zou zijn geweest over de kinderhoofdjes en Georgiaanse winkelpuien. In die zin was nieuwe plekken zien erger dan me aan oude vasthouden. Ik wilde de vreugde van de ontdekking met jou delen, maar dat ging niet. En waar bleef de vreugde als ik die niet kon delen?

We lunchten in een van de oude herbergen uit de tijd van de diligence. Het bier dat ik dronk, zorgde voor een merkwaardig gevoel van vervreemding, zodat ik aan mijn zintuigen begon te twijfelen. Rutland Water, Otherways, Stamford en zelfs Lucy: de identiteit van dat alles leek te vervagen en alles zag eruit als iets anders of, in Lucy's geval, iemand anders.

'We zijn op de thee gevraagd bij een vriendin die ik heb leren kennen nadat we hierheen zijn verhuisd,' kondigde Lucy aan. 'Dat vind je toch niet erg?'

'Natuurlijk niet.'

'Ze heet Daisy Temple. Ze woont in een prachtig oud huis in Harringworth. Onderweg naar Kirby Hall zijn we erdoorheen gekomen, weet je nog? Bij het Welland Viaduct?'

'O, ja.' Eigenlijk herinnerde ik me meer het viaduct – een kaarsrechte reeks Victoriaanse spoorbogen door een vallei ten zuiden van Rutland Water – dan het dorpje dat het overschaduwde. 'Hoe heb je haar leren kennen?'

'Haar zuster had voor de oorlog op Otherways gewoond. Ik heb contact met haar opgenomen omdat ik meer over de geschiedenis van het huis wilde weten. Nesta had haar naam laten vallen. Ondanks het verschil in leeftijd zijn we bevriend geraakt. Daisy is een jaar of tachtig, maar hierboven is ze leeftijdsloos,' zei Lucy met een gebaar naar haar hoofd.

'En heeft ze je nog iets interessants over Otherways kunnen vertellen?'

'Dat kun je wel zeggen. Daar moet ik je eigenlijk voor waarschuwen. Niet dat het bij de thee ter sprake zal komen. Het is nauwelijks... Nou ja, het is nog steeds een pijnlijk onderwerp voor Daisy, ook al is het nog zo lang geleden. Vanzelfsprekend.'

'Wat?'

'Haar zus is daar vermoord.'

'Vermoord?' Ik zette mijn glas neer en keek haar aan. 'Echt?'

'Ja, echt waar. Ze heette Ann Milner. Vermoord door haar man, James Milner. Hij is er voor opgehangen.'

'Wanneer is dat gebeurd?'

'In de herfst van 1939. Bijna zestig jaar geleden. Toen Daisy nog een vrolijk jong ding was.'

'Wist je dat, voordat je het huis kocht?'

'Nee. Matt was daar erg verontwaardigd over. Hij vond dat de makelaar het had moeten zeggen. Belachelijk. Waarom zou een makelaar iets zeggen dat de verkoop in gevaar kan brengen?'

'Had dat erin gezeten?'

'Misschien dat Matt een tikje zenuwachtig zou zijn geworden als hij het had geweten.'

'Maar jij niet?'

'Nee, waarom zou ik?'

'Nou, gewoon. Bijgeloof. Angst voor spoken.'

'Ik ben niet bang voor ze.'

Het was een eigenaardige woordkeus. *Ik ben niet bang voor ze.* Alsof ze wel degelijk bestonden. Maar toen vond ik er niets vreemds aan.

'Bovendien,' vervolgde Lucy, 'heeft de moord eigenlijk niet in het huis plaatsgevonden.'

'Waar dan?'

'In het prieeltje.'

'Ik heb geen prieeltje gezien.'

'Dat klopt. Het stond in een lager gedeelte van de tuin ten noorden van het huis dat nu onder water staat, en je kwam er via een zigzagpaadje door de rododendrons. Ze hebben het paadje laten overwoekeren omdat de tuin en het prieeltje er niet meer zijn. De rododendrons groeien nu tot de rand van het water.'

'Het is hier echt een veranderend landschap, hè?'

'Bedoel je letterlijk of figuurlijk?'

'Allebei, denk ik. Maar vertel eens: wat zat er achter die moord?'

'Huwelijksmoeilijkheden, denk ik. Luister, als je de sappige details wilt weten – die eigenlijk helemaal niet zo sappig zijn – zal ik je de tijdschriftartikelen laten lezen. Toen de plannen voor het reservoir in de jaren zeventig werden gelanceerd, heeft een zondagsblad de zaak nog eens opgerakeld. Moordlocatie verdwijnt onder water. Dat soort teksten. De Milners hadden exotische vrienden. Daardoor leek de moord interessanter dan hij in feite was.'

'Hoe ben je aan dat artikel gekomen?'

'Ik vond het tussen de rommel die Strathallan heeft achtergelaten. Misschien vond hij dat geestig. Om te laten weten dat hij iets voor ons verzwegen had. Wil je het lezen?'

'Graag. Je hebt me nieuwsgierig gemaakt.'

'Oké. Ik zoek het wel op als we thuis zijn. Op één voorwaarde.'

'Dat ik er niets over tegen Daisy zeg?'

'Ik neem aan dat je dat hoe dan ook niet had gedaan.'

'Inderdaad.'

'Kijk eens aan. Dat is de voorwaarde dus niet. Het gaat om Matt. Hij mag niet weten dat ik in Stathallans spullen heb gesnuffeld. Hij is daar heel ouderwets in. Over een heleboel dingen, eigenlijk.' Ze lachte. 'Dus, kan ik op je discretie rekenen?'

'Als jij dat nodig vindt.'

'Ja.'

'Goed dan. Ik zal er tegenover Matt met geen woord over reppen.'

'Mooi.'

En aldus raakte ik, zonder erbij stil te staan of er veel belang aan te hechten, betrokken bij het bedrog van mijn vriend. Het stelde natuurlijk weinig voor. Maar, zoals Matt zelf zou hebben gezegd: wat klein begint hoeft niet per se klein te blijven.

Maydew House was in conventioneler opzicht dan Otherways een elegant huis, hoewel het uit dezelfde grijsrode steen en bruinachtige leisteen was opgetrokken. Het was een vierkant en bescheiden landhuis in de buitenwijk van Harringworth, waar het dorp langzaam overging in akkers, omgeven door massieve, oude kastanjebomen. Ik denk dat ik gemillimeterde gazons en een oprijlaan van aangeharkt grind verwachtte, maar de tuin was in feite een wildernis en het huis was aan een verfbeurt toe. Wat Daisy Temple betreft: zij was ook niet precies wat ik had verwacht.

Aan de voorkant werd niet opengedaan, dus Lucy voerde me naar de zijkant van het huis, waar een haveloos groepje stallen en schuren stond die overwoekerd waren door klimop. Uit een verzakte deuropening klonken flarden muziek die ik me vaag herinnerde van jouw Sjostakowitsjperiode. We liepen een klein atelier in waar een tanig vrouwtje met kortgeknipt staalgrijs haar in een tuinbroek en een geblokt overhemd op een kruk in gedachten verzonken voor een werkbank zat te kneden in een buste van klei.

'Daisy,' riep Lucy.

De oude dame keek om. Ze had onthutsende, korenbloemblauwe ogen en een kalme, gastvrije glimlach. 'O, jeetje,' zei ze. 'Jullie komen op de thee.'

'Was je het vergeten?'

'Absoluut niet.' Ze zette de cassettespeler uit, stond op en veegde de klei met een doekje van haar vingers. 'Ik heb me gewoon in de dag vergist. Jij moet Lucinda's zwager zijn,' vervolgde ze, terwijl ze naderbij kwam om me te begroeten. 'Ik raad je niet aan om me een hand te geven, maar ik vind het wel prettig om je te ontmoeten.'

'Dat is wederzijds, mevrouw Temple.' Het feit dat ze Lucy's volle naam gebruikte, had me verrast. Dat deed niemand. Maar ik keek nog meer op van de buste die op de tafel stond.

'Zeg maar Daisy. Ik heb het gevoel alsof wij elkaar al kennen, Tony, al hebben we elkaar nog nooit ontmoet. Lucinda heeft al zoveel over je verteld. En natuurlijk over wijlen je vrouw. Het speet me heel erg om te horen dat ze was overleden.'

'Dank u.'

'Aan je gezicht te zien heb ik de indruk dat Lucinda je niets over mijn jongste werk heeft verteld.'

'Inderdaad. En evenmin dat je beeldhouwster bent.'

'Mooi. Dat betekent dat je tenminste geen Michelangelo verwacht. Mijn werk is van een lager niveau dan veel mensen schijnen te denken.'

'En toch bepaald niet gering. Het is erg goed.'

'Ja, hè?' zei Lucy.

'Het is nog niet klaar, natuurlijk,' zei Daisy met een taxerende blik over haar schouder. 'Maar het begint aardig te komen.'

Het feit dat de buste nog niet af was, was waarschijnlijk de reden dat hij me zo van mijn stuk bracht. Lucy was zich niet van het effect bewust, hoewel het me recht uit de gemodelleerde klei in de ogen staarde. De buste had net zo makkelijk van jou als van haar kunnen zijn. Dat was het 'm nou juist. Daisy Temple had jou nooit ontmoet. Maar in de beeltenis van Lucy die ze had gemaakt, had ze je niettemin gevonden.

We gingen naar binnen om thee te drinken. Lucy nam de honneurs waar en Daisy ging zich verkleden. 'Het spijt me dat ik niets over die buste had gezegd,' zei Lucy toen we in de keuken bij elkaar stonden. 'Ik wilde een spontane reactie.'

'En die heb je. Hij is echt erg goed.'

'Echt? Je leek een beetje... ik weet het niet... een beetje afwezig toen je ernaar keek.'

'O, ja? Nou, dat had niets om het lijf. Wat vindt Matt...'

'Die weet het nog niet. Ik wil hem verrassen.'

'Nog een geheim?'

'Nog een onschúldig geheim.'

'Ja, natuurlijk.'

Her en der in de zitkamer waar we thee dronken stonden bustes op sokkels en vensterbanken. Vrienden en familie van Daisy, nam ik aan. Een stel levenden en een paar overledenen. Ik vroeg me af of haar zus of zwager er ook tussen stonden, maar hield de vraag voor me. De gezichten van gips vormden een curieus gezelschap toen we thee dronken en over de plekken keuvelden die Lucy me die dag had laten zien. Daisy vertelde dat ze al haar hele leven in Maydew House had gewoond en de omgeving als haar broekzak kende. De veranderingen door de komst van het reservoir waren talrijk, hoewel ze vond dat het voor het merendeel veranderingen ten goede waren geweest. Lucy's censuur op het onderwerp van de moord maakte dit een heikel gespreksonderwerp, maar het verbod bleek overbodig.

'Lucinda zal je vast wel over mijn zus hebben verteld, Tony, dus ik zal je de moeite besparen om de hete brij heen te draaien. Haar man heeft haar bijna zestig jaar geleden in een aanval van ongefundeerde jaloezie op Otherways vermoord en is zelf voor de misdaad aan de galg geëindigd. Ik ben al lang geleden met die episode in het reine gekomen.' Daar had je die term weer: *in het reine komen.* 'Er zijn mensen die mij interessant schijnen te vinden vanwege die ene gruwelijke periode in mijn familiegeschiedenis, en dat is weleens irritant omdat ik ervan uitga dat ik interessant genoeg ben zoals ik ben.'

'Dat ben je zeker,' zei Lucy.

'Wel, wel, aardig van je om dat te zeggen,' glimlachte Daisy. 'Maar misschien mag ik niet klagen. Ik betwijfel of je ooit contact zou hebben gezocht als het niet vanwege die moord was. En in dat geval zou ik nooit dichter bij de renbaan zijn gekomen dan via de krant.'

'We zijn echt liefhebbers van de paardenrennen geworden, Tony,' zei Lucy, die me vragend zag kijken. 'Daisy kan uitstekend de conditie van de paarden inschatten. Volgende week gaan we naar Newmarket.'

'Ga je mee, Tony?' vroeg Daisy.

'Nou, ik... ben niet uitgenodigd.'

'Bij deze dan,' zei Lucy.

'In dat geval graag. Daar verheug ik me op.'

'Doorgaans hebben we een geweldige dag,' zei Daisy. 'Een dagje ertussenuit is een goede afleiding. Ik vind het therapeutisch, al levert het amper iets op.'

Ik wilde niet vragen waar zij afleiding van zocht. Om het maar over iets anders te hebben, gebaarde ik om me heen naar de bustes. 'Hoe lang doe je dit al, Daisy?'

'Sinds m'n tienerjaren, met onderbrekingen. Er zijn... pauzes... geweest, om verschillende redenen. En er zijn meer mislukkingen dan successen geweest. Dit zijn de beste van een povere verzameling.'

'Je zet je licht onder de korenmaat. Ik ben geen deskundige, maar zie wel dat je talent hebt.'

Ze keek oprecht gevleid. 'Dank je.'

'Wat is je oudste werk?'

'Daar.' Ze knikte. 'Bij het raam.'

Het was het hoofd van een jonge vrouw in groen geaderd marmer. Ze had de kin geheven waardoor de nadruk lag op een slanke zwanenhals. Ze had een rimpelloos voorhoofd en hoge jukbeenderen en het haar zat fraai naar achteren. Ze was erg mooi, maar Daisy's sculptuur vertelde meer. Ze had een zekere treurigheid in het bewustzijn van haar schoonheid tot uiting gebracht.

Ik was opgestaan en naar de buste toe gelopen om hem te bewonderen. Toen ik erbij stond, hoorde ik een auto buiten en toen ik opkeek, zag ik een oude, grijze Morris Minor door het hek naar binnen komen. Hij stopte naast Lucy's auto. 'Ik geloof dat je nog meer bezoek krijgt,' zei ik, terwijl ik de chauffeur uit zag stappen. Het was een buikige man van middelbare leeftijd met een dikke bos haar, nonchalant gekleed in sportschoenen, een broek, een anorak en een sweater. Onze blikken kruisten elkaar even, maar hij glimlachte niet en knikte evenmin. Hij wendde zijn hoofd af en liep naar de voordeur.

'Dat is geen bezoek,' zei Daisy achter me. 'Dat is mijn huurder, meneer Rainbird.'

'Die bezorgt me de rillingen,' mompelde Lucy toen de voordeur achter hem dichtging. Er klonken voetstappen in de gang en daarna op de trap.

'Dat wil ik best geloven,' zei Daisy, toen er ergens boven ons weer een deur dichtging. 'Maar hij bezorgt mij het geld waarmee ik klei kan kopen en renpaarden met loden hoeven kan sponsoren, dus mogen we niet klagen.' Ze glimlachte naar me. 'Beeldhouwsters worden niet rijk, Tony. Meneer Rainbird subsidieert mijn kunst.'

'Ik zou zeggen dat je werk heel wat op zou leveren.'

'Helaas niet. In feite was de buste waar je nu bij staat de enige waar me ooit een flinke som voor is geboden. Maar ik kon het niet over mijn hart verkrijgen om hem te verkopen. Misschien heb je de reden al geraden, en dat was ook de reden waarom me er zoveel geld voor is geboden.'

'Omdat het je zus is?' Tot dan toe had ik het nog niet geraden, en nu was het onvermijdelijker dan voor de hand liggend.

'Ja, dat is Ann, zoals ze slechts een paar maanden voor haar dood was. En zoals ze altijd zal zijn, sindsdien.'

'Opmerkelijke vrouw,' zei ik, toen Lucy en ik in de loop van de middag naar Rutland Water terugreden. 'En ze vond het helemaal niet zo erg om over het verleden te praten.'

'Dat denk je maar.'

'Ze liet er geen misverstand over bestaan.'

'Misschien. Maar ik moet je waarschuwen, Tony. Dat is deels maar een pose. De moord heeft Daisy dieper geraakt dan ze wil bekennen. Ze is niet alleen haar zus kwijtgeraakt.'

'Wat bedoel je?'

'James Milner had een broer, Cedric. Daisy was met hem verloofd, maar ze zijn nooit getrouwd.'

'Vanwege die moord?'

'Ik denk het. Daar praat ze nooit over. Ze heeft zelfs nog nooit zijn naam laten vallen.'

'Hoe weet je het dan?'

'Dat staat in dat artikel dat ik heb gevonden. Cedric Milner is vrij beroemd. Of misschien kan ik beter berucht zeggen.'

'Nooit van gehoord.'

'Zeker weten?'

'Ik denk van wel. Cedric Milner? Zegt me niets.' Maar toen ik de naam herhaalde, begon me wel iets te dagen. Niet veel, maar iets. 'Wacht eens even...'

'Begint er een lampje te branden?'

'Ik kan hem niet plaatsen, maar nu je het zegt...' Ik knipte met mijn vingers. 'Een spion of zo.'

'Juist. Natuurkundige. Hij heeft vlak na de oorlog atoomgeheimen aan de Russen doorgespeeld. En bovendien...'

'Nou?'

'Tijdens de rechtszaak zei James Milner dat hij zijn vrouw had vermoord omdat hij geloofde dat ze een verhouding met... zijn broer had.'

Matt was al thuis toen we op Otherways terugkwamen. Hij klaagde goedmoedig dat Lucy me had gemonopoliseerd en stelde voor dat wij met z'n tweeën voor het eten wat zouden gaan drinken in het plaatselijke café. Het was een vriendelijke juniavond met een zacht briesje van het meer. De Finches Arms maakte zich op voor een drukke vrijdagavond. We zaten buiten, waar een wedstrijd *jeu de boules* aan de gang was en nipten van ons bier onder het getik van de *boules* en het slaperige gekoer van duiven.

'Wat vond je van Daisy?' vroeg hij.

'Extraverte tante,' antwoordde ik. 'En een knappe beeldhouwster.'

'Lucy is in elk geval dol op haar.'

'Jij niet dan?'

'Och, ik vind haar best aardig. Alleen... Nou ja, die moord; daar zat ik niet op te wachten. Snap je wel? Ik wil niet dat Lucy... er al te lang bij stilstaat.'

'Hoezo, stilstaat?'

'Heel wat mensen zouden niet graag in een huis wonen waar iemand is vermoord.'

'Maar dat vind jij toch niet erg?'

'Ik laat me er niet door beïnvloeden.'

'Lucy ook niet, voor zover ik kan zien.'

'Nee. Dat klopt. Voor zover je kunt zien.' Hij fronste. 'Ik weet het niet. Het is niets tastbaars, Tony. Niets concreets. Lucy kan het goed met Daisy vinden, meer niet. Althans, zo zou het moeten zijn, maar... Ik heb het gevoel...' Hij haalde zijn schouders op. 'Dat ze langzaam maar zeker, stukje bij beetje...' Hij schudde zijn hoofd alsof hij het van zich af wilde zetten. 'Nee. Het stelt niets voor. Helemaal niets.'

'Je klinkt niet erg overtuigd.'

'Sorry. Ik weet niet waar ik het over heb.' Hij lachte onzeker. 'Oud huis. Gruwelijke moord. Je kunt je van alles voorstellen als je maar hard genoeg probeert.'

'Zoals?'

'O, bovennatuurlijke dingen, denk ik.'

'Bedoel je dat het op Otherways spookt?'

'Lieve hemel, nee hoor.' Hij keek me met afgrijzen aan. 'Van geen kant. Ik heb absoluut niets griezeligs gezien of gehoord. Maar Lucy...'

'Zij wel?'

'Nee. Nou...' Hij liet zijn stem dalen en boog zich naar me toe. 'Eerlijk gezegd weet ik het niet zeker, Tony. Ze brengt er een hoop tijd alleen door. Te veel waarschijnlijk. Mijn schuld, mag ik wel zeggen. Zij is dol op het huis, echt waar. Ze heeft me pas nog verteld dat ze het verschrikkelijk zou vinden als we weg zouden moeten. Daar is misschien niets mis mee. Maar ik maak me bezorgd dat die... gehechtheid... te sterk is. Onnatuurlijk sterk. Begrijp je wat ik bedoel?'

'Eerlijk gezegd niet, Matt.'

'Dat snap ik.' Hij glimlachte quasi-zielig. 'Ik weet eigenlijk niet of ik het zelf wel begrijp.' Hij staarde een poosje in de verte en zei toen: 'Ik wil je hier eigenlijk niet mee belasten onder deze omstandigheden, maar zolang je hier bent, zou ik het op prijs stellen als je een oogje in het zeil wilt houden. Voor mij.' Hij bleef een poosje langs me heen staren en voegde er vervolgens aan toe: 'Voor de zekerheid.'

Dus binnen een dag na aankomst op Otherways was ik zowel door Matt als Lucy in vertrouwen genomen op een wijze die nog niet eerder was voorgekomen. Toen jij nog leefde, was het een vriendschap van twee getrouwde stellen. We hebben ons altijd op ons gemak gevoeld bij elkaar; we waren ontspannen en maakten grapjes. Maar nu begon ik daar de oppervlakkigheid van in te zien. Die had me niet voorbereid op het inzicht dat zowel Matt als Lucy me wilde geven in de tweeslachtigheid van hun relatie. Net zo goed als die oppervlakkigheid me niet had voorbereid op zo'n beetje alles wat me overkwam.

De reden dat ik nooit had gezien hoe roerig het aan de buitenkant zo bezadigde leventje van Matt en Lucy op het platteland van de Midlands was,

was natuurlijk Otherways. Toen we er die avond naar terugliepen, ging de zon schuil achter een partij wolken. In het veranderde licht waren de stenen muren koud, vlak en grijs geworden, en de bolle ramen weerkaatsten de grauwe lucht een beetje vertekend. Het bizarre bouwwerk zag er opeens vijandig uit en had iets weg van een sombere burcht. Ik vroeg me af of ik al die jaren echt zo onoplettend was geweest. Of zou hun verhuizing naar Otherways een katalysator zijn geweest voor veranderingen die jou en mij domweg niet waren opgevallen omdat we het te druk hadden?

Aan het eten werd verder niets meer over de moord gezegd. Lucy maakte zelfs geen toespeling op het tijdschriftartikel dat ze me had beloofd. Ik begon te denken dat ze het misschien was vergeten, hoewel ik haar er natuurlijk niet aan kon herinneren waar Matt bij was. Daar had ik ook weinig zin in. Instinctief weerhield ik me ervan om al te gretig te lijken.

Lucy was het natuurlijk niet vergeten. Toen ze naar bed ging en Matt en ik aan de whisky zaten, zei ze luchtig: 'Dat geschiedenisboek over Stamford waar je om hebt gevraagd, heb ik in je kamer gelegd, Tony.'

'Bedankt.' Ik wierp een blik op Matt, maar het was net alsof hij haar niet had gehoord.

'Welterusten dan maar.' Ze keek me over haar schouder aan toen ze de deur achter zich dichtdeed. Haar gezichtsuitdrukking was ondoorgrondelijk. Ze leek bijna geamuseerd, maar ten koste van wie kon ik me niet goed voorstellen.

Het was de *Sunday Times Magazine* uit de zomer van 1972. De dikke letters, de mode uit mijn tienertijd en de Stuyvesantadvertentie achterop deden me met een schok beseffen hoelang dat eigenlijk al geleden was. De voorplaat was van het omringende landschap zoals het eruit had gezien voor het graven van wat toen het Empingham Reservoir heette. Niemand scheen nog op de naam Rutland Water te zijn gekomen. Een aantal pagina's was gewijd aan een reportage over de graafwerkzaamheden en de invloed op het leven van de mensen die moesten verkassen om er plaats voor te maken. Ik zocht naar een minder opvallend stukje dat er schijnbaar naderhand aan vast was geplakt onder de kop *Vergeten moordlocatie verdrinkt in reservoir*.

Er stond een foto bij van wat waarschijnlijk het ondergelopen stuk tuin was: een – natuurlijk – rond gazon met een vijver in het midden en rozenstruiken eromheen, met daarboven de grotere rododendrons. Op de rand van het gazon stond het prieeltje onder een pergola van rozen. Qua vorm en afmetingen was het een soort houten maquette van Otherways, hoewel de voorzijde natuurlijk open was. Binnen zag je een bank die langs de ronde wand liep.

De foto van de tuin was een korrelige zwartwitopname. Hij was duidelijk niet uit 1972. Hoewel er niets over in het onderschrift stond, nam ik aan dat het een archieffoto uit de tijd van de moord was. Wel meldde het onderschrift dat Ann Milner op 2 september 1939 's avonds in het prieeltje had gezeten toen haar man James Milner haar doodschoot.

Mijn aandacht werd getrokken door de naam van de schrijver – Martin Fisher – domweg omdat iemand er een rode streep onder had gezet. Ik had geen idee waarom. Ik nam aan dat hij gewoon de verslaggever was geweest die de opdracht had gekregen om het verhaal te schrijven. Uit de tekst bleek ook niets anders. Ik ging op bed liggen om het stuk te lezen.

In Rutland wordt nog steeds over de moord gepraat, al is er ruim dertig jaar verstreken sinds de 27jarige aankomende diplomaat James Milner de tuin van zijn huis bij Oakham inliep om zijn beeldschone vrouw Ann (26) dood te schieten toen ze in het prieeltje van de avondzon zat te genieten. Dat er nog over wordt gepraat, is niet vanwege het feit dat er enige twijfel zou bestaan over James Milners schuld. Hij had de politie direct na het misdrijf gebeld om te zeggen wat hij had gedaan. Er wordt over gepraat omdat de omstandigheden vergetelheid in de weg staan.

De meest recente omstandigheid is het verdwijnen van de tuin waar de moord heeft plaatsgevonden. Die tuin wordt, samen met vijftienhonderd hectare omringend akkerland met bulldozers uitgegraven ten behoeve van een reusachtig nieuw reservoir. Milners oude huis, Otherways – een vreemd rond bouwwerk met een slotgracht dat vlak voor de Eerste Wereldoorlog is gebouwd door de even merkwaardige Engels/Franse architect Emile Posnan, prijkt nu als een soort binnenlandse vuurtoren boven een modderige woestenij met een wirwar van sporen van kolossale graafapparatuur. Het verleden is uitgewist. Maar dat lijkt alleen maar de herinnering van de mensen die er in de bewuste tijd vlakbij hebben gewoond te hebben aangescherpt.

Moord is toevallig niet het enige misdrijf waar de familie Milner mee in verband wordt gebracht. Er valt natuurlijk over te twisten, maar James Milners broer Cedric, die in 1939 ook op Otherways woonde, heeft zich aan iets nog ernstigers schuldig gemaakt. En in tegenstelling tot zijn broer heeft hij er niet met zijn leven voor moeten betalen. Cedric Milner zou een proces wegens hoogverraad te wachten staan als hij ooit naar zijn vaderland terugkeerde. Maar dat laatste is onwaarschijnlijk. Sinds de zomer van 1950 woont hij in de Sovjet-Unie, nadat hij daarheen was uitgeweken uit angst voor arrestatie we-

gens zijn spionageactiviteiten. De waarde van de informatie die hij had doorgespeeld toen hij in de jaren veertig als fysicus werkzaam was op het Harwell Atomic Energy Research Establishment, is nooit bekendgemaakt. Er zijn er die menen dat ze even belangrijk was als de informatie die was doorgespeeld door die andere, beroemdere verrader van Harwell, Klaus Fuchs, wiens arrestatie en berechting in het begin van 1950 het overlopen van Milner vermoedelijk in de hand heeft gewerkt. Het is waarschijnlijk maar goed dat de vader van James en Cedric Milner, Sir Clarence Milner, in 1936 is gestorven, een jaar na hun moeder Olga, Lady Milner. Sir Clarence was een beroepsdiplomaat van naam en Lady Olga de Russische schone die hij had ontmoet en met wie hij was getrouwd toen hij in de nadagen van de tsaar op de Britse ambassade in Sint-Petersburg werkte. Het is moeilijk voor te stellen hoe zij zouden hebben gereageerd op de executie van de ene zoon wegens de moord op zijn vrouw en de veroordeling van de andere wegens landverraad.

De vader van Lady Milner was een vooraanstaand bankier die vlak voor het uitbreken van de oorlog in 1914 werd vermoord door een Russische revolutionair. Vanzelfsprekend was zij geen voorvechtster van het bolsjewistische regime dat in 1917 de macht greep. James Milner was in 1912 in Sint-Petersburg geboren en Lady Milner, die toen nog gewoon mevrouw Milner heette, was voor de tweede keer in verwachting toen de ambassadeur en het merendeel van zijn staf en hun familieleden in januari 1918 het land moesten verlaten. Door een toepasselijke speling van het lot was Cedric Milner dus in Rusland verwekt en in Engeland geboren.

Na de oorlog werd Clarence Milner eerst in België en later in Portugal gestationeerd, waar hij zijn laatste jaren als ambassadeur uitdiende. In Lissabon ontmoette hij Emile Posnan, die daar had gewoond sinds hij Engeland in 1914 had verlaten. Posnan wekte zijn nieuwsgierigheid met de beschrijving van een huis dat hij in Rutland had gebouwd. Milner maakte gedurende zijn eerstvolgende verlof in Engeland van de gelegenheid gebruik om er een bezoek te brengen en toen hij zag dat het te koop stond, kocht hij het om zich er na zijn pensionering terug te trekken.

In 1933 verliet Milner geridderd de diplomatieke dienst en vestigde hij zich op Otherways. James Milner studeerde toen in Oxford. Cedric werkte intern in Harrow en had al een reputatie opgebouwd vanwege zijn wetenschappelijke uitnemendheid. James trad in 1934 in zijn vaders voetsporen in de diplomatieke dienst en trouwde met Ann Temple, de dochter van een plaatselijke huisarts. Weldra kreeg hij een post op de Britse ambassade in Moskou (waarheen de hoofdstad na de tsaristische tijd was verhuisd) dankzij het feit dat hij vloeiend Russisch sprak. Aanvankelijk ging Ann met hem mee, maar uiteindelijk keerde zij op eigen houtje terug naar Engeland, vermoedelijk wegens de gevaren en problemen van het leven in Moskou onder Stalin. In die tijd zouden er geen tekenen van huwelijksspanningen zijn geweest.

Maar het afscheid moest James hard zijn gevallen. Zijn ouders waren inmiddels overleden, maar Ann kon voor gezelschap op haar eigen familie terugvallen. Ze had vooral een nauwe band met haar zus Daisy, die nog altijd in de omgeving woont maar die weigert met mij over de moord te spreken. James had niets anders dan een saaie dienstronde van administratief werk in een stad waar de bevolking in angst leefde en de diplomatieke gemeenschap hulpeloos moest toezien hoe Stalin zijn wurggreep op de samenleving verstevigde.

Cedric ging in 1937 naar Cambridge en raakte daar beïnvloed door de marxistische natuurkundige J.D. Bernal. Maar hij moest ook de andere kant van het marxisme hebben gezien toen hij in 1938 zijn paasvakantie bij zijn broer in Moskou doorbracht. Het showproces tegen Boekharin dat James in zijn officiële capaciteit had bijgewoond, was net afgelopen. Hoe Cedric in staat was de ogen te sluiten voor Stalins tirannieke excessen blijft een mysterie. Maar dat is maar een van de veelheid van mysteries die hem en zijn broer omringen.

Tijdens zijn vakantie van Cambridge logeerde Cedric meestal op Otherways bij Ann. Dit was een onvermijdelijke, maar onnatuurlijke situatie, waarin de beeldschone onbestorven weduwe en haar knappe zwager onder één dak woonden. Ver weg in Moskou moest James het ergste hebben gevreesd. Zo ja, dan moest die angst zijn weggenomen toen Cedric in het voorjaar van 1939 zijn verloving met Anns jongere zus Daisy bekendmaakte. James zou in opperbest humeur voor langdurig verlof naar Engeland hebben moeten komen. Maar dat verlof was verlengd op grond van nerveuze uitputting. Misschien wierp de tragedie die zou volgen al haar schaduw vooruit.

Wat er precies gedurende de weken tussen de terugkeer van James uit Moskou en de moord is gebeurd, is onduidelijk. Twee van de vier mensen die het zouden kunnen vertellen zijn dood. Een derde is definitief niet beschikbaar voor commentaar. En de vierde, Daisy Temple, weigert erover te praten. Het enige wat ons rest, is wat er tijdens de rechtszaak naar boven is gekomen.

Te midden van de overstelpende hoeveelheid oorlogsnieuws hebben de moord op Ann Milner en de daaropvolgende rechtszaak en executie van haar man weinig aandacht in de nationale media gekregen. Daags na de schietpartij op Otherways verklaarde Groot-Brittannië Duitsland de oorlog. In Rutland gold de moord natuurlijk als een sensatie. Elders hadden de mensen belangrijker dingen aan hun hoofd. Bovendien maakte James Milner deel uit van het corps diplomatique als vertegenwoordiger van zijn land in het buiten-

land. Hij had iets verschrikkelijks gedaan en daar moest hij voor boeten. Het zou als onpatriottisch kunnen worden uitgelegd om er al te lang bij stil te staan.

Het proces op zich was een korte anticlimax. James bekende schuld en werd niet gehoord. Zijn advocaat legde namens hem uit dat hij ervan overtuigd was geraakt – abusievelijk, zoals hij inmiddels wel inzag – dat zijn vrouw er een clandestiene affaire met zijn broer op na hield. Hij had haar, als oudste van de twee, als hoofdschuldige aangemerkt. Toen ze hem niet de verzekering gaf dat ze een eind aan de relatie zou maken (wat onmogelijk was omdat er geen sprake van een relatie was), had hij haar doodgeschoten met de revolver die hem op de ambassade in Moskou voor zijn persoonlijke bescherming was verstrekt. Waarom hij argwaan was gaan koesteren jegens zijn vrouw werd niet duidelijk, en evenmin hoe hij vervolgens van haar onschuld overtuigd was geraakt. Cedric trad niet op als getuige. Juffrouw Temple evenmin. De enige getuigen waren eigenlijk de politie-inspecteur die naar de moordlocatie was geroepen en de patholoog die de sectie had uitgevoerd. Er werd geen melding gemaakt van James' geestestoestand toen hij uit Moskou naar huis werd gestuurd. Er werd zelfs geen poging gedaan om verzachtende omstandigheden aan te voeren. James Milner scheen vast van plan om de ultieme straf voor zijn misdrijf te betalen. En de rechtbank gaf hem zijn zin. Hij werd ter dood veroordeeld en op 10 november 1939 in de gevangenis van Leicester opgehangen.

Het doet zich voor als een rechttoe rechtaan, zij het schrijnend relaas van een huiselijke ramp. Als zodanig leeft het nog verrassend goed in de herinnering van de streekbewoners. Die noemen het een tragedie waar niemand ooit het fijne van zal weten. Misschien is dat maar goed ook. Voor alle betrokkenen is het wellicht het beste om aan te nemen dat de argwaan van James Milner jegens zijn vrouw en broer ongegrond was. Hij heeft hoe dan ook zelf bekend dat hij Ann Milner had vermoord. Blijft natuurlijk het feit dat schuldbekentenissen dikwijls het soort bewijs vormen dat het lastigst op waarheid kan worden getoetst. Op de dag van de moord was Cedric Milner op Otherways, ook al was hij er geen getuige van. We zullen moeten aannemen *dat hij niets heeft gezien. In de rechtbank is de exacte volgorde van de gebeurtenissen van 2 september 1939 op Otherways niet duidelijk geworden. In feite is er maar heel weinig boven water gekomen behalve de vastbeslotenheid van James Milner om de volledige verantwoordelijkheid voor de gebeurtenis op zich te nemen.*

Of dat terecht was, is niet per se zo'n ondoorgrondelijk mysterie als het misschien wel lijkt. Hoewel de landelijke media gewichtiger zaken aan hun hoofd hadden, had de Rutland Mercury *vrij veel plaats voor de Otherwaysmoord – zoals de zaak al gauw heette – ingeruimd. De zaak werd gevolgd door het hoofd van de verslaggeving Donald Garvey, die nu met pensioen is. Toen ik hem onlangs in zijn huis in Oakham sprak, vertelde hij waarom hij nog altijd geloofde dat een en ander niet zo eenvoudig was als het tijdens James Milners proces werd voorgesteld.*

'Voor mij is er nooit iets logisch aan geweest,' zei hij. 'Die jongeman was domweg niet het razendjaloerse type. Ik kende hem en zijn vrouw persoonlijk. Ik kende geen gelukkiger en ontspannener stel. Wat Cedric betreft, weet ik het niet. Hij was een teruggetrokken type. Volgens mijn contacten bij de politie was hij aan het fietsen toen de moord plaatsvond. Maar toen de politie ter plaatse kwam, was hij alweer terug. Enfin, dat was zowel zijn als zijn broers verklaring. Hij had natuurlijk geen alibi, maar dat hoefde ook niet. Ik zeg niet dat hij mevrouw Milner heeft vermoord en dat zijn broer de schuld op zich heeft genomen, maar als je ziet wat een kille, berekende intrigant hij later bleek te zijn, nou ja: het is niet uitgesloten, hè? Als het idee hem niet aanstaat, kan hij altijd naar huis komen en me vervolgen wegens laster.'

De kans daarop is natuurlijk gering, dus Garvey kan met een gerust hart van zijn lasterlijke pensioen genieten. Maar toch knaagt er nog iets aan hem. 'James Milners bekentenis tegenover de politie spreekt met geen woord over de verklaring voor zijn jaloezie. Ik heb het proces-verbaal gelezen, dus ik kan het weten. Waarom niet? Nou, misschien viel er niets uit te leggen. Het was namelijk niet zijn enige bekentenis, weet u. In elk geval niet zijn laatste. Die heeft hij in de dodencel van de gevangenis van Leicester geschreven. Dat heb ik van de man zelf.'

De heer Garvey liet me een brief zien die James Milner op 7 november 1939 – drie dagen voor zijn executie – vanuit de gevangenis van Leicester aan hem had geschreven. 'Ik heb begrepen dat u doorgaat met het onderzoek naar mijn zaak,' schrijft hij. 'Ik zou u willen vragen om diegenen die mij en wijlen mijn vrouw na staan niet meer lastig te vallen. Ik heb een deel van mijn tijd hier besteed aan het schrijven van een volledig en eerlijk verslag van wat er afgelopen zomer op Otherways is voorgevallen ten behoeve van de persoon die het meeste recht heeft om dat te krijgen. Als die persoon de inhoud daarvan publiek wil maken – wat ik betwijfel – dan zij het zo. Zo niet, dan zij dat ook zo. Weest u alstublieft zo vriendelijk om u bij dat oordeel neer te leggen.'

Zo vriendelijk was Garvey natuurlijk niet. En hij is het ook nooit geworden. Hij is een ouderwetse patriot, dus zou hij dolgraag Cedric Milner iets willen aanwrijven. Maar dat hem dat zal lukken is niet waarschijnlijk. In 1939 ontkende de 'persoon die het meeste recht heeft' – logischerwijze Daisy Temple – zoiets als een geschreven bekentenis van haar zwager te hebben ontvangen. En vandaag de dag weigert ze vriendelijk maar beslist überhaupt iets te zeggen.

Zij woont nog altijd in het huis waar zij is geboren, vlak bij het kerkhof in Hambleton waar haar zus begraven ligt. James Milner ligt in een gevangenisgraf dertig kilometer verderop. Cedric Milner beweegt zich ondertussen in andere kringen en geeft les in natuurkunde aan Russische studenten aan de universiteit van Moskou. Waarschijnlijk weet hij niet dat het verzonken stuk van de tuin bij Otherways is verdwenen en kan het hem ook niets schelen. Dat is in een ander land: in zijn allang losgelaten verleden. Hij zou er waarschijnlijk niet eens opnieuw een kijkje willen nemen, al zou hij het mogen. En het is vrijwel zeker dat hij niet wil onthullen wat er echt heeft plaatsgevonden op de avond van 2 september 1939. Zelfs – en misschien vooral – al zou hij het weten.

Ik lag tot ruim voorbij middernacht wakker en dacht na over wat Fisher had geschreven en wat het betekende. Dat was tenminste duidelijk genoeg. Hij liet doorschemeren dat Cedric Ann had vermoord en dat James de schuld op zich had genomen. Maar waarom zou hij haar hebben vermoord? En waarom zou James zichzelf hebben opgeofferd om hem te redden? Bij wijze van hypothese was het minder bevredigend dan de oorspronkelijke slotsom. Hoe dan ook was het een goedkope beschuldiging omdat Cedric de handschoen nooit op zou nemen. De verdienste was dat het een goede verklaring was voor de reden waarom Daisy de verloving had verbroken. Misschien had ze iets vermoed. Maar ze kon die verloving evengoed hebben verbroken omdat ze vreesde dat James' jaloezie terecht was geweest. Ik was niet van plan om naar haar motieven te vissen. Dat was mijn zaak niet. Als Daisy geheimen wilde hebben, mocht ze dat. Daar had ik niets mee te maken. Of wel soms?

Ik ben nooit een echte dromer geweest, hè? Slapend noch wakend. Je vond me altijd te logisch. Je gaf me op mijn kop voor mijn realisme. En je kon bijna niet geloven hoe droomloos mijn herinneringen aan de nacht bijna altijd waren, terwijl de jouwe wemelden van de surrealistische fantasieën. Je hebt er een poosje een dagboek van bijgehouden. Je kocht een speciaal droomwoordenboek om ze te duiden. Ik vond dat geld en tijdverspilling. Dromen hebben geen betekenis. Daarom heten ze ook dromen. Maar toen al geloofde ik dat niet echt. Ik vond het gewoon veiliger om mezelf dat wijs te maken. We brengen een kwart van ons leven in slaap door en onze geest kan dan ongeremd dwalen. Geen wonder dat hij dwaalt naar plekken waar hij zich het gelukkigst voelt. Na je dood heb ik constant van jou gedroomd. De wens was de vader van de droom. Vanzelfsprekend. Op Otherways begon ik van andere dingen te dromen. Maar of dat mijn duisterste wensen of mijn ergste angsten waren, wilde ik niet weten.

Wat ik die nacht droomde, speelde zich op Otherways af, net als de dromen die zouden volgen. Het was avond; ik wandelde om de gracht en keek door de helverlichte ramen van verlaten kamers naar binnen. Toen ik bij de salon kwam, verscheen er iemand in beeld. Het was Lucy. Ze was in het zwart; ze was gekleed in de kleren die ze bij je begrafenis had gedragen. Maar er was een verschil. Om haar hals hing de hanger van saffier die ik je voor je dertigste verjaardag heb gegeven. Ze liep door de kamer en deed de lichten uit totdat er nog maar eentje brandde: de schemerlamp bij de open haard. Ze ging in de leunstoel ervoor zitten en keek naar mij. Haar gezicht was in de schaduw. Ik kon haar uitdrukking niet zien. Toen zag ik dat er nog iemand in de kamer was, die dicht bij het raam stond en naar buiten keek. Dat was ik. Het was geen weerspiegeling, maar een op zichzelf staand, alter ego. En dat glimlachte, hoewel de versie die buiten aan de overkant van de gracht stond niet lachte. Ik was bang. En ik werd nog banger toen mijn glimlachende zelf zich omdraaide en door de kamer naar de open haard liep. En naar Lucy. Zijn schaduw – mijn schaduw – viel over haar. Plotseling was alles in duisternis gehuld en zag ik niets meer. Er klonk een schreeuw.

Die schreeuw was van mij en in werkelijkheid was het niet meer dan een angstig piepje. Ik lag klaarwakker met een bonzend hart en mijn brein was verdoofd door een soort van schaamte vervulde angst. Ik had even een stompzinnig gevoel en daarna sloeg de opluchting toe omdat het maar een droom was geweest.

Ik had het warm en voelde me verschrikkelijk wakker. Ik merkte dat het glas op mijn nachtkastje leeg was, dus krabbelde ik uit bed en wankelde naar de badkamer om het te vullen. Op de terugweg naar mijn bed liep ik naar het raam waarvan de gordijnen maar half dichtgetrokken waren en keek omlaag naar de tuin terwijl ik een slok nam.

Tot mijn verrassing viel er licht naar buiten vanuit de zitkamer onder me. Het bestond niet dat Matt nog op was. Het was al over tweeën. Misschien had hij het licht laten branden. Meer dan een, te oordelen naar de hoeveelheid licht. Het spatte naar buiten, over de gracht en de gazons, helemaal tot aan de rododendrons aan de overkant.

Er bewoog iets op de rand van het gras en de rododendrons: een figuur glipte de struiken aan de rand van mijn gezichtsveld in. Het enige wat ik kon zien toen ik mijn aandacht op die plek richtte, was het bewegen van bladeren en takken. Wat het ook geweest mocht zijn – een mens of een dier – het was weg. Als het er überhaupt was geweest. Ik was niet in de positie om ergens zeker van te zijn.

Ik ging op bed liggen en vroeg me af of ik naar beneden moest gaan om te kijken of er soms indringers waren. Maar het huis was uitgerust met een modern alarmsysteem. Ik hoefde niet te controleren. En ik zou niet veel opschieten als ik met een zaklantaarn in de tuin ging rondscharrelen. Waarschijnlijk was het een vos geweest. Wat betreft de lichten in de zitkamer, die zou Matt wel hebben vergeten uit te doen. Wat kon het anders zijn? Ik hield mezelf voor dat er niets mis was, helemaal niets. Uiteindelijk had ik mezelf er bijna van overtuigd. En uiteindelijk sliep ik weer in. Deze keer zonder te dromen.

Drie

De volgende ochtend was de herinnering aan de droom nog niet geweken en nog even levendig. Ik probeerde hem van me af te zetten, maar dat lukte niet. Hij had zich aan mijn gedachten gehecht en wachtte af tot hij me kon verrassen als ik even niet oplette. Ik zou al geholpen zijn als ik het stuk van Fisher met Lucy kon bespreken. Dat zou mijn gedachten hebben afgeleid van de figuur aan de rand van het gras, en van mijn eigen gestalte die zich op eigen kracht voortbewoog: onthutsende beelden die van geen wijken wisten. Maar wat Lucy betrof was, er geen sprake van. Het was weekeinde, dus Matt was er de hele dag bij en hij had kennelijk geen neiging om een eindje te gaan rijden. Het zag er niet uit dat het eenvoudig zou zijn om Lucy onder vier ogen te spreken.

Na het ontbijt ging ik een stukje wandelen langs het visserspad dat om het schiereiland liep. Het was een grauwe ochtend: koel, klam en in de lucht hing een vage belofte van regen. Ik had het verfrissend moeten vinden, maar de zonloze eenzaamheid en het lusteloze gekabbel van het water in de beekjes deprimeerden me alleen maar. Ik wilde zo graag dat jij naast me liep of lachend en wenkend voor me uit holde. Maar het begon al moeilijk te worden om me voor te stellen hoe dat zou zijn. Je ontglipte me zo snel, zo verschrikkelijk snel.

Ik liep wat struikgewas aan het oostelijke uiteinde van het schiereiland in en was van plan om de snelste weg terug te nemen langs het weggetje naar Hambleton zodra ik dat zou vinden. Het bospad was smal en nog modderig ook. Ik keek naar de grond en lette goed op waar ik mijn voeten zette, dus toen ik om een boom heen liep, botste ik bijna tegen een man op het pad voor me. Hij moest daar hebben gestaan, op wacht of zoiets. Anders zou ik hem hebben horen aankomen. Ik deinsde verrast terug, maar hij leek niet in het minst verbaasd.

Het was Rainbird, Daisy's niet bepaald populaire huurder, uitgerust met rubberlaarzen en een regenjas en met een verrekijker om zijn nek. Hij glimlachte voorzichtig.

'Meneer Sheridan. Aangenaam kennis te maken.' Zijn accent klonk alsof hij afkomstig was van een heel stuk noordelijker dan Rutland. 'Daisy heeft me verteld wie u bent en waar u logeert. Ik vroeg me al af of ik u een keer tegen het lijf zou lopen tijdens een van mijn strooptochten langs de oever van het meer. Ik wist niet dat het zo letterlijk zou zijn.'

'Meneer Rainbird, is het niet?'

'Inderdaad, Norman Rainbird.' Hij gaf me een hand. 'Ik kom hier regelmatig.'

'Vogels kijken?'

'Hoofdzakelijk. Er valt altijd een heleboel te zien op het water. Of van het water. Ik heb een bootje in Edith Weston. U moest eens een keertje meegaan.'

'Interessant idee.' Ik glimlachte zo flauw mogelijk zonder beledigend te worden. We hadden amper kennisgemaakt of ik wist al zeker dat ik niet met hem in een bootje wilde zitten. 'Nou, ik moest maar eens teruggaan.'

'Naar Otherways? Als u toch die kant op gaat, kan ik best een eindje met u oplopen.'

'Natuurlijk.' Ik kon moeilijk weigeren.

Weldra waren we uit het struikgewas en op het weggetje dat midden over het schiereiland liep. Ik zette er expres de pas in, zodat Rainbird me maar met moeite bij kon houden. Hij liep hijgend naast me als een volgegeten labrador. 'Interessant huis, Otherways,' zei hij, net toen het erop leek dat er niets gezegd zou worden.

'Vindt u?'

'Fascinerend, zou ik zelfs zeggen. Vrijwel uniek. Ik heb me een beetje gespecialiseerd in de geschiedenis van de architectuur.'

'O, ja?' Het leek me heel onwaarschijnlijk.

'Ja. Zuiver als amateur, natuurlijk. Otherways is het enige nog bestaande werk van Emile Posnan.'

'Dat heb ik me laten vertellen.'

'Je zou zeggen dat het tot andere opdrachten zou hebben geleid. Zuiver en alleen op grond van de excentriciteit.'

'Maar niet dus.'

'Integendeel, juist wel. Maar Posnan heeft alle opdrachten geweigerd. Hij heeft zijn bureau gesloten en is naar het buitenland vertrokken.'

'Naar Portugal.' Ik zag Rainbird glimlachen. Waarschijnlijk vond hij het prettig te merken dat ik ook belangstelling voor Emile Posnan had, al was het tegen beter weten in. 'Dat zei Lucy althans.'

'Ik wist niet dat zij zo goed was ingelicht. Nu het er zo voorstaat, vraag ik me af of ik u om een gunst mag vragen. Ik zou het huis heel graag... een bezoek brengen.'

'Waarom?'

'Om mijn theorie aan de praktijk te toetsen.'

'En die is?'

'Dat ergens in Otherways het antwoord ligt op het raadsel waarom Posnan zijn loopbaan eraan heeft gegeven.'

'Dat is niet waarschijnlijk.'

'Die stap van hem was ook onwaarschijnlijk, vindt u niet?'

Daar kon ik niets tegen inbrengen. Maar toch voelde ik er de neiging toe. 'Misschien wilde hij zijn loopbaan als architect in Portugal voortzetten, maar is er iets tussen gekomen. Dat gebeurt wel vaker.'

'Niet in het leven van Emile Posnan. Hij leefde op zichzelf in een reeks huurkamers in Lissabon, als een kluizenaar die zichzelf dood dronk, al heeft dat wel ruim veertig jaar geduurd. Een uiterst trage vorm van zelfmoord.'

'Hij kan toch niet zo'n kluizenaar zijn geweest.' Ik moest denken aan het feit dat Sir Clarence Milner volgens Fisher tot aankoop van Otherways werd geïnspireerd door een ontmoeting met Posnan in Lissabon. Maar opeens wilde ik de omvang van mijn nieuwsgierigheid op dat punt niet aan Rainbird verklappen. Ik weet niet goed waarom. Iets in zijn schichtige ogen en aarzelende, hoge stem deed me vermoeden dat ik van de geringste onthulling spijt zou krijgen. 'Ik bedoel... Daar kun je niet zeker van zijn.'

'Misschien niet. Maar ik zou toch dankbaar zijn als u mevrouw Prior wilt vragen of ik... er een kijkje mag nemen.'

'Ik kijk ervan op dat u haar dat nog niet zelf heeft gevraagd.'

'Dat heb ik wel.' We waren inmiddels bij de ingang van de oprijlaan naar Otherways en bleven even staan. Het huis was door zijn ligging niet te zien, maar Rainbird keek die kant op met zijn hoofd hoopvol schuin, alsof hij er een glimp van zou opvangen als hij zijn nek maar voldoende uitstak. Hij zou een deerniswekkende indruk hebben gemaakt als ik zijn toneelstukje voor zoete koek had geslikt. Het was me allemaal iets te berekenend. En zijn enthousiasme voor excentrieke Edwardiaanse architectuur was zo vals als een kunstgebit. 'Maar ik denk dat ik het verkeerde moment had uitgekozen.'

'Zij heeft net haar zus verloren.'

'En u uw vrouw. Ja, dat heeft Daisy gezegd.' Hij condoleerde me niet. Vreemd genoeg was ik daar dankbaar voor. Het leek me merkwaardig gevoelig van hem om te begrijpen hoe onwelkom zo'n condoleance zou zijn geweest. Of misschien was ik de begunstigde van zijn totale óngevoeligheid. 'In feite denk ik dat mevrouw Prior misschien haar twijfels heeft over de oprechtheid van mijn belangstelling voor bouwkunde.' Daar kon hij weleens gelijk in hebben. 'Met de vorige eigenaar, majoor Strathallan, had ik hetzelfde probleem. Maar in zijn geval was dat misschien begrijpelijker.'

'Hoezo?'

'Nou, architectuur en persoonlijke tragedies schijnen nogal samen te vallen op Otherways, vindt u niet? Majoor Strathallan wist dat uit eigen ervaring. Wéét dat uit eigen ervaring, moet ik eigenlijk zeggen, hoe afgelegen hij daar in de Schotse uitgestrektheid ook woont.'

'Dat volg ik niet.'

'Moord, meneer Sheridan. En verraad.'

'U doelt op James en Cedric Milner.'

'Aha, daar weet u dus van?'

'Dat is geen geheim.'

'De feiten niet, nee. Maar niettemin hebben die zich merkwaardig gerangschikt. Ik heb pas nog een boek over de spion Cedric gelezen en daar doemt een heel eigenaardig beeld uit op, moet ik zeggen. Het is eigenlijk een boek over verschillende spionnen, waarvan Cedric Milner er maar een is. *Zeven Gezichten van het Verraad.* Kent u het?'

'Nee.'

'Dat verbaast me niets. Het is allang uit de roulatie. Ik stuitte op een exemplaar bij Goldmark in Uppingham. Uitstekende boekenzaak. Warm aanbevolen. Maar luister: als u er belangstelling voor heeft, kan ik het u lenen.'

'Dat hoeft niet.'

'Het is het minste wat ik kan doen. In ruil voor een goed woordje bij mevrouw Prior.'

'Ik heb niet gezegd dat ik dat zou doen.'

'Klopt.' Hij knipoogde. 'Maar ik ga ervan uit dat u het zult doen.' Met die woorden draaide hij zich om en liep hij door langs het weggetje. De hakken van zijn laarzen schraapten over het asfalt. 'Ik zal het boek de volgende keer langs brengen,' riep hij over zijn schouder en hij wuifde opgewekt. 'Geen enkele moeite.'

Eerst Lucy, nu Rainbird. Iedereen was er plotseling op uit om mijn nieuwsgierigheid naar de vroegere bewoners van Otherways te bevredigen. Ik zou het verdacht hebben gevonden als het niet zo lastig was geweest om in het spitten in het verleden iets anders dan een onschuldige bezigheid te zien.

In huis wachtte me nog een verrassing. Nesta onderbrak het stofzuigen om te zeggen dat ik Matt in de garage kon vinden waar hij zijn auto voorbereidde op een lange tocht. En Lucy was boven aan het pakken met hetzelfde doel. 'Ik zou vanavond voor jullie drieën koken. Zal ik dan maar een eersteklas maaltijd voor u alleen klaarmaken?'

Ik zei dat ik waarschijnlijk ergens een hapje zou gaan eten en ging naar boven naar de slaapkamer van Matt en Lucy, waar zij bezig was toiletartikelen in een reistas te gooien. Ze keek een beetje gekweld en zag er meer dan een beetje ontstemd uit.

'Het spijt me, Tony, maar de plicht roept. De echtelijke plicht, bedoel ik. Heeft Matt het al met jou over Dick Sindermann gehad?'

'Nee. Wie is dat?'

'Een mogelijke kandidaat om *Pizza Prego* naar de Verenigde Staten te brengen.'

'Ik wist niet dat Matt zo'n stap overwoog.'

'Ik ook niet, om je de waarheid te zeggen.' Ze rukte de kleerkast open en liet een aantal kledingstukken de revue passeren. 'Maar waarom zou ik dat ook moeten weten? Matt heeft mij alleen maar nodig om er mooi uit te zien aan tafel, terwijl hij Sindermann de dollars ontfutselt. Vanmorgen is hij overgevlogen uit New York en hij belde met het voorstel voor een *powwow*. Vanavond, in Cliveden. Het is duidelijk dat hij geld te veel heeft. Morgen zijn we weer terug.'

'Nou... Een prettige tijd toegewenst.'

'Dat zal het niet zijn.'

'Wat betreft het tijdschriftartikel...'

'Toen je weg was, heb ik het weer van je kamer gehaald. Laten we het er maar over hebben als ik terug ben. Maandag misschien.' Ze bedoelde als Matt veilig en wel op kantoor was. 'Het spijt me echt dat ik ervandoor moet nu jij er pas bent.'

'Ik red me wel.'

'Ik zou veel liever blijven. Dan zou je je niet hoeven te redden.' Ze gooide de uitverkoren outfit op bed. 'Verlang je daar niet af en toe naar?'

'Heb ik dan een keus?'

'O, jawel.' Ze kreeg iets peinzends, ze werd bijna somber. 'Vast wel.'

Ik trof Matt in de garage. Hij was bezig het reservoir van de ruitensproeier bij te vullen. Andere mensen zouden gewoon vertrekken met zachte banden en een halfvol reservoir, maar Matt niet. Hij is altijd al een vleesgeworden veiligheidshandboek geweest. Maar ondernemen in de Verenigde Staten was iets anders.

'Zit dat er echt in?' vroeg ik.

'Dat hangt van Sindermann af.'

'Maar wat jou aangaat?'

'Ja. Lucy klaagt de laatste tijd dat we in de midlifesleur zitten. Misschien is dit de oplossing. En maakt het een eind aan dat broeierige gedoe van haar. Misschien zelfs...' Hij slikte de rest van zijn zin in en deed fronsend een stap naar achteren. Daarna zei hij: 'Nou ja, we zien wel.'

'Veel geluk.' Iets anders kreeg ik er niet uit. Het leek me niet het geschikte moment om te zeggen dat Lucy allesbehalve enthousiast was. Misschien wist hij het al. Of misschien wilde hij het niet weten.

Ze vertrokken meteen na de lunch. Inmiddels was Nesta al lang naar huis. Ik keek de auto na toen ze de oprijlaan afreden en besefte ik dat ik alleen was op Otherways. En de volgende vierentwintig uur alleen zou blijven. Ik liep om de gracht heen en staarde naar het huis, waar de middagstilte over daalde in de zon die door het wolkendek was gebroken. Alle dingen die ik had kunnen doen en gedaan zou hebben als jij bij me was geweest, lagen me zwaar en overbodig op de maag, en ze stolden tot de loodzware zekerheid dat ik zonder jou niets wilde ondernemen.

Maar als ik maar hard genoeg zocht, zou ik wel iets vinden dat de moeite waard was. Ik was wel nieuwsgierig naar *Zeven Gezichten van het Verraad*, al had ik tegenover Rainbird mijn best gedaan om de indruk te wekken van niet. Ik gaf de auto een wasbeurt en reed naar Uppingham, een paar kilometer ten zuiden van Oakham. Het is een rustig provincieplaatsje met veel boekwinkels en tearooms. Jij zou het er leuk gevonden hebben. Maar ik deed er niets anders dan vergeefs snuffelen naar een boek waarvan Rainbird waarschijnlijk het laatste exemplaar had bemachtigd. Het hielp natuurlijk niet dat ik de naam van de schrijver niet wist. Ik ging weer met lege handen naar huis.

Ik was nog maar een minuut of tien terug op Otherways, toen ik buiten een auto hoorde stoppen. Toen ik een blik naar buiten wierp, zag ik Rainbird moeizaam uit zijn Morris Minor klimmen met een boek in zijn hand.

'Ik had niet gedacht dat u zo gauw al deze kant op zou komen,' zei ik toen ik opendeed.

'Eerlijk gezegd was ik dat ook niet van plan.' Hij grijnsde breed. 'Heel toevallig ving ik vandaag een telefoongesprek tussen Daisy en mevrouw Prior op, waaruit bleek dat u hier dit weekeinde alleen zou zijn.'

'O, ja?'

'Puur bij toeval, zoals ik al zei. Maar ook een gelukkig toeval, vindt u niet? Het kwam me voor dat u mij misschien wel... een blik op het interieur zou gunnen... zonder überhaupt mevrouw Prior lastig te hoeven vallen.'

'Ik denk niet dat ik dat kan doen.'

'Kom kom.' Hij knipoogde en stapte met een voor zijn omvang verrassende vlugheid langs me heen de gang in. 'Eén kijkje maar.'

'Meneer Rainbird,' zei ik scherp, terwijl ik me afvroeg hoe ik het kon vermijden om hem fysiek te moeten verwijderen.

'Zeg maar Norman.' Hij liet het boek met een plof op het telefoontafeltje dalen. 'Daar maar?'

'Wat? Ja, maar luister...'

'De Priors houden van aquarellen, hè?' vroeg hij met een blik op de schilderijen links en rechts. 'Beetje saai naar mijn smaak. Wat vind jij, Tony?'

'Wacht even.' Onder aan de trap had ik hem ingehaald, waar hij goedkeurend omhoog stond te kijken naar de galerij op de eerste verdieping. '*Norman*.'

'Ja?'

'Dit is mijn huis niet,' zei ik effen. 'Ik kan je hier niet laten rondscharrelen zonder medeweten of toestemming van de eigenaar.'

'Nee?'

'Néé.'

'Ach.' Hij stak zijn onderlip naar voren en keek terneergeslagen. 'Jammer.'

'Dat kan wel zijn, maar je zult vast wel begrip voor mijn positie hebben.'

'Natuurlijk. Dat is riskant. Dat begrijp ik best.'

'Dus...' Achter ons in de gang klonk de deurbel. Ik keek over mijn schouder. 'Wie kan dat in hemelsnaam...'

'Drukte van belang vanmiddag, hè?'

'Ik zal je meteen uitlaten als ik opendoe.'

'Okiedokie.'

Er werd opnieuw aangebeld. Rainbird sjokte met tegenzin mee terug terwijl ik de gang doorliep. Toen ik opendeed, zag ik een knaap met een vollemaansgezicht, een honkbalpetje en verfomfaaide kleren. Achter hem stond een taxi met draaiende motor op de oprijlaan. 'Ja?'

'U heeft een taxi besteld.'

'Nee, hoor.'

'Dit is Otherways toch?'

'Ja.'

'Dan heeft u een taxi besteld. Naar het station van Petersborough.'

'Ik niet.'

'Halfvijf.' Hij keek op zijn horloge. 'Ik ben precies op tijd.'

'Dat moet een misverstand zijn.'

'Waarom denkt u dat?'

'Geen idee.' Opeens voelde ik dat er niemand naast me stond, dus keek ik om. Rainbird was in geen velden of wegen te bekennen.

'Iemand heeft gebeld met alle bijzonderheden, meester. Dit verzin ik niet.'

'Dat geloof ik best. Hoor eens, het spijt me, maar ik heb geen taxi besteld en ik heb er ook geen behoefte aan.'

'Ja, maar...'

Ik sloeg de deur voor zijn neus dicht en holde de gang weer in. 'Nórman!' Geen reactie. 'Norman!' Nog altijd geen antwoord. En er was geen spoor van hem in de vertrekken op de begane grond. Ik controleerde ze stuk voor stuk plus de keuken alvorens naar boven te gaan.

En daar was hij. Hij wandelde nonchalant om de galerij naar me toe toen ik boven aan de trap kwam. 'Ah, Tony.'

'Waar ben jij nou in hemelsnaam mee bezig?'

'Niets. Jij had het druk, leek me. Ik ben gewoon... nou ja, mijn gang maar gegaan. Brutalen hebben de halve wereld, wist je dat niet?' Hij staarde omhoog naar het kegelvormige plafond met de koepel van gips helemaal bovenaan in het midden. 'Poëzie in steen.'

'Zou je alsjeblieft willen opsodemieteren?'

'Het spijt me verschrikkelijk,' zei hij gekwetst. 'Ik zal me niet opdringen waar ik ongewenst ben.'

'Ik heb je de situatie anders duidelijk genoeg uitgelegd.'

'Dat heb je inderdaad.' Hij glimlachte quasi-verontschuldigend. 'Er is geen schade aangericht.'

'Dat mag ik hopen.'

'Ik snap niet helemaal wat je precies insinueert.'

'Ik heb net een taxichauffeur geloosd die ervan overtuigd was dat iemand hier naar Petersborough moest.'

'Een vergissing misschien?'

'Ja. Maar wiens vergissing?'

'Ik zou het niet weten. In Hambleton is een huis dat *Hathaways* heet. Het zou me niets verbazen als ze die twee verwisselden.' Hij slenterde langs me heen de trap af en bekeek Matts collectie zeefdrukken van *Spy* terwijl hij naar beneden ging. 'Ik moet zeggen dat ze het huis fraai hebben ingericht. Deze zijn een grote vooruitgang na Strathallans hertenkoppen.'

'Ik dacht dat je hier nog nooit binnen was geweest.'

'Toen het huis te koop stond, hebben er in *Country Life* een paar foto's gestaan.' Onder aan de trap bleef hij even staan en knikte. 'Maar die hebben het huis geen recht gedaan.' Daarna keek hij over zijn schouder naar mij. 'Nou, ik moest maar eens gaan.'

'Ik zal je niet ophouden.'

'Laat me maar weten wat je van het boek vindt,' zei hij, terwijl hij in het voorbijgaan op het omslag tikte. Hij trok de voordeur open, draaide zich om en zei: 'Dat interesseert me wel.'

Toen hij weg was, maakte ik een vlugge ronde door het huis. Ik vroeg me af of ik tekenen zou zien dat er laden waren opengetrokken of dingen waren verplaatst. Ik verdacht Rainbird niet van diefstal, maar ik kon evenmin geloven dat hij alleen maar een blik op een Posnaninterieur wilde werpen. Aan de andere kant kon ik mezelf er evenmin toe brengen om te geloven dat hij, alleen om zijn bouwkundige nieuwsgierigheid te bevredigen, bij wijze van afleidingsmanoeuvre een taxi had besteld. En al zou ik het proberen, ik kon niet eens aantonen dat hij die had besteld. Het was allemaal erg raar. Ik voelde me op het verkeerde been gezet en argwanend. Maar er was geen enkele kapstok om mijn argwaan aan op te hangen. Er leek niets te zijn verplaatst. Er scheen niets aangeraakt te zijn. Uiteindelijk gaf ik het op en ging met een biertje en *Zeven Gezichten van het Verraad* de tuin in.

Het was een enigszins muf boek met een harde, effen kaft uit 1975. En de schrijver was – ik had het kunnen raden – Martin Fisher. *Freelancejournalist die zich toelegt op spionageaffaires*, volgens de weinig informatieve omslagtekst. *Op het ogenblik werkt hij aan een complete geschiedenis van MI5.*

Een aantal van de gezichten die Fisher voor zijn studie had geselecteerd, waren voorspelbaar. Guy Burgess, Donald Maclean en Kim Philby hadden zich min of meer zelf uitgekozen. In 1975 moest Anthony Blunt natuurlijk nog worden ontmaskerd. George Blake lag voor de hand als laatste van het kwartet, gevolgd door John Vassal en Alan Nunn May, twee van wie ik vast wel had gehoord maar weinig wist. En vervolgens had je Cedric Milner.

In zijn voorwoord legde Fisher uit dat hij geboeid was door de psychologie van het verraad. Met verraad bedoelde hij het verraden van je land. En met je land bedoelde hij het land waar je was geboren en getogen. Vandaar dat hij Klaus Fuchs eruit had gelaten: de natuurkundige van Duitse herkomst die de Sovjet-Unie van informatie voorzag toen hij tijdens de Tweede Wereldoorlog in Los Alamos aan de atoombom werkte, en dat bleef doen toen hij na de oorlog naar Harwell werd overgeplaatst. Als genaturaliseerd Brits onderdaan had Fuchs zich strikt genomen aan hoogverraad schuldig gemaakt. Maar in Fishers ogen telde hij eigenlijk niet mee. Hij wendde zich tot Cedric Milner voor wat hij werkelijk zocht.

Zijn hoofdstuk over Milner begon met de biografische informatie die ik al kende uit het artikel in het *Sunday Times Magazine*, aangevuld met foto's van een blonde jongeman met een vierkante kaak in cricketuitmonstering en wandeltenue. Cedric Milner stond als scholier en student bekend omdat hij zo briljant was, om zijn uitbundige sportiviteit en het feit dat hij van feesten hield. Als hij een stiekeme communist was, dan was hij wel erg stiekem. Sinds het stuk in de *Sunday Times* scheen Fishers kijk op hem te zijn veranderd. Hoewel Cedric in Cambridge bij Bernal – een beruchte marxist – had gestudeerd, was hij blijkbaar niet actief in de communistische kringen om Bernal heen, hoewel hij wel degelijk omging met degenen die dat wel waren. Het was een subtiel verschil en ik wist niet goed waar dat volgens Fisher op duidde, behalve dat hij Cedric daarmee in een raadselachtig licht stelde.

De moord op Otherways gooide daar bepaald nog een schepje bovenop. Fisher beschreef de feitelijke toedracht voor zover die bekend was met dezelfde tekst tussen de regels: hij impliceerde – zonder met zoveel woorden te zeggen dat hij het geloofde – dat Cedric betrokken was bij, zo niet schuldig was aan de moord op Ann Milner. Hij kon het niet aantonen en een motief was ook ver te zoeken, maar op een bizarre manier kwam juist dat Fisher wel van pas. Toen het hoofdstuk verderging met de periode na Otherways – *terra incognita* voor mij – werden de grote lijnen van zijn Milner-hypothese zichtbaar.

De herfst van 1939 was een succesperiode voor Cedric Milner, terwijl die tijd net zo goed zijn ondergang had kunnen betekenen als hij een minder zelfstandig individu was geweest. Zijn schoonzus – met wie hij een paar jaar met onderbrekingen onder één dak had gewoond – was dood. Háár zus, zijn verloofde, had een punt achter hun relatie gezet. Zijn broer was opgehangen wegens moord. Zijn familiehuis, dat hij geërfd had, stond leeg, bezoedeld door de nagedachtenis aan een recente, gewelddadige dood. En de Tweede Wereldoorlog was begonnen.

Milner was halverwege het eerste kwartaal van zijn laatste studiejaar in Cambridge toen zijn broer werd opgehangen. Uiterlijk leek de gebeurtenis langs hem heen te gaan, zozeer zelfs dat veel jaargenoten in de hermetisch gesloten universitaire wereld er domweg niet eens van wisten. Hij wierp zich op zijn studie en ging minder uit. Dat was niet ongebruikelijk voor een student in zijn laatste jaar, maar in Milners geval kan het als excuus hebben gediend om onwelkome vragen over zijn rol bij de dood van zijn schoonzus te vermijden.

Milner leefde weliswaar teruggetrokken, maar hij was niet neerslachtig. Medestudenten aan het St John's College beschrijven hem als even opgewekt als altijd, alleen minder op de voorgrond. 'Hij gaf de sport eraan,' zegt Clive Unwin. 'En je zag hem niet zo vaak meer. Maar hij had altijd een goed humeur. Hij heeft het met mij nooit over zijn broer gehad. Hij sprak überhaupt niet over zijn familie. Maar voor zover ik me herinner, hád hij dat ook nooit gedaan. Terugkijkend kan ik me niemand van Cambridge herinneren met wie ik zoveel tijd heb doorgebracht en van wie ik toch zo weinig wist.'

Toen al had Milner zich een heimelijke houding aangemeten, of dat nu was omdat hij iets te verbergen had of omdat het een karaktertrek was. Die verstolenheid bleek van duurzame aard, en daardoor is het even moeilijk om zijn gangen buiten Cambridge na te gaan als het gissen naar zijn persoonlijkheid. Begin 1940 heeft de RAF *Otherways gevorderd als kantoor. Vanaf dat moment was Milner feitelijk ontworteld. Hij studeerde cum laude af en werd onmiddellijk aanbevolen bij het ministerie van Oorlog voor het jongste project: bestudering van het wapenpotentieel van atoomsplitsing. Cambridge was een van de centra die werden uitverkoren voor de theoretische studie van het onderwerp. Omdat de meeste natuurkundigen al bezig waren met de ontwikkeling van radar, bevond Milner zich op het juiste moment op de juiste plek.*

Hij bleef in Cambridge om de daaropvolgende drie jaar aan wat later de codenaam 'Tube Alloysproject' zou krijgen te werken. In die periode namen zijn onafhankelijkheid en zelfstandigheid toe. Hij woonde alleen in een appartement bij het station. Afgezien van af en toe een avondje uit met medefysici had hij kennelijk totaal geen sociaal bestaan; hij had vriendinnen noch vaste vrienden. Maar in de weekeinden ging hij dikwijls naar Londen. Misschien was daar sprake van een exotisch dubbelleven, misschien ook niet. Er is domweg niemand die het weet. Milners leven bestuderen is net als het eten van een stuk emmentaler: het smaakt naar niets en heeft een heleboel gaten.

Ook is er niet de geringste aanwijzing van communistische sympathieën. Milners vroegere mentor uit Cambridge, J.D. Bernal, kwam dikwijls in het Londense appartement van Guy Burgess, evenals Blunt, Philby en Maclean. Ongetwijfeld zou hij Milner met genoegen in dat boosaardige kringetje hebben opgenomen. Maar er zijn geen aanwijzingen dat dit ooit is gebeurd. Milner was zo handig om zich verre van slechte vrienden te houden. Of misschien wiste hij zijn sporen ijveriger uit dan de meeste anderen. Wat hij ook in werkelijkheid gedacht mag hebben, of van plan mag zijn geweest: hij schijnt het allemaal voor zich te hebben gehouden.

Er zijn niettemin aanwijzingen dat hij iets van een stiekeme rokkenjager had. Cambridge was amper het juiste podium om dat te demonstreren, maar in november 1943 werd het merendeel van het personeel van Tube Alloys overgeheveld naar de Verenigde Staten om mee te helpen bij de ontwikkeling van de atoombom. Milner maakte deel uit van de ploeg die moest werken op een uraniumverrijkingsfabriek in Oak Ridge in Tennessee. Een aantal van de vrouwelijke personeelsleden daar viel voor de knappe, blonde man en volgens een collega passeerden er nogal wat de revue. 'Hij hield van vrouwelijk gezelschap,' zegt Colin Selsey, die in Oak Ridge met hem samenwerkte. 'Maar hij liep met een grote boog om serieuze relaties heen. Ik neem aan dat hij wel de seks, maar nooit de liefde wilde. Persoonlijk vond ik hem makkelijk in de omgang, maar onmogelijk om te leren kennen. Na een poosje begon je in de gaten te krijgen hoeveel makkelijker hij het vond om vragen over andere mensen te stellen dan over zichzelf te beantwoorden.' Dat klopt onthutsend met wat Unwin in Cambridge over hem zei. Milner charmeerde mensen, maar nam ze nooit in vertrouwen. Hij schijnt niemand anders te hebben vertrouwd dan zichzelf.

Een van Milners collega's in Oak Ridge was Klaus Fuchs, iemand die zich nog meer op de achtergrond hield dan Milner. Fuchs had vanaf het begin van zijn betrokkenheid bij het atoombomproject informatie aan de Sovjet-Unie doorgespeeld en het tweetal zou elkaar na de oorlog in Harwell opnieuw treffen. Maar in de tussentijd gingen ze allebei in de zomer van 1944 hun eigen weg. Fuchs naar Los Alamos en Milner naar Montreal, waar hij medewerker werd van een Anglo-Canadees splitsingsproject dat onafhankelijk was van de Anglo-Amerikaanse inspanningen. De vooruitgang in Los Alamos bereikte weldra historische proporties. Het laboratorium in Montreal was in dat opzicht provinciaals. Milner was niet beschouwd als een kernlid van de Britse ploeg die voor Los Alamos was uitverkoren. Of dat te wijten was aan tekortkomingen in zijn werk of aan een conflict met zijn meerderen is niet duidelijk. 'Hij was weleens logischer dan goed voor hem was,' herinnert Selsey zich. 'Hij kon niet slijmen, dat staat vast, en hij kon mensen gauw tegen zich in het harnas jagen. Het kon hem niet schelen om wie het ging. Dat zou niet zo erg zijn geweest als zijn werk van cruciaal belang was, maar men had de indruk dat hij zich niet helemaal gaf.'

Dus Milner ging onder enigszins duistere omstandigheden naar Montreal. Daar bracht hij de rest van de oorlog door en bleek hij samen te werken met een vroegere collega van het Tube Alloysproject in Cambridge: Alan Nunn May. Zoals we hebben gezien, was Nunn May al bezig informatie naar de Russische geheime dienst door te spelen. In Montreal gingen hij en Milner volgens ander laboratoriumpersoneel dikwijls samen iets drinken. Ze zagen elkaar in elk ge-

val veel vaker dan ooit in Cambridge. Daar hoeft niet per se iets sinisters achter te steken. Hoewel ze vijf jaar in leeftijd scheelden, hadden ze een gezamenlijke belangstelling en een soortgelijke achtergrond. En ze waren allebei ver van huis. Maar niettemin betekent die periode een belangrijke verandering in Milners gedrag. Nunn May begon verdacht veel op een vriend te lijken, de eerste echte vriend die Milner in jaren had gehad. En toevallig was hij ook een Russische spion. Het is natuurlijk met geen mogelijkheid vast te stellen of Milner kon raden of wist wat hij in zijn schild voerde. Maar het nieuws van wat er in Los Alamos was bereikt, moet hun gesprekken dikwijls hebben beheerst. Later gaf Nunn May als reden voor het doorspelen van monsters verrijkt uranium aan zijn Russische contactpersonen in augustus 1945 op, dat hij ervan overtuigd was dat atoomwapens niet alleen in handen van de Verenigde Staten mochten zijn. Het was zijn oplossing voor het morele dilemma waarmee de eerste generatie atoomgeleerden zich geconfronteerd zag. Wat was Milners motief?

Aanvankelijk had het iets van het ontduiken van verantwoordelijkheid. Hij keerde in september 1945 naar Engeland terug, kreeg een leerstoel aan de universiteit van Bristol en zette een punt achter zijn rechtstreekse betrokkenheid bij het atoomonderzoek. Nunn May ging naar King's College in Londen. Gedurende de paar maanden van vrijheid die Nunn May nog gegund waren, zagen ze elkaar weinig. Misschien was hun vriendschap niet veel meer geweest dan een vriendschap van medebannelingen. Nunn May werd in februari 1946 gearresteerd. Voor zijn proces werd Milner verhoord over de tijd die ze in Montreal samen hadden doorgebracht. Het ontbreken van communistische sympathieën sprak in zijn voordeel en hij werd nooit officieel als verdachte aangemerkt. Hij zei tegen de politie dat hij wat Nunn May had gedaan 'weerzinwekkend' vond. Misschien vond hij ook de straf die hem werd opgelegd – tien jaar – wel weerzinwekkend.

Een paar maanden later kreeg Milner een baan aangeboden. Dat was nogal verbazingwekkend met het oog op zijn vriendschap met Nunn May. Hij kwam onder Klaus Fuchs te werken op de afdeling theoretische fysica bij het zojuist in het leven geroepen Atomic Energy Research Establishment in Harwell in Berkshire. Hij nam het aanbod aan en daarmee was zijn plaats in de voorhoede van het atoomonderzoek weer in één klap hersteld. Dat kon natuurlijk vreedzame doeleinden hebben. Misschien maakte Milner zichzelf wel wijs dat hij meehielp aan de ontwikkeling van een nieuwe, schone energiebron voor de toekomst. De van smog vergeven grote steden konden die in elk geval wel gebruiken. En dat was deels de doelstelling ook van Harwell.

Maar het ging daar ook om de bom. In juli 1946 nam het Amerikaanse Con-

gres een wet aan die de internationale uitwisseling – ook met Groot-Brittannië – van gegevens over atoomenergie verbood. Dat betekende dat Engeland weinig keus had dan er alleen tegenaan te gaan. Begin 1947 nam Attlee de beslissing om van Engeland een onafhankelijke atoommacht te maken. De afdeling van Fuchs in Harwell kreeg min of meer in het geheim opdracht om de schouders eronder te zetten. Pas in mei 1948 maakte de regering het besluit openbaar. Toen Fuchs met een kleine ploeg – waaronder Milner – naar het Ministry of Defence Weapons Establishment in Fort Halstead in Kent toog om William Penney – de hoogste ambtenaar van de afdeling wapenonderzoek – over de vooruitgang in Harwell voor te lichten, kreeg niemand te horen waar ze heen gingen. Behalve natuurlijk – in het geval van Fuchs – diens Russische contacten.

Milner woonde aanvankelijk intern op Harwell, in een van de geprefabriceerde bungalows die voor het personeel waren neergezet. Het was een geïsoleerde gemeenschap, gezien het feit dat de meeste personeelsleden getrouwd waren en te krap bij kas zaten om een auto te kopen. Milner had er wel een omdat hij voldoende geld van zijn broer had geërfd om zich enige luxe te veroorloven. Weldra verhuisde hij naar een gehuurde cottage in Wantage en vandaar forensde hij. Dat hij er als vrijgezel met het inkomen van een hoge wetenschappelijke ambtenaar warmpjes bij zat, moge ook blijken uit het feit dat hij, toen de luchtmacht Otherways in 1947 ontruimde, geen stappen nam om het te verkopen.

Milners vrijgezellenstatus betekende ook dat hij populair was in het feestcircuit van Harwell. Emily Tucker, weduwe van Horace Tucker die destijds beambte van personeelszaken in Harwell was, kan zich zijn handigheid met vrouwen – die voor het eerst in Oak Ridge aan het daglicht trad – nog goed herinneren. 'Hij kon je inpalmen op zo'n koele graag-of-niet-manier waar een aantal van de echtgenotes voor viel. Hij zag er goed uit en was inderdaad charmant. Volgens mij waren de vrouwen meer op hem gesteld dan de mannen. Ik weet dat Horace diverse keren klachten over hem kreeg van mannen die hem ervan verdachten hun vrouw te hebben versierd. Als je het mij vraagt was dat waar. Maar er is nooit iets aangetoond. Er zijn nooit officiële stappen genomen.

Afgezien van echtelijk gekibbel en stiekem overspel, ging het leven in Harwell ongestoord zijn gang tot 23 september 1949, toen het Witte Huis aankondigde dat men beschikte over 'bewijs dat er de afgelopen weken in de Sovjet-Unie een kernexplosie had plaatsgevonden.' De Russen hadden de bom. En ze hadden hem zoveel eerder dan men had verwacht, dat veel mensen het voor de hand vonden liggen dat ze een handje waren geholpen. De jacht op hun informanten was geopend.

Ruim vier maanden later – op 2 februari 1950 – werd Klaus Fuchs gearresteerd op beschuldiging van spionage. Een paar dagen daarvoor had hij een volledige bekentenis ondertekend. De Harwell-gemeenschap moest onder ogen zien dat ze een verrader in haar midden had gehad. Voor een aantal mensen was dat een traumatische realisatie. Adjunct-directeur Herbert Skinner was bijna in tranen toen hij het nieuws in een haastig bijeengeroepen personeelsvergadering bekendmaakte. Velen voelden zich niet alleen verraden, maar ook geschokt. Niemand schijnt zich Milners reactie te herinneren.

Fuchs' ontmaskering was ingeluid door de verfijning van de decoderingstechnieken van het Amerikaanse leger, waardoor men in staat was boodschappen te ontcijferen die vanuit de Russische ambassade en consulaten in Amerika naar Moskou werden verzonden. De naam Fuchs was regelmatig gevallen. Dat werd destijds natuurlijk niet aan de grote klok gehangen. Want was dat wel gebeurd, dan zouden allen die een goede reden hadden om te vrezen dat hun naam ook naar boven was gekomen, bang zijn geworden. Ze zouden in elk geval erg slecht op hun gemak zijn geweest. Als er één schaap over de dam is, kunnen er meer volgen. En Klaus Fuchs ging veertien jaar achter slot en grendel. Dat was geen aantrekkelijk vooruitzicht.

Voor Henry Arnold, die verantwoordelijk was voor de beveiliging in Harwell, was de affaire Fuchs een grote slag. Het was niet alleen een smet op zijn professionele blazoen, maar ook een persoonlijke vorm van verraad. Hij zou echter weldra nog een klap krijgen. Op 28 juli 1950, toen Fuchs er vijf maanden van zijn vonnis op had zitten en de herinnering aan zijn verraad nog vers in het geheugen van zijn vroegere collega's lag, vertrok Cedric Milner voor een vakantie van veertien dagen. Hij maakte bekend dat hij op wandelvakantie naar het Zwarte Woud ging. De volgende dag reed hij het Kanaalveer in Dover op om Engeland te verlaten en nooit meer terug te keren. Tien dagen later maakte het Russische persbureau Tass bekend dat hij naar de Sovjet-Unie was overgelopen. Die bewees hem eer als iemand die een cruciale bijdrage had geleverd aan de ontwikkeling van de Russische atoombom. Fuchs was niet de enige geweest.

Omdat Milner nooit is berecht of ondervraagd, en evenmin uit eigen beweging mededelingen heeft gedaan, is nooit met zekerheid vastgesteld welke informatie hij heeft doorgespeeld, noch wanneer, noch hoe. Afgeleide aanwijzingen zijn te vinden in het transcript van het verhoor van Fuchs door MI5, waar Fuchs verwijst naar vragen van zijn Russische contactpersonen over technische kwesties waarvan hij zich niet had gerealiseerd dat ze er iets van wisten en waarvan alleen iemand anders van het technische personeel in Harwell weet gehad kón hebben. Doorslaggevend was dat Fuchs in 1947 werd gevraagd om informatie over de 'tritiumbom' te verzamelen. Tritium was de sleutel tot de ontwikkeling van de waterstofbom, de zogenaamde superbom. Fuchs keek daarvan op, omdat hij er niets over had losgelaten. Dat moest iemand anders hebben gedaan.

Die iemand was natuurlijk Cedric Milner geweest. Binnen enkele weken na zijn aankomst in de Sovjet-Unie kreeg hij een positie in de Arzamas-16 fabriek waar de waterstofbom werd geproduceerd en waar hij tot 12 augustus 1953 bleef. Toen werd de eerste Russische H-bom met succes tot ontploffing gebracht, amper vijf maanden na de proef met de Amerikaanse waterstofbom op de Bikini-atol. Zijn missie was volbracht, hoe je die ook mocht definiëren.

Maar op dit punt begint het mysterie. Hoe kon het dat Milner zoveel wist? Zijn inzicht in de grondbeginselen van de superbom schijnt zelfs dat van Fuchs te zijn ontstegen, ondanks zijn ondergeschikte positie en ondanks het feit dat hij niet dagelijks bij dat onderdeel van de werkzaamheden in Harwell betrokken was. Dat mysterie zat Henry Arnold dwars en hij begon te vrezen dat er meer dan twee rotte appels in de Harwell-mand zaten. Misschien had Milner onder één hoedje gespeeld met een tot dan toe ongeïdentificeerde derde verrader. De autoriteiten schenen maar al te bereid om Milner te vergeten. Hij was ze ontglipt, dus stonden ze niet te trappelen om toe te geven hoe belangrijk hij was geweest. Zo gauw na de affaireFuchs was het een schandvlek waarop ze niet zaten te wachten. Daarom deden ze hun best om te laten doorschemeren dat zijn werkelijk waarde voor de Russische inlichtingendienst maar marginaal was geweest.

Arnold geloofde daar niets van. Het raadsel Milner zat hem hoog. Hij gaf opdracht aan zijn plaatsvervanger Duncan Strathallan...

Snuffel maar hard genoeg en vroeg of laat stuit je ergens op. Jij placht dat over het zoeken naar feiten in een moeilijke zaak te zeggen. Dus misschien was je wel trots op me geweest. Hier werd ik plotseling geconfronteerd met het bewijs van wat ik al over Otherways was gaan vermoeden. Alles had inderdaad met alle andere dingen te maken. Rainbird wist dat natuurlijk al. Die connectie had hem naar Otherways getrokken, niet de bouwkundige eigenaardigheden. Hij had een glimp opgevangen van de onzichtbare lijntjes tussen de bewoners en wilde per se dat ik die ook zou zien. Ik had het gevoel dat dit niet het enige lijntje was. En ik vroeg me af of het wel het eigenaardigste was. Hoewel het zeker al raar genoeg was. Ik las door in de hoop het antwoord te krijgen waarvan ik wist dat ik het niet zou vinden.

Arnold geloofde daar niets van. Het raadsel Milner zat hem hoog. Hij gaf opdracht aan zijn plaatsvervanger Duncan Strathallan om een grondig onderzoek in te stellen naar Milners activiteiten in Harwell en naar zijn leven voordat hij daar in dienst kwam. Strathallan herinnert zich dat onderzoek als fascinerend en frustrerend.

'Greep krijgen op Milner was zoiets als een stuk zeep proberen te pakken dat in het bad is gevallen. Telkens als je denkt dat je het hebt, glipt het weer tussen je vingers vandaan. Er was een heleboel geroddel over het feit dat hij een paar getrouwde vrouwen in Harwell had versierd, maar niets – nog geen vaag vermoeden – wees erop dat hij had overgewerkt, of dat hij in zijn eentje werkte, of dat hij op plekken was gesignaleerd waar hij niet thuishoorde, of dat hij altijd een uitpuilende tas met werk mee naar huis nam: al dat soort dingen die je na een dergelijke zaak verwacht te horen. Bovendien was de man ofwel helemaal geen communist of de stiekemste cryptocommunist die je ooit had meegemaakt. Fuchs was voor de oorlog partijlid in Duitsland geweest. Nunn May was praktisch met spandoeken de straat op gegaan om het kapitalistische imperialisme af te zweren. Man, ze waren het in hart en nieren. Er was echt een MI5 voor nodig om dat niet te zien. Maar wat Milner betreft, was er niets. Hij was niet eens roze, laat staan rood. Weet je nog wat Churchill over Rusland heeft gezegd? Een raadsel verpakt in een mysterie in een geheime doos. Nou, daar had je Milner ten voeten uit. En verder dan die geheime doos ben ik nooit gekomen, laat staan het mysterie om het raadsel.'

Tot Arnolds grote ongenoegen concludeerde Strathallan dat Milners motieven even onkenbaar waren als de toegebrachte schade. Maar hij geloofde wel dat hij alleen had gewerkt. Dat was een troost. Arnold hield op met zoeken naar een derde man. Kort daarna, in mei 1951, liepen Burgess en Maclean van het ministerie van Buitenlandse Zaken over. 'Daarmee werden wij met ons werk in Harwell voor joker gezet,' zegt Strathallan. 'Je steekt veel tijd in het dichten van een gat en vervolgens blijk je al die tijd in een vergiet te hebben gewerkt.'

Nadrukkelijk naar zijn oordeel over Milner gevraagd, zegt Strathallan dat verraad op zich hem meer moest hebben aangesproken dan het doel dat ermee werd gediend. 'Dat zie je terug in zijn seksleven en in die toestand met de moord op zijn schoonzus. Hij was een geboren verrader. Hij genoot ervan. Maar ik put wat troost uit de twijfel of hij wel zo van zijn leven in Rusland geniet. Uiteindelijk heeft hij alleen maar zichzelf verraden.'

En hoe belángrijk was hij dan wel als verrader? 'Dat zullen we nooit weten,' zegt Strathallan. 'Maar als je in aanmerking neemt hoeveel sneller de Russen waren met hun ontwikkeling van de H-bom dan de deskundigen hadden ver-

wacht, is hij naar mijn gevoel... heel belangrijk geweest.'

Milner ging in 1956 bij Arzamas weg voor een leerstoel aan de universiteit van Moskou en daar is hij sindsdien gebleven. Hij geeft geen interviews aan westerse journalisten en beantwoordt ook geen vragen. Voor zover bekend, gaat hij niet om met mensen als Philby en Blake. Hij is in geen enkel opzicht echt bekend. Hij is er vollediger dan alle andere hoofdpersonen van dit boek in geslaagd om niet alleen te verbergen wat hij heeft gedaan, maar ook waarom. Hij is de koning van de verraders, iemand die je geen enkel geheim kunt toevertrouwen, behalve dat van hemzelf.

Ik legde het boek neer en keek over het gras naar het huis. De zon was weer weg en had zich verstopt achter hardnekkige zomerwolken. Het was frisser dan voorheen, hoewel het nog lang geen avond was. Het was vrijwel windstil. Waarom had Strathallan het huis gekocht? Waarom had Fisher dat feit in zijn hoofdstuk over Milner verzwegen? Hoeveel geheimen herbergde Otherways eigenlijk? Op dat ogenblik leek het in het zachte grijze licht alsof het er misschien wel oneindig veel waren die langzaam de ronde deden in zijn cirkels van steen.

Ik liep naar binnen en ging naar boven naar de kamer op de tweede verdieping waar Strathallans rommel was opgeslagen. Voor het merendeel leek het ook veel op rommel: potten verf en harde kwasten; hengels en aasdozen; oude regenjassen en overschoenen; gewone laarzen en lieslaarzen; gehavende koffers en gedeukte kisten; een roestig opklapbed; een rafelige hondenmand. Ik vroeg me af hoe Lucy het bewaarde exemplaar van de *Sunday Times Magazine* tussen al die troep had opgeduikeld en probeerde zomaar een koffer. Er zaten oude rokken en vesten van mevrouw Strathallan in, te oordelen naar de stijl. In een andere zaten een paar jaargangen van iets wat *Army Quarterly* heette. Ik vond het merkwaardig dat je dergelijke spullen eerst bewaart en vervolgens achterlaat. Hij had ze evengoed weg kunnen gooien. Het was bijna alsof hij het niet had kunnen verdragen om ze mee te nemen en evenmin om ze weg te gooien. Of hij vond dat ze op Otherways hoorden.

Mijn gedachtegang werd onderbroken door de telefoon en in zekere zin luchtte dat me op. Dat gescharrel door de eigendommen van een vreemde had iets onfatsoenlijks, al had hij er dan ook afstand van gedaan. Daar had Matt gelijk in.

'Hallo?'

'Met Norman, Tony. Heb je het hoofdstuk over Milner al uit?'

'Ik heb het boek pas een paar uur.'

'Tijd genoeg, zou ik zeggen.'

'Oké, ik heb het gelezen.'

'Prachtig. Verrassend, hè?'

'In zekere zin, maar...'

'Ik vroeg me af of ik het terug kan krijgen. Ik zit in de Whipper-In in Oakham. Heb je geen zin om een glaasje te komen drinken?'

Hij zat met een glas jus d'orange en de restanten van een broodje aan het verste tafeltje van de bar een handboek over Engelse bomen met kleurillustraties door te bladeren. Ik haalde een biertje bij de bar, ging bij hem zitten en gooide *Zeven gezichten van het verraad* naast hem neer.

'Ik dacht dat je meer met vogels had dan met bomen, Norman.'

'Maar waar nestelen die vogels, Tony? Daar gaat het nou juist om. Eigenlijk vind ik het leuker om iets van de wereld om me heen te weten dan de doorsnee burger met oogkleppen voor. Je kunt zeggen dat ik mijn hele pensioen eraan heb gewijd.'

'Pensioen van wat?'

'Maakt dat wat uit? Ik probeer het te vergeten. Bovendien is pensioen zowel een eufemisme als een verkeerd woord. Ze hebben me overbodig gemaakt. Maar ik ben niet van plan dat ook te zíjn.'

'Nou, waarschijnlijk is het nuttig om het verschil te weten tussen een lijsterbes en een berges.'

'Heel geestig.' Hij leunde naar voren en tikte op het omslag van *Zeven gezichten van het verraad*. 'Wat denk je hiervan?'

'In de eerste plaats dat je het antwoord al weet op de vraag die er natuurlijk bij me is opgekomen. Waarom heeft Strathallan Otherways gekocht?'

'Ik neem aan als investering voor wanneer hij af zou zwaaien. Milner had vanuit Moskou naar zijn advocaat geschreven met de instructies om het huis te verkopen en het eerst met korting aan zijn vroegere collega's in Harwell aan te bieden. Dat is eigenlijk niet zo royaal als je in aanmerking neemt dat de opbrengst hem nooit via wettelijke kanalen kon bereiken.'

'Maar Strathallan hapte?'

'Ja. Hij was net getrouwd. Mevrouw Strathallan had eigen kapitaal, geloof ik. Wat het motief betreft, denk ik dat hij ervan uitging dat het een goede koop was. Maar dat is anders uitgepakt.'

'Hoezo?'

'Tragedie en tegenslag.' Hij glimlachte. 'Die gaan dikwijls samen op jacht.' Hij nam een slokje jus d'orange. 'Je hebt me tussen haakjes niet bedankt.'

'Voor het lezen van je boek? Je hebt het me min of meer opgedrongen, als ik het me goed herinner.'

'Daar heb ik het niet over. Ik heb begrepen dat je onlangs iemand bent kwijtgeraakt.'

'Dat is juist.'

'Ik ben nooit getrouwd geweest, dus ik kan alleen maar speculeren over hoe het moet zijn om een beminde vrouw te verliezen. Ik neem aan dat je van haar hield?'

'Ja, inderdaad.' En dat was ook zo, Marina. Daar hoef je nooit aan te twijfelen, ook al zal ik je daar misschien alsnog reden toe geven.

'Nou, ik stel me zo voor dat het niet meevalt om aan iets of iemand anders te denken.'

'Dat klopt.'

'Maar dat heb je wel, nietwaar? Ik bedoel vandaag nog. Je hebt over Otherways zitten nadenken.'

'Dat is zo.'

Iets in de geheimzinnigheid die het huis omringde wond me op en had me weer een doel gegeven. En die verrekte Rainbird had dat geraden.

'Dus misschien heb ik meer voor jou gedaan dan al die meelevende vrienden van je.' Hij glimlachte weer. 'Of misschien vind je dat ik overdrijf.'

'Hoe zit het met Strathallan?' Ik wilde graag over iets anders beginnen en Rainbirds illusoire intimiteit absoluut niet aanmoedigen. 'Je had het over tragedie en tegenslag. Kun je daar iets meer over zeggen?'

'Niet zo haastig, Tony. Je moet goed begrijpen dat ik enorm veel heb moeten doen om de informatie te verzamelen waarvan jij schijnt te verwachten dat ik die zomaar zal rondstrooien.'

'Waarschijnlijk heb je daar de tijd ook voor gehad.'

'We hebben allemaal dezelfde hoeveelheid tijd. Het verschil zit hem in de manier waarop we die gebruiken.'

'En hoe heb jij je tijd gebruikt?'

'Met mezelf vertrouwd maken met de geschiedenis van Otherways en de mensen die daar hebben gewoond.'

'Waarom... eigenlijk?

Hij haalde zijn schouders op. 'Toen ik hier kwam wonen, diende het zichzelf aan als een voor de hand liggend studieobject.'

'Waarom ben je hier komen wonen?'

'Dat brengt ons weer terug bij de vogels. Er zijn visarenden in Rutland Water, wist je dat? Het is echt een fascinerende biotoop.'

'Ik begin het te beseffen.'

'Precies.' Er verscheen even een glimlachje om zijn lippen. 'Welnu, grotendeels dankzij mijn langdurige naspeuringen in het archief van de *Rutland Mercury* kan ik je vertellen dat Duncan en Jean Strathallan in 1952 naar Otherways zijn verhuisd, na zijn vertrek uit Harwell. Hij begon als een kleine schapenboer op land dat nu onder water staat. Hun dochter Rosalind is in 1955 op Otherways geboren. Strathallan had vooropgelopen bij de protesten tegen de komst van het reservoir, maar had bitter weinig succes met het tegenhouden van het water. Te midden van die hele toestand heeft de jonge Rosalind op een mooie zomerse dag in 1976 zelfmoord gepleegd.'

'Lieve hemel. Hoe?'

'Paracetamol en whisky. Dood aangetroffen in haar auto op een parkeerplaats in de buurt van Uppingham.'

'Weten ze waarom?'

'Nee. Ze was net klaar met haar studie in Leeds en zou dat najaar gaan trouwen. Iedereen ging ervan uit dat ze zich verheugde op de trouwerij en op de verhuizing naar Londen met haar aanstaande. Als ze van gedachten was veranderd over het huwelijk, zou ze dat vast wel hebben afgezegd. Zelfmoord is een teken van veel dieper liggende problemen. Maar daar is bij het gerechtelijk onderzoek niets van gebleken. De rechter van instructie noemde het een "onverklaarbare tragedie".'

'Otherways schijnt die aan te trekken.'

'Vind jij dat nou ook? En dan de toevalligheden. Zoals de identiteit van Rosalind Strathallans verloofde. Hij trad op als getuige bij het onderzoek. Je bent hem in feite al tegengekomen.' Rainbirds blik op het omslag van *Zeven gezichten van het verraad* zei me genoeg en vlak voordat hij het zei, wist ik op wie hij doelde. 'Martin Fisher.'

Herinner je je nog die luchtfoto van de streek om Stanacombe die je vlak na de verhuizing hebt gekocht? Je zag duidelijk het patroon van de akkers en de weggetjes, maar ook de sporen van andere, opgeheven begrenzingen en vergeten weggetjes van honderden en misschien wel duizenden jaren geleden. Ik moest denken aan dat geraamte van de geschiedenis dat niet eens zo diep in de aarde begraven ligt, toen Rainbird zijn jongste geheim over Otherways prijsgaf. Hoeveel geheimen er nog meer waren die zelfs hij nog niet had opgedolven, kon ik niet zeggen. Maar ik twijfelde er niet aan dat er nog meer waren.

'Je moet toegeven dat ik royaal ben geweest,' zei Rainbird, en hij lachte temerig naar me toen we uit de Whipper-In kwamen. Buiten schemerde het al. 'En je zult het vast wel met me eens zijn dat de ene dienst de andere waard is.'

'Wat wil je precies?' Ik zette er flink de pas in over het marktplein naar de auto die ik vlak achter de Morris Minor van Rainbird had neergezet.

'Ik heb een tussenpersoon nodig.'

'Tussen jou en wie?'

'Strathallan. Ik vrees dat ik de ouweheer enigszins tegen me in het harnas heb gejaagd. Zozeer zelfs dat hij me nu niet eens zou vertellen hoe laat het is.'

'En je wilt meer van hem weten.'

'Ja. Ik wil de bekentenis van James Milner, die hij in november 1939 heeft opgeschreven in de dodencel van de gevangenis van Leicester.'

'Waarom denk je dat Strathallan die heeft?'

'Door de bestudering van zijn karakter en deductie. Plus zijn nerveuze reactie toen ik ernaar vroeg.'

'Daisy lijkt me waarschijnlijker.'

'O, ik denk wel dat hij aan haar geadresseerd was. Maar ik denk ook dat zij hem aan Strathallan heeft gegeven na de dood van zijn dochter.'

'Waarom?' We waren bij de auto's en bleven staan. Toen ik opzij blikte naar Rainbird, zag ik dat hij me grijnzend aankeek.

'Ik zal je vertellen waarom als jij erin slaagt om de hand op die bekentenis te leggen. Dat wil zeggen, als het niet reeds in die bekentenis zelf staat.'

'Ik denk niet dat ik met zo'n aanmoediging naar Schotland zal sjezen, Norman.'

'O, jawel hoor. Neem dat maar van mij aan.'

'Ik weet niet eens waar de man woont.'

'Ik wel.' Zijn grijns werd nog breder.

'Ik ga toch niet.'

'Geef me maar een seintje als je van gedachten verandert.'

'Ik zal niet van gedachten veranderen.'

'Jawel hoor. Je hebt gewoon tijd nodig. Je kunt het net zomin laten liggen als ik. Ik herken de symptomen.'

'Ik ben enigszins nieuwsgierig, meer ook niet.'

'Dat was ik ook. In het begin.' Hij wierp een blik op zijn horloge. 'Goed, ik moet er eens vandoor.' Hij stapte in en startte de motor. 'Ik verheug me nu al op je telefoontje.' Daarna reed hij weg en wuifde toen hij de hoek om verdween. Ongetwijfeld was hij niet in het minst uit het veld geslagen door het feit dat ik niet terug zwaaide.

Ik reed terug naar Otherways en wandelde vervolgens naar de Finches Arms. Ik wilde het mezelf niet bekennen, maar het vooruitzicht om in mijn eentje de nacht op Otherways door te brengen, maakte me zenuwachtig. Er was niets waar ik specifiek bang voor was. Het was gewoon een leeg huis met een tragisch verleden. Maar ik voelde toch de behoefte aan een hartversterker en de diepe slaap die een paar stevige borrels leken te beloven.

Die belofte werd niet ingelost. Ik wankelde in het maanlicht terug naar huis, ging linea recta naar bed en viel direct in slaap. Maar zo bleef het niet. En zelfs die laatste woorden verlenen een zekere ordelijkheid aan iets wat veel onthutsender was dan ik in wezen kan beschrijven. Ik droomde. Of niet? Het meest onthutsende van mijn dromen op Otherways was het ontbreken van een gevoel van onwerkelijkheid. Er is een aspect van je dromende geest dat de hele tijd weet wat er gaande is, nietwaar? De een of andere koppige rationele monitor houdt overal een oogje op. Maar op Otherways was dat anders. Daar wurmden mijn dromen zich in mijn waakbewustzijn. Er was geen scherpe scheidslijn meer.

Ik werd wakker van een geluid en kwam net te laat bij bewustzijn om te raden wat het kon zijn geweest. Maar ik kon de gedachte niet van me afzetten dat het een stem was geweest, ergens in huis. Een schreeuw, of een lach. Ik was te ver heen geweest om de wekker te zetten. Ik lag stil op mijn qui-vive en met gespitste oren. Daar had je het weer. Gekreun, gemompel... zoiets.

Ik stapte uit bed en liep langzaam en behoedzaam naar de overloop. Een melkwitte bundel maanlicht wierp gigantische schaduwen van de balustrade op de muur naast de trap. De rest van de overloop was een ravijn van duisternis. Op een gele rechthoek van licht door de kieren van de deur van Matt en Lucy's slaapkamer na. Daar liep ik naartoe.

Ondertussen hoorde ik geluiden uit die kamer komen. Toen besefte ik wat er in die kamer gaande was. En wat ik zou zien als ik de deur openmaakte. Maar niet wíé ik zou zien. Ik stak mijn hand naar de deurknop uit, drukte hem naar beneden en duwde de deur open.

Ze lagen op bed. Het beddengoed was opzij gegooid en hun naakte vlees lichtte op in het gouden schijnsel. Lucy lag op haar zij met haar rug naar me toe, met een been om het middel van de man geslagen en hij penetreerde haar kreunend. Zijn hand klemde om haar billen en zijn gezicht ging achter haar schuil. Ze boog haar nek naar achteren en haar haar viel weg van haar voorhoofd. Haar lippen weken van elkaar en ze deed haar ogen dicht. Ze rolde op haar rug; de man zoog op een tepel. Daarna verhief hij zich en duwde hij zich dieper in haar. Ze schreeuwde het uit en ik slaakte ook een kreet toen ik voor het eerst zijn gezicht zag, dat roodaangelopen was van inspanning.

Opeens was ik klaarwakker. Ik stond precies waar ik in de droom had gestaan: in de deuropening van Matts en Lucy's slaapkamer. Hij was in duisternis gehuld. Er was niemand. Er waren geen stemmen. Er viel niets te zien. Ik was alleen. Lucy was honderdvijftig kilometer verderop en niet hier bij mij. Ik wilde haar niet. Dat kon niet. Dat mocht niet. En zij mij evenmin. Het was maar een droom. Maar daar stond ik. Met de herinnering. En het beeld nog vers op mijn netvlies.

Vier

Het was een grijze en winderige dageraad. De afwezigheid van andere geluiden versterkte de wind tot een jammerende geest die de dakspanten en schoorstenen van Otherways onveilig maakte. Alleen als het hoogzomer is, beginnen de dagen zo: de zon is al op voordat de wereld zichzelf in beweging heeft gezet. Eenzaamheid wordt er bijna tastbaar van. Je hoort je eigen ademhaling, je eigen hartslag, en de kleren die over je huid glijden.

Ik heb je nooit meer gemist dan die zondagochtend. Het was meer dan alleen het verlies van jouw liefde. Het was de angst voor wat er zonder jou van mij zou worden. En het was nog iets ergers, wat ik aan jou moet opbiechten en waarvoor ik je begrip en vergiffenis vraag. Het was een misselijk makend mespuntje genot dat ik voelde door niet te weten wat me die dag of de komende dagen boven het hoofd hing. Het waren de vragen en de twijfels, en het verlangen dat diep in de angst begraven lag.

Ik ging naar buiten om langs het landweggetje naar Hambleton te wandelen. Ik had geen doel voor ogen behalve het verlangen om in beweging te zijn. En op dat vroege uur verwachtte ik zeker niemand te zullen zien. Maar toen ik langs de kerk liep, viel mijn oog op een beweging tussen de graven. Een vrouw slalomde traag tussen de zerken. Ze zag mij op hetzelfde ogenblik als ik haar. We bleven staan en keken elkaar aan.

'Goeiemorgen,' zei ik. 'Dit is een verrassing.'

'Voor mij ook,' glimlachte Daisy. 'Doorgaans heb ik op dit uur de wereld voor mij alleen.'

'Hou je daarvan?'

'Soms wel.'

Ze kwam enigszins haastig naar me toe en bloosde. Ik kon de gedachte niet van me afzetten dat ik haar ergens op had betrapt. Ik nam aan dat ze een bezoek aan het graf van haar zus had gebracht. Maar waarom zou ze zich daar schuldig over voelen?

'Ik merk dat ik steeds minder slaap nodig heb naarmate ik ouder word,' zei ze, toen ze het hekje uitkwam om zich bij me te voegen. 'Wat is jouw excuus?' Ze fronste alsof ze haar tong wel kon afbijten. 'Het spijt me. Waarom zou ik verwachten dat jij goed slaapt na wat je allemaal hebt doorgemaakt?'

'Dat valt wel mee. Maar vannacht... Nou ja, misschien is alleen in een groot huis slapen niets voor mij.'

'Otherways bevalt niet iedereen. Er zijn mensen die de vorm en het gevoel van het huis... verwarrend vinden.'

'Jij ook?'

'Toen Ann er nog woonde? Nee.' Haar antwoord had iets merkwaardig specifieks; bijna alsof haar kijk op het huis nu anders was.

'Ik ook niet.'

'O, nee?' Haar gezicht kreeg even iets sceptisch.

'En Matt en Lucy lijken me daar erg gelukkig.'

'Je hebt gelijk. Dat zijn ze ook. Natuurlijk ken ik ze pas sinds hun verhuizing. Ik zou dus niet weten of er iets is veranderd.'

'Maar ik wel.'

'Inderdaad.' Ze kwam een stap dichterbij, leunde tegen de muur van het kerkhof en staarde in de richting van Otherways. 'Maar je zult vast zeggen dat er niets veranderd is.'

Ik aarzelde zo lang dat ze zich omdraaide en me aankeek. Ik probeerde de betekenis van mijn aarzeling van me af te zetten, maar die hing bijna tastbaar in de lucht; en voor haar was dat even duidelijk als voor mij, dat wist ik zeker. 'Niets veranderd,' mompelde ik.

'Lucy heeft me gebeld om te zeggen dat je alleen zou zijn. Ik zou je wel te eten hebben gevraagd als ik jammer genoeg niet zelf ergens een etensafspraak had.'

'Dat was lief van haar.'

'Lucy zou vanmorgen voor me hebben geposeerd. Vandaar dat telefoontje.'

'Aha.'

'We hebben de afspraak naar dinsdagmiddag verzet. Kom je ook?'

'Ik zou maar in de weg zitten.'

'Dat betwijfel ik. Je leek belangstelling voor mijn werk te hebben. De beste manier om er iets van te begrijpen, is kijken.'

'Nou, graag dan. Dat zou ik leuk vinden.'

'Mooi.'

'Heb je zin om mee terug te lopen naar Otherways? Dan kan ik je misschien iets te eten aanbieden.'

'Nee, dank je.' Met een vriendelijk maar treurig glimlachje liep ze langs me heen naar haar auto die onder het weidse bladerdak van een wilde kastanje stond en mompelde nog iets wat ik niet kon horen.

'Pardon?' riep ik haar na.

'Hm?' Ze bleef staan en wierp een blik over haar schouder. Daarna glimlachte ze weer. 'Ik praat in mezelf. Slechte gewoonte.' Ze hief haar hand. 'Dag Tony.' Daarna stapte ze in en reed ze langzaam weg; het geluid van de auto bleef nog lang in de lucht hangen nadat ze in de richting van Oakham was afgeslagen.

Ik liep het kerkhof op en wandelde de kant op waar ik Daisy voor het eerst had gezien. Het duurde een minuut of vijf voordat ik het graf van haar zus had gevonden. Er stond een kleine, eenvoudige zerk bij en de vaas was leeg. Daisy had geen bloemen gebracht. Uit niets bleek dat ze er überhaupt was geweest. En evenmin hoe Ann Milner aan haar eind was gekomen. Tenzij het opschrift onder haar naam iets betekende. Het was Grieks, en voor iemand als ik kon het net zo goed geheimschrift zijn.

ANN GEORGIANA MILNER
1912-1939
παντα ῥει, και οὐδέν μενει

De eenzaamheid die me op Otherways wachtte, drukte zwaar op mijn schouders. Ik reed naar Oakham om in de Whipper-In te ontbijten en daarna vertrok ik voor een trage en doelloze autorit door het platteland ten zuidoosten van Petersborough de sombere uitgestrektheid van de Fens in. Ik belandde in Ely en ging een uurtje op het terrein van de kathedraal zitten kijken naar de toeristen en gelovigen die af en aan liepen. Ik weet niet waar ik naar zocht. Waarschijnlijk iets wat me uit de middelpuntzoekende kracht van Otherways zou halen. Maar dat was vergeefs. Zonder jou was niets daartoe in staat. Ik kon nergens heen en niemand anders zijn dan mezelf. Maar wie was ik? Wat was er van mij over nu jij weg was? Als het moest, kon ik me best vastklampen. Maar waaraan, Marina? Dit was de vraag waar ik helemaal geen raad mee wist: waaraan moest ik me vastklampen?

Toen ik die middag op Otherways terugkeerde, waren Matt en Lucy al terug. Het luchtte me op om hun auto op de oprijlaan te zien staan. En uit het feit dat ik me zo op het weerzien verheugde, leidde ik af wat een beproeving de voorgaande vierentwintig uur waren geweest.

Ze zaten aan de thee in de huiskamer, maar Matt kon niet meer dan hallo zeggen omdat de telefoon ging en hij zich naar de bibliotheek moest reppen om op te nemen.

'Zaken,' zei Lucy geërgerd, terwijl ze een kop thee voor me inschonk. 'Matt heeft tussen nu en morgenochtend heel wat te regelen.'

'Waarom? Wat is er aan de hand?'

'Hij vliegt met Dick Sindermann mee terug naar New York. Het leek wel te klikken tussen die twee. Nu lijkt opeens niets hem meer onmogelijk.'

'Je klinkt niet erg overtuigd.'

'Niet erg betrokken is een beter woord. Matt heeft zichzelf wijsgemaakt dat hij dit evenzeer voor mij als voor zichzelf doet. Hij schijnt te denken dat ik ernaar snak om me in het uitgaansleven van Manhattan te storten.'

'Is dat dan niet zo?'

'Wat denk jij dat ik ambieer, Tony?'

Het was een onthutsend rechtstreekse vraag. Ik haalde mijn schouders op. 'Ik weet niet of dit wel het juiste moment is om... te verkassen.'

'Wanneer is het dat wel?' Ze wierp een blik uit het raam. 'Misschien zal dit reisje naar New York Matt ervan verlossen. Wat het ook mag wezen.'

'Hoe lang blijft hij weg?'

'Dat is nog niet zeker. Vier of vijf dagen, denk ik. Hij heeft gevraagd of ik meeging. Maar ik blijf liever hier.'

'Toch niet voor mij, hoop ik?'

'Deels. En deels voor mezelf. Ik had je uitgenodigd om elkaar te kunnen helpen over de dood van Marina heen te komen, weet je nog?'

'Misschien is dit Matts idee om jou te helpen.'

'Kan. Hij bedoelt het goed. Dat is altijd zo.'

'Wat vond je van Sindermann?'

'Hij zei me niets. Ik heb ook niet erg op hem gelet. Ik bleef maar denken...' Ze keek me aan met het begin van een zenuwachtig lachje om haar mondhoeken. 'Nou ja, aan jou. Hier in je eentje. Zonder ons.'

'Ik heb me wel gered.'

'Ik droomde zelfs dat ik hier was. Vannacht.'

'O, ja?' Ik zette mijn kopje voorzichtig terug op het schoteltje en streek met mijn hand over mijn knie om ieder spoortje beverigheid te verbergen.

'Het was een... ongelooflijk levendige droom.'

'Dat gebeurt wel vaker.'

'Niet bij mij. Althans niet voordat we hierheen zijn verhuisd. En jij?'

'Hoezo?'

'Droom je dikwijls over Marina?'

'Eerst wel. De laatste tijd niet zo vaak meer.'

'Waar droom je dan over?'

'O, daar is geen touw aan vast te knopen.' Ik stond op en liep naar het raam. Ik ging op de vensterbank zitten en keek naar haar. Ze zat op de stoel waarop ze in mijn droom had gezeten. 'Wat dat tijdschriftartikel betreft...'

'Wacht even tot Matt weg is, oké? Dan kunnen we zoveel praten als we willen.' Ze dacht even na. 'En óver alles wat we maar willen.'

Matt bracht het grootste deel van de rest van de dag aan de telefoon door om zijn afspraken voor de rest van de week te verzetten. Gedurende een van onze kortstondige uitwisselingen informeerde hij of ik hem de volgende ochtend vroeg naar Heathrow kon brengen. Ik zei ja en grapte dat het mijn enige kans op een fatsoenlijk gesprek met hem zou zijn. We zouden bij het krieken van de dag vertrekken. De dag – plus de voorgaande nacht – hadden me afgemat. Ik ging vroeg naar bed en hoopte erop dat de pure vermoeidheid me zeven uur gedegen nachtrust zou opleveren. Maar vermoeidheid zou waarschijnlijk nooit voldoende zijn. Dat had ik kunnen weten. De volgende droom wachtte alleen maar zijn kans af; de kans om me te laten zien dat de werkelijkheid voor het onbewuste iets weg kan hebben van een droom in een droom, een vage herinnering aan iets wat echt zou kunnen zijn, en aan de andere kant misschien ook niet.

Matt en ik zaten in de zitkamer van Otherways met onze stoelen naar de open terrasdeuren gedraaid. Daarachter dommelde de heiige, zonovergoten tuin onder een wolkenloze hemel. De gordijnen bolden loom op in het warme briesje en buiten lag Lucy in een zwempak en met een zonnebril op te zonnebaden in een ligstoel. Ik wist dat het Lucy was, hoewel jij het ook had kunnen zijn van die afstand; zozeer waren jullie voor mijn geestesoog op elkaar gaan lijken.

'Denk je dat ze slaapt?' vroeg ik.

'Ik denk het,' antwoordde Matt.

'En droomt?'

'Wie zal het zeggen?'

'Ik denk van wel.'

'Dan heb je waarschijnlijk gelijk. Jij zou de symptomen tenslotte moeten herkennen.'

'Die zijn er niet. Maar zij droomt altijd. Had ik je dat nooit verteld?'

'Nee.'

'Ik droom zelf veel, de laatste tijd.'

'Waarover?'

'Altijd over hetzelfde. Heel raar. Bijna alsof... het meer een herinnering dan een droom is. Ik ben hier op Otherways. Ik bedoel: wíj zijn hier, met z'n drieën. Net als nu. Alleen... anders.'

'Hoe anders?'

'Dat is nog wel het gekste,' antwoordde ik. 'In de droom is ze jouw vrouw, niet de mijne. En was ik getuige op jouw huwelijk, niet andersom. Ik ben de oude vriend die komt logeren en niet degene die dit huis heeft gekocht in een poging om haar gelukkig te maken.'

'Je hebt gelijk.' Matt draaide zich een kwartslag in zijn stoel en keek me aan. 'Dat is heel raar.'

'In die droom lijkt het alsof jij en zij mij in huis hebben genomen om me te helpen genezen van de een of andere... tragedie. Ik weet nooit precies wat die behelsde. Of misschien herinner ik het me domweg niet. Zoals dat met dromen gaat. Hele stukken ervan zijn altijd net buiten handbereik.'

'Hoe vaak droom je dat?'

'Te vaak.'

'Zit het je dwars?'

'Die herhaling wel. Waarom weet die droom van geen wijken, Matt? Wat probeert hij me duidelijk te maken?'

'Waarom moet hij je per se iets duidelijk willen maken?'

'Omdat hij maar terug blijft komen.'

'Ja.' Hij staarde weer door de openslaande deuren naar de gestalte op de ligstoel in de verte. 'Dat doet hij inderdaad, hè?'

'Je praat alsof je al het naadje van de kous wist voordat ik je erover vertelde.'

'Dat is ook zo.'

'Wat?'

'Ik droom hetzelfde,' zei hij met gedempte stem, bijna fluisterend. 'Iedere nacht.'

De volgende ochtend had voldoende weg van een droom om zich een plaats te veroveren tussen de fantasieën die zich met geweld aan mijn waakbewustzijn opdrongen. Lucy lag nog in bed en had kennelijk al in de slaapkamer afscheid van hem genomen, als ze dat al had gedaan. Hij en ik ontbeten met zwarte koffie in de keuken. Daarna liepen we naar buiten de vroege ochtendlucht in, die zo stil was dat de hele wereld wel zijn adem leek in te houden, en stapten we in de auto.

We reden met vermoeide ogen stilzwijgend om Rutland Water. Het meer strekte zich achter ons uit als een reusachtige binnenzee die er altijd was geweest en altijd zou zijn. Daarna reden we door een stuk verlaten boerenland in oostelijke richting naar de A1, waar we onze weg zuidwaarts naar Londen en Heathrow en de geruststellende technische gemakken van de tegenwoordige tijd vervolgden.

'Ik kan nooit goed slapen als ik weet dat ik de volgende morgen vroeg op moet,' klaagde Matt na een paar onderdrukte geeuwen. 'En jij?'

'Ben je bang dat ik achter het stuur ga knikkebollen?'

'Je ziet er alleen een beetje doorgedraaid uit.'

'Ik heb goed geslapen.'

'Mooi. Maar het spijt me dat ik je op dit goddeloze uur uit bed heb gerukt.'

'Geeft niets.'

'Ik blijf maar een paar dagen weg, hoe de zaak ook uitpakt. Maar ik ben hoe dan ook blij dat jij op Otherways logeert... om Lucy gezelschap te houden.'

'Ik begrijp niet waarom je je zo zorgen om haar maakte, Matt. Ze komt prima op me over... Onder de gegeven omstandigheden.'

'Misschien wel te prima. Ik heb niet het gevoel dat ze het verdriet voldoende toelaat. Niet dat ik zou weten wat voldoende is. Maar onder deze omstandigheden zou ik haar nu niet graag alleen laten, dat is zeker.'

'Ik zal mijn best doen om een oogje in het zeil te houden.'

'Ik wil niet dat Daisy te veel beslag op haar legt.'

'Waarom niet?'

'Omdat het Lucy moeilijk valt om het onderwerp van de Milnermoord te laten rusten als ze die vrouw te vaak ziet, en dat wil ik graag. Het kan niet gezond zijn om te blijven stilstaan bij iets wat zestig jaar geleden is gebeurd.'

'Die kamer vol rommel van Strathallan werkt waarschijnlijk ook niet mee.'

'Ik zie niet in wat die ermee te maken heeft. Strathallan heeft de Milners nooit gekend.'

'O, nee?'

'Nee.' Ik voelde dat Matt me fronsend aankeek. 'Waarom zou hij?'

'Niets. Alleen... Nou, jij wilt die troep graag kwijt, hè?'

'Vanzelf. Maar die ouwe zak maakt geen aanstalten om de spullen een keer te komen halen.'

'Waarom vat je de koe niet bij de horens en stuur je ze hem niet na?'

'Dat zou ik waarschijnlijk ook doen, als ik zijn adres had.'

'Heeft hij je dat dan niet gegeven?'

'Nee. Zeker bang voor klachten over de staat waarin hij het huis heeft achtergelaten.'

'Of over het feit dat hij niets over de moord heeft gezegd.'

'Dat kan ook.'

'Nu we het daar toch over hebben, ik heb Ann Milners graf bij de kerk gevonden.'

'Gevonden? Je hebt er toch niet naar gezocht, Tony? Krijgt het jou nou ook te pakken?'

'Ik ben er toevallig op gestuit. Eerlijk waar.'

'En nu wil je mijn rudimentaire kennis van het klassieke Grieks aanspreken?'

'Dat is bij me opgekomen. Vroeger schepte je altijd op over je klassieke opleiding.'

'Je bedoelt dat jij me er altijd over in de maling nam.'

'Ik heb er domweg nooit het nut van ingezien.'

'Tot vandaag.'

'Ga je het me nog vertellen of niet?'

'Heraclitus. Filosoof uit Ephesus in de vijfde eeuw voor Christus. Het is een van zijn typisch morbide epigrammen. *Alles vervloeit en niets is blijvend.*'

'Morbide maar waar?'

'Dat weet ik niet. Herinneringen blijven toch?'

'O, jawel. Maar misschien maakt dat het alleen maar erger.'

'Het spijt me. Het was niet mijn bedoeling om...'

'Dat geeft niets. Ik heb niet het monopolie op verdriet. Ik hoef alleen maar te denken aan de tragedies die de vorige bewoners van Otherways zijn overkomen om dat te beseffen.'

'Wacht even, Tony. Eén moord is één tragedie. Niet een hele reeks.'

'Sorry. Ik liet me even meeslepen.' Hij wist niets van Strathallans dochter. Dat werd me in één klap duidelijk. Van hoeveel nog meer was hij niet op de hoogte? Of wílde hij het niet weten?

'Ik zou het prettig vinden als je niet zo tegen Lucy praatte.'

'Ik zal op mijn woorden letten. Maak je geen zorgen.'

'Ze zegt de laatste tijd een heleboel rare dingen.'

'Zoals?'

'Dat gebouwen herinneringen hebben, net als mensen.'

'Wat bedoelt ze daarmee?'

'Dat weet ik niet. Maar wat het ook is, wil je je best doen om het haar uit het hoofd te praten? Om mij een plezier te doen? Ze denkt dat ik haar niet begrijp. Misschien is dat wel zo. Zoals de zaken er nu voor staan, kan ik haar niet de aandacht geven die ze nodig heeft. Maar jij wel.'

'Ik begrijp het evenmin, Matt.'

'Maar zul je je best doen?'
'Goed.' Ik keek hem van opzij aan. 'Ik zal het proberen.'

Matt keek over zijn schouder om naar me te wuiven toen hij de vertrekhal inliep. Daarna verdween hij in de muil van een draaideur en reed ik weg. Zonder het te willen, moest ik denken aan alle elementen die een duurzame vriendschap bepalen: ontspanning, humor, eerlijkheid, overeenkomsten, kameraadschap, het soort liefde dat we louter genegenheid noemen en vertrouwen. We vertrouwden elkaar impliciet en dat hadden we bijna twintig jaar gedaan. Maar misschien was dat vertrouwen nooit echt op de proef gesteld. Misschien vertrouwde Matt mij op zijn manier wel te veel. En in elk geval meer dan ik mezelf vertrouwde.

Ik nam een langere weg terug naar Rutland, maar voelde me niettemin onvoorbereid voor mijn aankomst op Otherways. Ik parkeerde de auto aan de zuidelijke oever van Rutland Water en staarde naar de bossen en akkers van het schiereiland aan de overkant. De ochtend kwam langzaam op gang. Er waren al een paar vissers uitgevaren in deinende bootjes, maar voor de meeste mensen was het nog te vroeg. De lucht was vochtig en er hing iets van verwachting. Alles wachtte af en keek vragend toe. Er stond nog niets vast.

'Ik begon me al zorgen over je te maken,' glimlachte Lucy opgelucht toen ik de zitkamer binnenwandelde. Ze zat koffie te drinken bij de open terrasdeuren met de restanten van de ochtendkrant om zich heen. Ze droeg dat hemd van jou met die rode zoom en je crèmekleurige broek. Ze leek zich van geen kwaad bewust. Ze zag er zelfs echt ontspannener uit dan ooit sinds jouw dood. Om je de waarheid te zeggen, zag ze er stralend uit. 'Heb je Matt heelhuids op het vliegtuig gezet?'
'Zonder problemen.'
'Koffie? Er is een potvol. Nesta heeft vers gezet voor ze naar huis is gegaan. Ik heb voor de zekerheid nog maar een kopje meegenomen.'
Ik schonk in, schoof een stoel bij en ging tegenover haar zitten. 'Nog iets bijzonders in de krant?' vroeg ik afgezaagd.
'Het kon allemaal net zo goed over een andere planeet gaan.'
'Maar wie zitten er op die andere planeet, Lucy? Zij, of jij en ik?'
'Omdat je er zo specifiek naar vraagt: volgens mij misschien jij en ik wel.'
'Hoe ziet het er daar uit?'
'Vreemd. Onthutsend.'
'Dat vinden een heleboel mensen van dit huis.'

'Dit is een wereld op zich. Maar je went eraan.'

'Matt is bang dat je er meer aan gewend bent geraakt dan goed voor je is.'

'Hij maakt zich onnodig zorgen.'

'Omdat hij van je houdt.'

'Soms is liefde niet voldoende.'

'Het zou altijd voldoende moeten zijn.'

'Niet tussen een man en een vrouw. Er is nog iets. Iets meer.'

'Ik volg je niet.'

'Wel.'

'Nee.' Ik stond op en liep de buitenlucht in. 'Niet waar.'

'Niet bang worden, Tony.' Opeens stond ze naast me en haar hand rustte licht op mijn arm. 'Sommige dingen moet je gewoon hun gang laten gaan.'

Ik deed een paar stappen op de brug over de gracht om afstand tussen ons te scheppen, leunde tegen de balustrade en keek haar aan. 'Marina's dood,' zei ik langzaam en nadrukkelijk, 'is voor ons allebei een verlies waaraan we ons moeten aanpassen, waarmee we zo goed mogelijk moeten leren leven.'

'We kunnen elkaar helpen.' Haar blik had in de verste verte niets onoprechts. Ze meende letterlijk wat ze zei. Maar wát ze ermee bedoelde, sloeg zowel op mijn toekomst als de hare. 'We delen een verlies. We kunnen het helen ook delen.'

'Het klinkt zo makkelijk.'

'Dat is het ook.'

'Ik vind van niet.'

'Je bent eenzaam zonder haar.'

'Natuurlijk.'

'Ik ook.'

'Maar jij hebt Matt.'

'Niet echt.'

'Wat bedoel je?'

Ze kwam zuchtend een stap dichterbij en leunde naast me tegen de balustrade. 'Er is iets wat je niet weet over Matt en mij,' zei ze met gedempte stem. 'Hij is impotent, zie je. Dat wil zeggen, hij kan niet... Hij heeft niet.... Al een hele poos niet.' Ze liet haar hoofd hangen. 'Ik weet niet wat de moeilijkheid is. Hij wil geen poging doen om erachter te komen. Maar het vreet aan hem. En aan mij. En erger dan ooit sinds de dood van Marina. Ik weet niet waarom dat een en ander plotseling zo ondraaglijk maakt, maar het is wel zo.' Ze draaide zich met haar ogen vol tranen naar me toe. 'Ik kan zo niet verder, Tony.'

'Ik had geen idee.' Instinctief sloeg ik mijn arm om haar heen. Ze zakte tegen mijn schouder. 'Geen flauw idee.'

'Marina wist het. En ik heb haar laten beloven dat ze het niet tegen jou zou zeggen.' Ik voelde een scheut van pijn. Jij en ik hadden nooit geheimen. Althans, dat dacht ik. En ik nam het je niet kwalijk dat je dit voor mij had verzwegen. Maar een geheim blééf het. 'Het spijt me zo voor Matt; en voor mezelf. Maar ik kan niet onvoorwaardelijk van hem houden. Ik heb meer nodig dan hij in huis heeft.'

'Lucy...' Ze hief haar hoofd op en keek me aan. Haar ogen speurden mijn gezicht af. 'We kunnen niet...'

'We kunnen niet níét.' Daarna kuste ze me. En ik kuste haar terug. De twijfels en scrupules werden overspoeld door het langdurige ontbreken van lichamelijke intimiteit. Verboden vruchten zijn het lekkerst, nietwaar? Door dat eerste voorproefje wist ik al dat het gezegde klopte. Verboden, en toch vaag vertrouwd. Er huisde een deel van jou in haar. En ik miste jou zo erg. De rest was een duistere hunkering die me vanuit zijn schuilplaats besprong. De droom van twee nachten daarvoor schoot door me heen. Hij stond op het punt uit te komen. En dat wilde ik ook. De rest was een zinloos tegenstribbelen. 'Kom mee naar boven,' zei Lucy gejaagd terwijl ze zich van me losmaakte. 'Nu. Als we wachten... zijn we verloren.'

Maar dat waren we hoe dan ook. Het was al te laat om op onze schreden terug te keren en onze wereld weer op te bouwen. We stonden te midden van de ruïnes. We zagen ze niet. Maar ze waren er wel. Overal om ons heen. In afwachting tot we ze zouden zien. Als we niets anders konden zien behalve elkaar.

'Het spijt me,' zei ik naderhand, zittend op de rand van het bed met Lucy tegen de kussens achter me, haar hand op mijn heup en de middagzon warm op mijn dij. 'Dit had nooit mogen gebeuren.'

'We wilden het allebei,' zei Lucy zacht.

'Wat we willen is niet het enige wat ertoe doet.'

'Soms kan het niet anders.'

Ik draaide me om en keek naar haar. Mijn blik gleed over haar lichaam. 'Je bent heel mooi.'

'Net als Marina.'

'Ik gebruik je niet als substituut.'

'Dat zou me niet eens veel kunnen schelen. Ik zou het nog begrijpen ook, weet je.' Ze pakte mijn hand en legde hem op haar borst. 'Weet je nog dat ik vertelde dat ik droomde dat ik hier was toen ik met Matt in Cliveden was?'

'Ja.' Haar tepel werd hard onder mijn handpalm.

'Dit is wat ik heb gedroomd. Jij en ik. Wat we net hebben gedaan. Ik bedoel... Exact zoals het was.' We hadden het dus allebei gedroomd. En het allebei gezien. En nu hadden we die droom ten uitvoer gebracht. 'Het heeft zo moeten zijn.'

'Waarom?'

'Ik weet het niet. Maar het is toch zo? Jij hebt het net zo goed gevoeld.'

'Ja.' Ik keek haar recht in de ogen, die sprankelden van de herinneringen aan zo-even. 'Inderdaad.'

'Er zijn geen grenzen.'

'We kunnen hier niet mee doorgaan.'

'We kunnen er niet mee stoppen.'

'Matt is...' Ze drukte haar vingers tegen mijn lippen om me het zwijgen op te leggen.

'Duizenden kilometers en honderden uren weg. Wij hebben de tegenwoordige tijd en een brokje toekomst. We moeten ervan genieten.'

'Wat we doen is... verkeerd.'

'Maar zo heerlijk.' Haar hand gleed naar beneden toen ik me naar haar toe boog. 'Niet dan?'

En dat was zo. God vergeve het me, maar het was heerlijk.

Nu weet je het. Misschien kijk je er helemaal niet zo van op. Ik kon niet dichter bij jou komen dan via Lucy. Er zat een soort logica in. En een heleboel hartstocht. Ik had nooit beseft hoeveel hartstocht er zowel in mij als in haar huisde, hunkerend om te worden bevrijd. Jij was er niet meer. Ik was je kwijt. Niets van wat ik deed, betekende verraad jegens jou of onze liefde. Die hoorde tot het verleden. Dit was het heden. Althans, dat hield ik mezelf voor. Dat wilde ik graag geloven. En zelfs op dat moment kon ik mezelf geen rad voor ogen draaien waar het om Matt ging. Ieder moment dat ik met Lucy genoot, elke handeling die me verrukte, was een wandaad jegens hem. We zouden allemaal de tol moeten betalen voor wat zich voltrok. Ieder op zijn eigen manier.

'Je hebt het nog niet over het tijdschriftartikel gehad,' zei Lucy later met een plagerig lachje. 'Is er soms iets wat je heeft afgeleid?'

'Dat kun je wel zeggen.'

'Maar goed ook. Het gaat over de oertijd, weet je.'

'Niet voor Daisy, stel ik me zo voor.'

'Ik praat er nooit over met haar.'

'Denk jij dat zij de bekentenis heeft die James Milner in de gevangenis heeft geschreven?'

Lucy haalde haar schouders op. 'Ik weet het niet.'

'Rainbird denkt dat Daisy die aan Strathallan heeft gegeven.'

'Je moet niet alles geloven wat die man zegt. Hij is een akelige lamlul. Ik blijf maar tegen Daisy zeggen dat ze hem eruit moet gooien. God mag weten waarom ze hem duldt.' Ze fronste. 'Wanneer hebben jij en Rainbird zo vertrouwelijk met elkaar gepraat?'

'Ik ben hem toevallig tegen het lijf gelopen... Zaterdagavond in de Whipper-In in Oakham.' Een vergeeflijk leugentje nietwaar? Ik wist niet hoe zij zou reageren op de ontdekking dat hij zich tijdens haar afwezigheid met een list toegang tot het huis had verschaft. 'Hij leek me anders opmerkelijk goed ingelicht.'

'Waarover?'

'De familie Milner. En de Strathallans. Wist je dat Strathallans dochter zelfmoord heeft gepleegd?'

'Ja. Dat heeft Daisy verteld. Maar dat is algemeen bekend.'

'Hoe algemeen?'

'Hangt ervan af aan wie je het vraagt.'

'Weet Matt het?'

'Ik denk het niet.'

'Dit schijnt niet bepaald een gezegend huis te zijn.'

'Voor mij wel.' Ze grijnsde en keek vervolgens weer ernstig. 'Maar het herbergt wel een heleboel geheimen. Inclusief Rosalind Strathallan.' Ze dacht even na, alsof ze iets overwoog. Waarschijnlijk taxeerde ze hoeveel vertrouwen onze pas ontloken intimiteit verdiende. 'Er lag ook een dagboek. Dat van haar. Over het laatste jaar van haar leven. Het lag op een plank die verstopt zat in een ongebruikte schoorsteen in haar kamer. Jouw slaapkamer. Ik vond het toen ik bezig was die kamer op te knappen. Haar ouders hebben natuurlijk niet geweten dat het daar lag. Ik heb het aan Daisy laten zien. Ze besefte van wie het was en vertelde wat er met het meisje was gebeurd.'

'Blijkt daaruit waarom ze de hand aan zichzelf heeft geslagen?'

'Niet echt.'

'Verklaart het überhaupt iets?'

'Dat zul je zelf moeten beoordelen.'

Het was een zakagenda voor het studiejaar 1975/'76 van het Studentengilde van de universiteit van Leeds. Hij was klein genoeg om door Lucy in de plastic zak waarin ze hem had gevonden verstopt te worden in een la waarvan ze wist dat Matt er nooit een blik in zou werpen. Ze liet me hem doorbladeren terwijl zij in bad ging.

Er was een plattegrond van het universiteitsterrein, vervolgens vijftig bladzijden met trimesterdata, faculteitsbijzonderheden en studentenverenigingen: alles, van wisselluiden tot transcendente meditatie. De agenda zelf liep van begin september 1975 tot eind augustus 1976. Wat erin stond was nu eens in groene balpen, dan weer in blauwe, maar altijd in een pietepeuterig maar uitstekend leesbaar schrift dat meer weg had van drukletters dan van een handschrift. Rosalind was pas eind september begonnen, bij het begin van het eerste kwartaal, misschien toen ze de agenda had gekocht. Van die datum tot december bestond het geschreven uit beknopte, saaie gegevens: collegetijden, werkgroepen, sociale gelegenheden, boodschappenlijstjes. Plus een verdacht groot aantal afspraken met iemand (of iets) die HD heette. Plus een aantal weekeinden doorgekruist onder de naam Martin: waarschijnlijk bezoeken van of aan Martin Fisher.

Het trimester eindigde op 9 december en Rosalind ging naar huis. Er stond een reistijd van de trein – vertrek uit Leeds, aankomst in Petersborough – gevolgd door *OTHERWAYS* in grimmige hoofdletters. Blanco pagina's van Kerstmis tot en met nieuwjaar. Met haar terugkomst in Leeds op 8 januari keerde de gewone gang van zaken terug. Ik bladerde haastig verder in de vergeefse hoop iets van betekenis te vinden. Pasen was evenwel niet zo blanco als Kerstmis was geweest. Rosalind bracht gedurende de vakantieperiode een week met Martin in Parijs door en elke dag stond propvol met namen van plekken die ze hadden bezocht, plus stereotiepe commentaren van Rosalind – 'een droom', 'prachtig', 'magisch', 'ontzagwekkend', 'verrukkelijk'. Het klonk allemaal alsof het amper mooier had gekund. De tijden van treinen en veerboten markeerden hun terugkeer naar Engeland op 15 april en de volgende dag, Goede Vrijdag, vermeldde een nieuwe, sinistere opmerking. *Ze wachtten me op. Waarom, o waarom kunnen ze me toch niet met rust laten?* En een volgende opmerking van later in dat weekeinde, was zo ruw doorgekrast dat er niets van te maken was. Wat voor Pasen het ook was geweest, het konden geen gelukkige paar dagen zijn geweest.

Het zomertrimester begon evenmin zoals zijn voorgangers. Daags na haar terugkeer naar Leeds, schreef Rosalind *VERSCHRIKKING, VERSCHRIKKING*. Het was de enige vermelding, en de volgende dag stond er: *Ze zijn me hierheen gevolgd.* Maar drie dagen later was haar eerste afspraak met HD van het trimester. *Een lichtstraaltje*, schreef ze tussen haakjes achter het tijdstip. Het daaropvolgende weekeinde had ze een afspraak met Martin en *Alles kits* leek hun hereniging samen te vatten. Daarna werden de teksten weer rustig, hoewel er veel meer was doorgestreept dan op de voorgaande bladzijden. Inmiddels gebruikte ze TippEx om wijzigingen in de tekst aan te brengen, maar waarom was me een raadsel, gezien het feit dat ze haar dagboek toch voor niemand anders bijhield dan voor zichzelf.

Juni zag er gewoon en zorgeloos uit, met tentamens gevolgd door een reeks feesten, een paar weekeinden in Londen met Martin en een afstudeerplechtigheid aan het eind van de maand. Maar in juli was ze weer op Otherways en daarmee veranderde de toon onmiddellijk. *Zoveel erger dan voorheen* stond er op 11 juli en de toonzetting was typerend voor de hele reeks notities. Ze scheen een soort vakantiebaantje in een manege te hebben genomen, maar de verwijzingen daarnaar stopten na een week of wat abrupt. De week daarop bracht ze twee keer een bezoek aan een arts – waarschijnlijk haar huisarts – en begon ze als terugkerende symbolen asterisken te gebruiken: nu eens een, dan weer twee en heel soms drie. Ze bracht het weekeinde van 24 en 25 juli met Martin in Londen door en schreef tot besluit *Hij begrijpt het niet; hij kan het zich niet voorstellen.* De volgende dag vermeldde een kopie van het Griekse epigram van Heraclitus op Ann Milners grafzerk en daaronder had ze geschreven: *Geen uitweg.* Daarna was er een reeks blanco dagen en vervolgens stond er bij 5 augustus in kapitalen *ZE ZULLEN ME NIET KLEIN KRIJGEN.*

Maar dat was niet waar. Het was namelijk het laatste wat ze had geschreven. Meer stond er niet in. Ze had de agenda in haar kamer verstopt en was weggereden om de enige vluchtweg te kiezen die ze kon bedenken, voor wat het ook mocht zijn dat weigerde haar met rust te laten.

'Wat vind je ervan?' vroeg Lucy toen ze uit de badkamer kwam en ik bezig was de agenda voor de tweede keer door te neuzen.

'Moeilijk te zeggen. Iets hier in huis schijnt haar te hebben dwarsgezeten.'

'Mogelijk.'

'Heb jij een andere hypothese?'

'Ik weet alleen dat Otherways warm en verwelkomend op mij overkomt. Rosalind Strathallans demon moet van een persoonlijk soort zijn geweest. Natuurlijk kunnen het de mensen zijn geweest die haar hebben dwarsgezeten en niet het huis.'

'Haar ouders bedoel je?'

'Zij of die journalist Fisher. Ze hadden blijkbaar trouwplannen.'

'Het klinkt niet alsof hij het probleem was.'

'Nou, iets was dat wel.' Ze trok de agenda uit mijn handen, gooide hem in een la en kwam naast me op bed zitten. 'Maar daar zullen we nooit achter komen.'

'Waarschijnlijk niet, nee.'

'Misschien moesten we ons dan maar op onze eigen problemen concentreren.'

'Of ze vergeten.' Ik trok haar dichter tegen me aan.

'Ja,' zei ze, en ze kuste me. 'Dat kunnen we ook nog doen.'

Wie van ons was de verleider en wie de verleide persoon? Als ik wilde, kon ik Lucy van alles de schuld geven. Of van niets. De waarheid is even eenvoudig als schokkend. We leidden elkaar. Wat we hebben gedaan, hebben we samen gedaan. En de wetenschap dat alles wat we deden verkeerd was – dat het zowel een vriendschap als een huwelijk verried – voegde slechts een scherp randje van schuldgevoel toe aan onze uren van geheime genoegens. Toen we eenmaal begonnen waren, was er geen houden meer aan. We bekenden elkaar te veel behoeften en verlangens om de klok terug te draaien. En voorlopig kon ons dat niets schelen.

Maar dwars door de nevel van vleselijkheid die mijn geest vervulde, sneed het curieuze vermogen van mijn onderbewuste om droombeelden van nog mistiger mogelijkheden op te roepen. Bij één gelegenheid schrok ik die nacht wakker in de overtuiging dat Matt over het bed gebogen stond en op ons neerkeek. Bij een andere gelegenheid strekte ik mijn hand naar Lucy uit en voelde ik dat ze stijf en koud en dood was; haar ogen waren wijd opengesperd en haar mond hing open. Vervolgens werd ik wakker en toen ik haar opnieuw aanraakte, was ze warm en levend.

Ik vertelde Lucy niets over die ervaringen, noch over de andere levendige dromen die ik op Otherways had gehad. Niet alleen omdat ik haar niet wilde belasten, maar omdat ik mezelf dat evenmin wilde aandoen. Zij had dezelfde nacht gedroomd dat we de liefde met elkaar bedreven als ik, twee nachten voor de feitelijke gebeurtenis. Misschien hadden we die identieke droom op precies hetzelfde moment gehad. Maar dat was krankzinnig. Dat kon gewoon niet. En ik was bang voor wat er kon gebeuren als ik ging geloven dat het wel kon, laat staan dat ik Lucy daartoe zou aanmoedigen.

Ik probeerde het allemaal van me af te zetten als fratsen van mijn geplaagde geweten, en een en ander werd nog erger gemaakt door de stress van het toneelspel tegenover de buitenwereld alsof we nog steeds waren wat we altijd geweest waren: vrienden bijeengebracht door een huwelijk; strikt genomen helemaal geen vrienden, eigenlijk. Er waren allerlei huiselijke bijzonderheden die ons hadden kunnen verraden wat Nesta aanging. Ik weet niet zeker in hoeverre we er de volgende dag in slaagden om ten behoeve van haar een front van gewoonheid op te houden. Volgens Lucy kon haar niets opvallen, maar ik was daar minder zeker van. Het scheen mij toe dat Nesta gemakkelijk de seksuele spanning tussen ons kon voelen. Die hing daar als statische elektriciteit in de atmosfeer en in de lucht van het huis. Of misschien voelden alleen Lucy en ik die. Ik weet het niet.

Ik ging die middag tegen beter weten in met Lucy mee naar Maydew House, bang dat we ons op de een of andere manier zouden verraden. Lucy verzekerde me dat alles goed zou gaan en aan de oppervlakte was dat ook zo. Ik zat toe te kijken terwijl Daisy aan de buste werkte. En zij scheen te zeer in haar werk op te gaan om zich bewust te zijn van een verandering in de manier waarop we ons tegenover elkaar gedroegen. De buste deed me nog altijd onthutsend sterk aan jou denken. Lucy had altijd meer op jou geleken dan je andere zussen. Nu zag ik dat zo duidelijk dat ik me afvroeg waarom me dat nooit eerder was opgevallen. Ik zat een uur lang in stilte en ontweek Lucy's blik zoveel mogelijk terwijl Daisy's lenige lange vingers de klei kneedden en pulkten, en de stofjes zweefden in het zonlicht dat langs de wanden van het atelier kroop. Op dat moment besefte ik duidelijk en ontegenzeglijk dat ik met Lucy geen jacht op jouw geest maakte. Jij was het wel, maar dan hernieuwd en veranderd, gekneed naar mijn exacte voorkeur en liefde, een bereidwillige en vrijwillige mogelijkheid die Lucy ook had laten doorschemeren. Het was een gestoorde wanhoopsdaad die nooit had mogen gebeuren. Maar toen ik naar Lucy keek, zoals ze daar zo geduldig en rustig zowel voor mij als voor Daisy zat te wachten, wist ik dat ik het op een bepaald niveau al had verwacht vanaf het moment dat ze me had uitgenodigd om naar Otherways te komen. En dat zij het ook had verwacht. Het onvoorstelbare was niets anders geweest dan iets wat niet erkend was.

We hunkerden naar elkaars gezelschap. Dat wilden we eigenlijk met niemand anders delen. Zonder zich druk te maken over de indruk die ze zou wekken, deelde Lucy Nesta mee dat ze de rest van de week niet hoefde te komen omdat we zo dikwijls weg zouden zijn. We gingen natuurlijk nergens heen, hoewel we in een andere betekenis alle kanten op vlogen. Ik wil dat je dat begrijpt. Die paar dagen op Otherways waren we echt twee minnaars in een gouden kooi. Het deurtje stond open, maar we waren niet van plan om weg te gaan.

De dromen namen af. Er bleef wel een echo nagalmen met een merkwaardig gevoel dat me herhaaldelijk overviel. Ik had de indruk dat we niet alleen in huis waren, dat er iemand anders vlak in de buurt was, in een andere kamer, op de trap: ongezien, maar wel aanwezig. Soms keek ik op en verwachtte dan iemand in de deuropening te zien, of draaide ik me om in de overtuiging dat er iemand vlak achter me stond. Ik had het altijd mis. Er was niemand anders dan Lucy en ik.

We spraken niet over de Milners en Strathallans en hun uiteenlopende tragedies. Opeens hadden ze te veel van slechte voortekenen weg om er al te lang bij stil te staan. Hoe dan ook, ik was bezig mijn eigen tragedie gestalte te geven, blind als ik was voor de vormen die zich al begonnen af te tekenen.

'Ik zal je niet los kunnen laten,' zei Lucy nadat we de liefde hadden bedreven in de lome koelte van een stille, grijze ochtend. Het was de dag van ons voorgenomen uitje met Daisy naar Newmarket. De week was bijna om. Matt zou eerdaags terug zijn. Dat kon niet anders. Ons brokje toekomst was bijna opgesoupeerd.

'Je zult wel moeten. Ik moet jóú loslaten.'

'Waarom?'

'Omdat je met Matt bent getrouwd. Bovendien is hij mijn beste en oudste vriend. Dit zou hem kapotmaken.'

'Hij is sterker dan je denkt.'

'Niet sterk genoeg.'

'En jij? En ik? Hoe kunnen we weerstand bieden aan iets wat zo pertinent juist is?'

'Maar het is niet juist. Het is totaal verkeerd. Dat weet je best.'

'Ik weet wat ik voel. En wat jij voelt. Dat moeten we vertrouwen. Ik denk niet echt dat we er een punt achter zullen kunnen zetten, jij wel? Niet als puntje bij paaltje komt.'

'Ik...'

'Geen antwoord geven. Niet nu. Ik weet wat je vindt dat je moet zeggen. Ik weet ook wat we zullen doen als de tijd gekomen is. En dat is niet hetzelfde, reken maar. Helemaal niet hetzelfde.'

In de loop van de dag moest ik een paar keer aan haar woorden denken. Daisy was er meestal bij, dus kon er zelfs geen sprake zijn van een vermoeden van intimiteit tussen Lucy en mij, noch van een dreigende crisis. We waren allebei afwezig en in gedachten verzonken, ofschoon niet erger dan je op grond van een recent verlies mocht verwachten. Althans, dat hoopte ik. Maar ik had buiten Daisy's heldere blik gerekend. Ze koos een moment in de loop van de middag toen Lucy er even niet bij was om me te laten weten dat ze ons helemaal had doorzien.

We waren naar het hek gegaan om naar de parade van de paarden voor de laatste rennen te kijken en Lucy bleef achter in de loge. 'Kun je bepalen hoe ze gaan rennen door ze alleen maar te bekijken?' vroeg ik terwijl de nerveuze volbloedpaarden vlak voor onze neus rondjes liepen.

'O, ja,' antwoordde Daisy. 'Uiterlijkheden zijn echt niet zo bedrieglijk als sommige mensen graag zouden geloven.'

'Misschien is het je beeldhouwersoog.'

'Misschien. Of gewoon mijn leeftijd. Je leert spelletjes te herkennen als je ze ziet.'

Ik glimlachte. 'Spelen die dieren soms spelletjes?'

'Nee. Dat doen alleen mensen.'

'Maar we hadden het over paarden.'

'O, ja?' Ze keek me scherp aan. 'Ik dacht eigenlijk dat we het ergens anders over hadden.'

'Is dat zo?'

'Jij hebt net je vrouw verloren. Lucinda haar zus. Zulke ervaringen leiden tot verkeerde beslissingen. Over wat juist is. Over wat duurzaam is. Over wat... in wezen wenselijk is.'

'Ik weet niet of ik je wel volg, Daisy.'

'Ik weet zeker dat je dat wel doet. Lucinda is minder sterk dan ze denkt. Schrijf dát maar toe aan mijn beeldhouwersoog als je wilt. Ik zie de onderhuidse broosheid. Zowel de jouwe als de hare. Ik krijg de indruk dat je bezig bent een grote vergissing te begaan. Misschien wel de grootste van je leven.'

'Maar het blijft míjn leven.'

'En daarom heb ik me er niet mee te bemoeien?'

Ik haalde mijn schouders op. 'Jij zegt het.'

'Lucinda is mijn vriendin.'

'En zou dat vast graag willen blijven.'

'Denk gewoon maar eens na over wat je doet, Tony.' Ze dacht even na. 'Meer vraag ik niet.'

In Lucy's aanwezigheid gaf Daisy geen enkel teken dat ze de situatie helemaal doorhad. Toen het evenement achter de rug was en we de terugreis naar Rutland aanvaardden, was ze een en al opgewekte luchtigheid. Onderweg stopten we voor een maaltijd in een restaurant in Stamford en ze bleef zich gedragen alsof ons gesprek nooit had plaatsgevonden. De blikken die zij en ik wisselden waren wat haar betreft uitdagend openhartig, alsof ze me wilde zeggen dat ze er geen woord van terugtrok en nergens spijt van had. De keus was aan ons. Maar ze was vastbesloten om mij ervan te doordringen dat er een keus was.

Mocht ik daar nog de geringste twijfel over koesteren, dan was die geen lang leven beschoren. Toen we die avond op Otherways terugkwamen nadat we Daisy bij Maydew House hadden afgezet, wachtte ons een bericht van Matt op het antwoordapparaat.

Ik vertrek morgenavond. Vlucht BA174. *Die komt zaterdagochtend om zeven uur op Heathrow aan. Ik hoop dat een van jullie – of allebei – me komt afhalen. Er is veel te vertellen. Dag.*

'Veel aan óns te vertellen,' zei Lucy toen ze het apparaat uit zette. 'Dat is nog eens ironisch.'

'Zo gauw al,' mompelde ik.

'Wat maakt dat nou uit? Vroeg of laat zullen we het toch onder ogen moeten zien.'

'Hem onder ogen moeten komen, zul je bedoelen. Hiermee. Met wat er van ons geworden is.'

'Ik schaam me er niet voor. Jij wel?'

'Ik schaam me niet, nee. Maar ik ben misschien wel bang.'

'Van wat hij zal zeggen?'

'Nee. Van wat het met hem zal doen. Van wat wíj hem zullen aandoen.'

'Is er een keus?'

'Ja, natuurlijk. We moeten... nadenken... over...' Ik stopte. In mijn eigen woorden hoorde ik de echo van die van Daisy.

'Ik vind dat we hem de waarheid moeten vertellen.' Lucy keek me aan. Haar ogen speurden mijn gezicht af naar bevestiging, naar iets geruststellends... en naar medeplichtigheid. 'Maar als jij dat niet over je hart kunt krijgen en mij het niet laat doen...'

'Nou? Wat dan?'

'Dan kunnen we in het geheim doorgaan.' Ze liet haar hoofd hangen. 'Op de een of andere manier. Ik weet het niet. Zonder dat hij het weet. Daar vinden we wel iets op.'

'Zou jij dat willen?'

'Ik kan je niet opgeven. Dat heb ik je al gezegd. Zo eenvoudig ligt het.'

Dus daar zaten we nu: op een plek waar het noodlot ons heen had gedirigeerd, verleid door hartstocht en hunkering tot het begin van een groezelige samenzwering. We konden hem kapotmaken of bedriegen. Een tussenweg was er niet.

'Hou je van mij, Tony?'
'Hoe kan ik...'
'Nou?'
'Ik...' Ik maakte me los van haar blik, liep naar het raam en staarde naar de vochtige duisternis die over de tuin daalde. Ik hoorde Lucy door de kamer achter me lopen. Ik voelde zowel de draaikolk van haar verwarde gedachten als de mijne.
'Nou?'
'Ik heb je nodig. Ik verlang naar je. Maar...'
'Is dat alles?' Ze stond opeens naast me. 'Begrijp je het niet? Ja, dit zal een enorme klap voor Matt zijn. Natuurlijk. Als hij erachter komt. Maar dat hoeft niet. Er zijn andere manieren en oplossingen. Vertrouw me maar.'
'Híj vertrouwt óns. Daar ligt het probleem, Lucy: in dat onwelkome, koppige woordje. Vertrouwen. Wat doen we daarmee?'
'Heb je een voorstel?'
'Ik stel voor dat we er een punt achter zetten. Nu. Voor het te laat is.'
'Er een púnt achter zetten?'
'Een stap terug doen. Nadenken over wat dit allemaal inhoudt.'
'Het kan twee dingen inhouden. Dit is ofwel echt en waarachtig en heerlijk... Of het is dat niet. We geven ofwel toe aan wat we voor elkaar voelen... Of wat we voelen, wat jíj voelt, blijkt een leugen te zijn.'
'Dat is het nooit geweest.'
'Wat is het dan, als je er zo makkelijk van kunt weglopen?'
'Ik heb niet gezegd dat het zo makkelijk zou zijn.'
'Maar wel mogelijk, toch? Haalbaar. Te overleven.'
'Dat moet het zijn.'
'Niet voor mij.' Ze draaide me om en dwong me haar aan te kijken. 'Voor jou kennelijk wel. Maar niet voor mij.'
'Misschien kan ik beter weggaan. Voordat Matt terugkomt. In elk geval een paar dagen. Zodat we er allebei... nog eens over na kunnen denken.'
'Dat hoef ik niet.'
'Maar ik wel.'
'Ja, en jouw behoeften komen op de eerste plaats, hè?'
'Natuurlijk niet. Ik wil alleen...'
Ze gaf me een harde mep op mijn wang en ik wankelde naar achteren, meer van schrik dan van pijn. Ze haalde nog een keer uit en ik hief mijn arm op om haar af te weren. Haar gezicht vertrok en haar ogen vulden zich met tranen. Ze deed een paar stappen naar achteren. 'Klootzak!' schreeuwde ze. 'Vuile klootzak dat je bent!' Daarna holde ze snikkend naar de deur.

'Lucy...'

'Laat me met rust.' In de deuropening keek ze naar me om. Haar ogen waren rood en stonden vol tranen, en ze beefde over haar hele lichaam. 'Zei je niet dat jij ook met rust gelaten wilde worden?' Daarna trok ze de deur met een klap achter zich dicht en was ze weg.

Ik dwong mezelf een halfuur te wachten alvorens op haar slaapkamerdeur te kloppen. Maar er kwam geen reactie, ook niet toen ik haar naam riep en smeekte of ze alsjeblieft iets wilde zeggen. Uiteindelijk probeerde ik de deur open te maken, maar hij zat op slot. Ik was zowel buitengesloten als afgewezen.

Ik ging weer naar beneden om een glas whisky te drinken en te kijken hoe de duisternis het huis omsingelde. Ik wist al dat zo'n periode van schrijnende ellende gedoemd was te volgen zodra Lucy en ik onze aantrekkingskracht tegenover elkaar hadden bekend. Het had me er niet van weerhouden. Maar misschien had Lucy het níét geweten, besefte ik mistroostig. Zo niet, dan was het nog erger voor haar dan voor mij. Geen wonder dat ze dacht dat ik maar een spelletje met haar had gespeeld. Nu had ik niet alleen Matt, maar ook haar verraden.

Uiteindelijk sloop ik om een uur of twaalf naar boven om naar bed te gaan. Morgenochtend zou het er niet meer zo erg uitzien, hield ik mezelf voor. We zouden wel een oplossing vinden. Dat kon niet anders.

Ik moest vrij snel in slaap zijn gevallen. Ik kan me niet herinneren dat ik überhaupt wakker heb gelegen. Het volgende dat ik me herinner, is dat ik plotseling wakker werd van een beweging in de kamer en toen ik opkeek, zag ik iemand naast mijn bed staan. Er viel genoeg maanlicht door de kieren van de gordijnen naar binnen om te zien dat het een vrouw was. Ze was naakt, lang en slank met donker haar tot over haar schouders. En ze beefde – niet van de kou, want het was benauwd heet in de kamer, maar kennelijk van angst – toen ze naar me wees en me aanstaarde.

'Wie ben jij?' vroeg ze met trillende stem. 'Wat doe je hier?'

Ik probeerde iets uit te brengen, maar kon alleen maar iets mompelen. Ik stak mijn hand uit naar het lampje op het nachtkastje, maar mijn arm bewoog heel traag. Hij werd door niets tegengehouden, maar reageerde met tegenzin op de commando's van mijn hersens.

'Jij bent echt, hè?' vervolgde ze. 'Ik verbeeld me je niet.'

Mijn vingers vonden het knopje maar leken er geen vat op te krijgen. Ik was niet zomaar bang, maar in de greep van een onberedeneerde paniek. Ik wist wie zij was, maar wilde het niet geloven.

'Zeg me wie je bent. Ik moet het weten. Wat doe je hier?'

Eindelijk gaf het lichtknopje mee. Ik hoorde een klik. De duisternis werd verdreven door elektrisch licht.

En ze was er niet meer. Ik lag wakker en het lampje naast mijn bed was aan. Ik moest in slaap zijn gevallen zonder het uit te doen. De rest had ik maar gedroomd. Maar de droom had zo echt geleken, dat ik nog baadde in het zweet, verbijsterd door mijn ontvankelijkheid voor de machinaties van mijn onderbewuste.

Ik kroop uit bed en struikelde naar de badkamer. Ik trok de deur open en deed het licht aan, en terwijl ik dat deed, werd ik me bewust van een ongewone, klamme hitte en het geluid van water dat in water druppelde. Daarna zag ik waarom.

Het bad was vrijwel tot het randje toe gevuld en de hete kraan druppelde. Ik draaide hem stevig dicht, trok de stop eruit en zag het water weglopen. Ik vroeg mezelf af of de kans bestond dat ik het bad had laten vollopen en het was vergeten. Maar ik wist zo zeker als wat dat ik dat niet had gedaan. Uitgesloten. Toch zag ik water door de afvoer wegstromen. Langs de spiegel en de ramen liepen stroompjes condensatie. Dat was het bewijs dat iemand het had gedaan, ook al was ik het niet geweest.

Daarna kon ik de slaap wel vergeten. Ik plensde koud water over mijn gezicht, schoot een paar kleren aan en ging naar de keuken beneden. Buiten begon de duisternis zich terug te trekken en de hemel op te lichten als de eerste tekenen van de dageraad. In de tuin zongen al een paar vogels. Ik zette een pot koffie en toen ik met een kop aan de keukentafel zat, begon ik me ernstig af te vragen of ik soms kierewiet werd. Misschien, zo redeneerde ik, was het de uitgestelde schok van jouw dood: de onttakeling van zowel de rede als de emoties. Zo ja, dan kon het best zijn dat Lucy en ik op een gemeenschappelijk dwaalspoor zaten dat we over een paar maanden maar al te graag zouden vergeten.

Terwijl ik daar zat, kwam Lucy stilletjes de keuken in. Ze droeg een korte badstof ochtendjas en slippers. Haar haar zat in de war en haar ogen waren rood en hol. Ze bleef staan en keek me aan. Er viel een korte stilte. Daarna trok ze een stoel naar achteren. De poten schraapten over de vloer toen ze tegenover me ging zitten.

'Is dat een blauwe plek op je wang?' mompelde ze.

'Dat zou kunnen,' zei ik. Ik betastte de plek waar ze me had geslagen en merkte voor het eerst hoe gevoelig hij was.

'Het spijt me.'

'Ik zal het wel verdiend hebben.'

'Niet waar. Wat je zei...' Ze reikte over de tafel en ik pakte haar hand. 'Nou, het moest gezegd worden, hè? We kunnen niet domweg overal lak aan hebben.'

'Noch aan iedereen?'

'Precies.'

'Al zouden we nog zo graag willen.'

'Ik zou het best willen.'

'Ik ook. Maar... we moeten ook met andere mensen rekening houden.'

'Ik heb slecht geslapen. En jij?'

'Weinig. En niet goed.'

'Te veel aan ons hoofd, denk ik.'

'Ja.'

'Nou, ik heb inderdaad nagedacht. We moeten hier met open ogen instappen, Tony. We moeten helemaal zeker zijn; niet alleen van elkaar. Maar we moeten ook zeker weten dat we alles zullen accepteren, hoeveel ellende zich onderweg ook opstapelt.'

'Mee eens.'

'Dus misschien had je wel gelijk. Als je... een paar dagen weggaat... weten we of we voldoende van elkaar houden, hè... om de rest draaglijk te maken?'

'Dat denk ik wel.' Dat was maar voor een deel gelogen. Ik was te onzeker – door dat huis, door haar gezelschap – om te beoordelen wat een rustpauze zou opleveren. Maar ik twijfelde er niet aan dat we die nodig hadden.

'Je blijft wel tot morgen bij me, hè?'

Ik had nee moeten zeggen. Ik had erop moeten staan om die ochtend weg te gaan. Dat zou voor ons allebei beter zijn geweest. Maar vertrekken zou pijn doen. En ik wist dat we nog één dag hadden.

'Nou?' zei ze. Maar inmiddels moest ze het antwoord al van mijn gezicht hebben gelezen.

De wetenschap dat het onze laatste dag samen was – althans voorlopig – verleende de genoegens van die bewuste vrijdag iets wanhopigs. De uren vlogen voorbij terwijl we ons te goed deden aan de dingen die ons weldra ontzegd zouden zijn. Ik heb het niet alleen over seks. Ik heb het ook over naast elkaar liggen en kijken naar het wuiven van de bomen in de wind en hoe het zonlicht tussen de wolken verdwijnt en weer opvlamt. En praten. Dat deden we een hoop. Maar nu weet ik niet goed meer waar we het over hadden. Hoe dan ook, dat doet er niet toe. Jij was ons beider vertrouwenspersoon, Marina. We hebben jou onze geheimen toevertrouwd. Dus omdat jij er niet meer was, kostte het in zekere zin geen moeite om elkaar te vertrouwen.

En er waren natuurlijk geheimen die we alsnog achterhielden. toen ik probeerde om de vreemde dingen die ik op Otherways beleefde ter sprake te brengen, merkte ik dat Lucy's openhartigheid opeens aan banden werd gelegd. Ik besefte dat er grenzen waren aan wat ze me wilde toevertrouwen. Misschien moest dat ook wel, voor ons beider bestwil.

'Heb jij ooit iets... spookachtigs op Otherways meegemaakt?' vroeg ik toen we op het grasveld bij de muur van rododendrons stonden waardoor ooit een pad naar de verzonken tuin had geleid.

'Nee,' zei Lucy met een verbaasde frons die weldra plaatsmaakte voor een geamuseerd lachje. 'Hoe kom je daar nu bij?'

'Iets wat Matt heeft gezegd.'

'Over spoken?'

'Indirect.'

'Ik heb geen idee waar hij op gedoeld kan hebben. Er zijn geen spoken op Otherways. Misschien zouden ze er wel moeten zijn als je nagaat wat hier allemaal is gebeurd, maar ik heb niets gezien noch gevoeld. Mij lijkt het huis juist...' Ze wierp er een blik op. '... verrassend vreedzaam.'

'Ik heb een paar rare dromen gehad sinds ik hier ben.'

'Hoe raar?'

'Vreemder dan ik ooit heb gehad.'

Ze haalde haar schouders op. 'Daar heb ik geen verklaring voor.'

'Weet je nog dat je zei dat we de liefde met elkaar bedreven voordat het gebeurde?'

'Ja.'

'Dat had ik ook gedroomd.'

'Nou, dát kan ik wel verklaren.' Ze stak haar hand uit, streelde mijn wang en ging met haar duim langs de blauwe plek op mijn jukbeen. 'Je droom liet je zien waar je het meest naar verlangde. En toevallig waar ik ook het meest naar verlangde.' Ze liet haar hand zakken en keek weer naar het huis. 'Geen spoken, Tony. Alleen jij en ik. Geen nachtmerries. Alleen maar dromen. Misschien dromen we dit ook wel. Zo ja, dan wil ik niet wakker worden.'

'Ik ook niet.'

'Laten we dan maar blijven dromen. Nog een poosje.' Ze liep langzaam terug over het gras naar de brug over de gracht. En na een korte aarzeling liep ik haar achterna.

De nacht viel. Ik kan me niet herinneren of we wel geslapen hebben. Maar ik herinner me wel de tranen in haar ogen toen we naast elkaar lagen. En ik herinner me nog het loodzware voorgevoel dat over me daalde, nadat we elkaar vrijwel tot een laatste, radeloze climax hadden gedwongen. De hersenloze krankzinnigheid van wat we tussen ons hadden laten gebeuren, was me nooit duidelijker dan in die lange ogenblikken waarin onze ledematen zich van elkaar losmaakten en onze ademhaling rustiger werd. We konden niet verder en we konden niet terug. Ons wachtte slechts het koele, grijze slotakkoord van de dageraad.

'Ben je weg als ik terugkom met Matt?' vroeg Lucy toen we bij haar auto stonden en allebei huiverden van de nevelige kou van de vroege ochtend.

'Ja.'

'Wat moet ik tegen hem zeggen?'

'Zeg maar dat er een koper voor Stanacombe is, die erop aandringt dat een en ander snel in orde wordt gebracht, dus dat ik erheen moest om dingen te regelen.'

'Ben je daar dan ook?'

'Dat weet ik niet.'

'Hoe lang blijf je weg?'

'Dat weet ik ook nog niet.'

'Maar je komt wel terug, hè?' Er flikkerde iets van bezorgdheid in haar ogen, meer dan ik kon wegnemen. Maar als ik het wel had gekund, zou ik dat maar al te graag gedaan hebben.

'Natuurlijk.'

'Beloofd?'

'Ik beloof het.'

Daarna kuste en knuffelde ze me, stapte met een strak lachje van valse moed in de auto en reed weg.

Ik hoorde het geraas van de motor toen ze optrok over het weggetje naar Hambleton. Het geluid stierf langzaam weg in de alomtegenwoordige stilte tot uiteindelijk de laatste noot in de verte was verdwenen. Daarna was ik echt alleen. Ik moest denken aan die ochtend op Stanacombe toen jij voor het laatst wegreed. Dat was ooit het hier-en-nu geweest. Nu was het verleden tijd. Dit moment was het eigenlijk ook al: een keerpunt tussen de droom die we gisteren en morgen noemen. Ik zou terugkomen. Natuurlijk. Maar het hoe, wanneer en waarom – en wat ik aan zou treffen – lag nog in het verschiet. Ook voor Lucy. De toekomst legde een hinderlaag. Voor allebei.

Ik had mijn spullen al gepakt en ingeladen. Er viel me niets anders te doen dan wegrijden, net als Lucy. Aanvankelijk volgde ik haar route om de noordoever van Rutland Water naar Empingham. Ik berekende dat zij inmiddels al op de A1 zou zijn en naar het zuiden snelde. Ik reed terug langs de noordoever met de bedoeling even te blijven staan op een parkeerplaats aan het water in de buurt van Edith Weston om te besluiten wat ik ging doen. Voorlopig had ik geen flauw idee waar ik heen moest.

Maar voordat ik Edith Weston had bereikt, zag ik in mijn spiegeltje dat er een auto achter me reed. Het was een grijze Morris Minor. Hij ging langzamer als ik gas terugnam en sneller als ik optrok. Het was Rainbird en hij volgde me.

Hij bleef me volgen, helemaal naar de bewuste parkeerplaats. Toen we arriveerden, stond er geen enkele andere auto op de hele vlakte van asfalt. Ik stopte in het midden en zag hem een wijde boog langs de wit afgebakende vakken beschrijven en uiteindelijk vlak naast me tot stilstand komen met de neus de andere kant op. Hij draaide zijn raampje omlaag. Het mijne was al open.

'Morgen, Tony,' zei hij met zijn akela-glimlach. 'Last van slapeloosheid?'

'Wat wil je van me, Norman?'

'Het is meer de vraag wat jíj wilt, niet dan? Iets te doen hebben, misschien. Ergens heen gaan.'

'Ik ben je loopjongen niet.'

'Je zou jezelf een dienst bewijzen.'

'Leg dat eens uit.'

'Jij bent net zo nieuwsgierig naar de geheimen van dat huis als ik.' Hij haalde een stuk papier uit zijn zak. 'En dit is de kans van je leven.'

'Niet zeggen. Dat is Strathallans adres.'

'Juist.'

'Ik heb geen belangstelling.'

'Welles. Bovendien...' Hij stak het papiertje door de smalle ruimte tussen ons in. Het bewoog een beetje in de wind. Zijn grijns werd breder. '... heb je toch niets beters te doen, of wel soms?'

Vijf

Dus bevond ik me die dag toch op de A1 en reed ik in noordelijke richting in plaats van naar het zuiden. Rainbird had verdomme nog gelijk ook. Ik zocht antwoorden op vragen die ik met het volste recht mocht stellen. Of ik het prettig vond of niet, ik maakte nu deel uit van het mysterie. Ik was uit Otherways weg, maar Otherways niet uit mij. Ik had er dingen gezien en gedaan die mijn verstand te boven gingen. Maar ik kon ze ook niet ontkennen. Het is waar, ik was op de vlucht: voor Lucy, voor Matt en voor mezelf. Maar ik vluchtte ook ergens heen. Ik wist alleen niet wáár heen.

In de namiddag stak ik de Forth Bridge over en reed ik Fife in, en de avond was net gevallen toen ik het adres had gevonden dat Rainbird me had gegeven. Broomhaven: een van de tien à twaalf grote, saaie witte bungalows aan een doodlopend weggetje in de buitenwijk van een dorpje, een paar kilometer landinwaarts bij St Andrews Bay. De huizen zelf hadden even goed in een voorstad in Surrey kunnen staan. Alleen het uitzicht in de verte op St Andrews Bay, die in het zachte zonlicht lag te fonkelen, bewees hoe ver ik had gereisd.

Ik bespeurde Strathallan nog voordat ik had vastgesteld welk huis van hem was. Een kleine, oude man met een kaarsrechte rug, een dikke bos geelwit haar en een gezicht met een stevige kaak was bezig in brede, keurige banen een gazon te maaien dat er nog niet aan toe leek te zijn. Hij was het. Dat wist ik zeker. En aan het begin van de oprijlaan stond een keurig bordje om het te bevestigen: Broomhaven.

Hij liet de maaimachine stationair draaien toen ik uitstapte en naderbijkwam. 'Meneer Strathallan?'

'Aye.' De maaimachine ging uit. Strathallan hield zijn hoofd schuin en fronste me vragend toe. Hij moest tegen de tachtig zijn, maar zag er eerder uit als een gezonde vijfenzestigjarige, iemand die waarschijnlijk niet de ideeën zou koesteren die ik graag met hem wilde bespreken.

'Mijn naam is Tony Sheridan. Wij kennen elkaar niet.'

'Dat klopt. Ik heb een goed geheugen voor gezichten.'

'Ik ben bevriend met Matt en Lucy Prior. De mensen die Otherways van u hebben gekocht.'

'O ja?'

'Ik heb net bij ze gelogeerd.'

'Op Otherways?'

'Ja.'

'Dan heeft u een lange reis achter de rug.'

'Inderdaad.'

'Om mij op te zoeken?'

'Ja.'

'En waarom dan wel?'

'Dat is een beetje... lastig uit te leggen. Ik had gehoopt... dat we van gedachten konden wisselen.'

'Waarover?'

'Een paar... merkwaardige ervaringen die ik daar heb gehad.'

De frons kreeg iets laatdunkends. 'Dan bent u aan het verkeerde adres, meneer Sheridan.'

'Ik denk het niet.'

'Ik kan u niet helpen.' Met die woorden zette hij de motor weer aan en ging hij met afgemeten tred door met maaien.

Ik bleef staan en probeerde mijn ongeduld te bedwingen terwijl hij op en neer reed over zijn gemillimeterde rechthoek van smetteloos gras. Er gingen een paar minuten voorbij. Hij bereikte het eind van de laatste baan, stopte en zette de maaimachine uit. Ik liep naar hem toe.

'Bent u er nog?'

'Het is te laat om de terugreis naar Rutland te aanvaarden.'

'Dan kunt u maar het beste een hotel zoeken. Er zijn er een paar in St Andrews.'

'U zou me een enorme dienst bewijzen als u me ten minste aan zou horen.'

'Maar ik ben u geen dienst verschuldigd, groot noch klein.'

'Misschien de Priors wel. Omdat u niets over de moord op Otherways heeft verteld.'

'*Caveat emptor.* Dat hadden ze kunnen weten.'

'Ik heb het artikel van Martin Fisher gelezen. In een tijdschrift dat u had achtergelaten.'

'Wat was dat voor tijdschrift?'

'Ik heb ook Fishers boek gelezen, *Zeven gezichten van het verraad.*'

'U heeft het druk gehad.'

'Ik weet ook van uw dochter.'

'Laat haar met rust.'

'Ik wou dat dat kon. Waar het om gaat, is... Ik denk dat ik haar misschien heb gezien.'

Hij wendde zich een stukje af en leunde zwaar op de duwstang van zijn maaimachine. 'Rosalind is al meer dan twintig jaar dood, man. Wat bezielt u in hemelsnaam om helemaal hierheen te komen en zoiets te zeggen?'

'Het wil er niet bij me in dat u zo lang op Otherways heeft gewoond zonder iets van zijn... merkwaardige aspecten te hebben ervaren.'

'Ik heb geen spoken gezien, als u dat soms bedoelt.'

'Misschien zijn ze er wel geweest, al heeft u ze niet gezien.'

'Dat soort onzin zei mijn vrouw ook al...' Hij stopte en snoof. De knokkels van de hand die de maaimachine vasthield, waren wit. 'Zal het me dan nooit met rust laten?' gromde hij.

'We kunnen nooit van het verleden loskomen.'

'En van de toekomst evenmin, hè?' Hij leek wel dwars door me heen naar iets in de verte te kijken en moest flauw glimlachen om iets wat mijn woorden hadden opgegroepen. 'Nou, laat dat maar zitten. Ik kan u wel het volgende vertellen. In al die jaren dat we na de dood van Rosalind op Otherways hebben gewoond, is ze nooit aan ons verschenen. God mag weten dat Jean dat graag gewild zou hebben, maar het is nooit gebeurd. Dus waarom zou ze wel aan u, een volslagen vreemde, verschijnen?'

'Daar heb ik geen antwoord op. Misschien heb ik het gedroomd. Ik schijn iemand gezien te hebben in haar vroegere slaapkamer, waar ik logeerde. Natuurlijk heb ik zelfs nog nooit een foto van uw dochter gezien, dus hoe zou ik haar kunnen herkennen? Maar u heeft vast wel een foto.'

'En als ik die aan u laat zien, zegt u natuurlijk dat ze het is.'

'Ik probeer u niet voor de gek te houden, meneer Strathallan.'

'Wat probeert u dan?'

'Iets op te lossen. Voor mijn eigen gemoedsrust, niet de uwe. Dat moet ik toegeven.'

Hij trok verrast zijn wenkbrauwen op. 'Nou, eerlijk bent u wel. Dat moet ik u nageven.'

'Mag ik een foto van Rosalind zien?'

Hij dacht even na. Daarna zuchtte hij. 'Goed dan. Als u dat per se wilt. Komt u maar mee naar binnen.'

Het interieur van Broomhaven was even onberispelijk als de buitenkant, ofschoon het veel te Spartaans was om enigszins voor gezellig door te gaan.

Het was vrij chic gemeubileerd, maar er hing geen enkele afbeelding aan de wand en er was geen spoor van verfraaiing. Strathallan had op zijn oude dag weer teruggegrepen naar de ordelijke smetteloosheid van een kazerne. In zijn leven was kennelijk geen plaats voor aandenkens van vroeger tijden, zoals het vertrek vol troep op Otherways al had gesuggereerd. Zelfs de beloofde foto van zijn overleden dochter moest uit een afgesloten bureaula worden gehaald, hoe hard de lege schoorsteenmantel in de huiskamer ook smeekte om een paar ingelijste kiekjes.

'Alstublieft,' zei hij. 'Die is bij haar afstuderen genomen, ongeveer een maand voor haar dood.'

'Ja.' Ik bekeek hem. 'Aha.' En wat ik zag was zonder enige twijfel de vrouw van wie ik had gedroomd dat ze naast mijn bed op Otherways stond: een droom over een vrouw die ik nooit had ontmoet.

'U kijkt verrast noch teleurgesteld.'

'Omdat ik geen van tweeën ben.' Ik gaf hem de foto weer terug. 'Ik geloof dat ik uw dochter heb gezien, maar ik verwacht niet dat u dat aanneemt.'

'Dat is maar goed ook.'

'Mag ik u vragen... waarom ze volgens u de hand aan zichzelf heeft geslagen?'

'U mag het wel vragen, maar ik moet u het antwoord schuldig blijven. Ze had van alles om zich op te verheugen. En wij hebben ervoor gezorgd dat het haar aan niets ontbrak. Ze zou dat najaar gaan trouwen.'

'Met Martin Fisher.'

'Precies.'

'Kan hij de oorzaak zijn geweest?'

'Nee, nee. Martin was een goeie jongen.'

'Maar nieuwsgierig naar het verleden.'

Strathallan haalde zijn schouders op. 'Dat was zijn beroep nu eenmaal. Nog, voor zover ik weet.'

'Heeft hij James Milners bekentenis ooit gevonden?'

'Ik zou het niet weten. Hij en Jean plachten nog contact met elkaar te houden. Maar na de dood van Jean... heb ik er geen moeite voor gedaan.'

'Kan het volgens u mogelijk zijn dat Rosalinds zelfmoord en de moord op James Milner... iets met elkaar te maken hebben?'

'Volslagen ónmogelijk, zou ik zeggen.'

'Had zij nooit zelf... iets eigenaardigs op Otherways gezien?'

'Absoluut niet.' Hij was een tikje te heftig. Ik wist zeker dat hij loog. Ik had hem misschien kunnen geloven, als ik de aanwijzingen in haar dagboek niet had gelezen. Hier had ik een streepje voor. Hij wist niet van het bestaan van haar agenda. 'Ze was een verstandig en evenwichtig meisje.'

'Maar toch niet helemaal.'

'Wat weet u daar nou van?'

'Niets, natuurlijk.'

'Aye, aye. Natuurlijk. Het spijt me.' Hij maakte een verontschuldigend gebaar. 'Erover praten brengt me nog altijd van mijn stuk. Zelfs nu nog, na al die jaren. Daarom probeer ik het te vermijden. Zelfs erover nadenken. Wat een verspilling. Wat een misdadige verspilling.' Hij liep weg met de foto en schudde mistroostig zijn hoofd. Toen hij terugkwam, zei hij: 'Wilt u iets drinken?' Het klonk alsof hij het oprecht meende. Misschien was geen van zijn defensieve tactieken helemaal tegen de eenzaamheid bestand.

'Ja graag. Dank u.'

'Whisky?'

'Prima.'

Hij schonk ons allebei een flinke bel Islay Malt in en we gingen zitten in een leren stoel aan weerskanten van een brandschone, maar lege open haard. De laatste stralen van de zon vielen schuin naar binnen en tussen ons in.

'Waarom bent u hierheen verhuisd, meneer Strathallan?'

'Ik ben van hier. Ik hou van golf. Maar links zijn pas je ware. Die banen in de Midlands vind ik maar tuttig.'

'Waarom bent u dan niet eerder uit Rutland weggegaan?'

'Als Jean er niet was geweest, had ik dat ook gedaan. Zij wilde op Otherways blijven, dichter bij haar herinneringen aan Rosalind. Het meisje was daar tenslotte geboren. Jean had het gevoel dat weggaan zou betekenen dat we erkenden dat we haar echt kwijt waren.'

'Maar dat was ook zo.'

'Aye. Dus toen Jean doodging...' Hij haalde zijn schouders op en nam een slokje whisky. 'Wie heeft u dat hele verhaal over de Milners verteld, meneer Sheridan? Ik zou graag willen weten aan wie ik uw bezoekje te danken heb. Wie u mijn adres heeft gegeven, nu we het daar toch over hebben.'

'Lucy heeft het tijdschrift tussen uw spullen gevonden. Dat kunt u haar amper kwalijk nemen, omdat u het daar zelf heeft laten slingeren.'

'Daar heeft u waarschijnlijk gelijk in.'

'Voor het overige kunt u Norman Rainbird de schuld geven.'

Strathallan snoof minachtend. 'Rainbird? Lieve hemel. Die man is voor geen cent te vertrouwen. Als hij tenminste een man is, en geen nieuw soort amfibie dat uit Rutland Water is gekropen.'

'Hij blijkt over een heleboel dingen ontwapenend nauwkeurig te kunnen zijn.'

'Inclusief mijn adres, kennelijk. Ik krijg kippenvel van de gedachte dat hij mijn gangen nagaat. Waarom in hemelsnaam?'
'Dat weet u vast wel.'
'Die bekentenis?'
'Ja. Hij gelooft dat James Milner hem aan Daisy Temple heeft gestuurd bij wijze van verklaring of boetedoening voor de moord op haar zus. En dat Daisy hem vervolgens aan u heeft gegeven.'
'Aye, aye. Als balsem op de wonde van Rosalinds zelfmoord. God mag weten hoe hij op dat idee is gekomen. Het is allemaal flauwekul. Daisy Temple heeft me nooit een blik op dat document gegund, laat staan het aan mij in bewaring gegeven.'
Dit keer had ik niet de indruk dat Strathallan zat te liegen. Het klonk als de onopgesmukte waarheid. 'Martin Fisher scheen ook te geloven dat Daisy de geadresseerde was.'
'Dat geloofde hij ook. En misschien is zij dat ook geweest. Maar het is evengoed mogelijk dat James Milner die man van de *Rutland Mercury*, Garvey, maar had verteld dat hij een bekentenis had geschreven om van hem af te zijn. Een andere mogelijkheid is dat Milners broer in plaats van zijn schoonzus de ontvanger is geweest. In beide gevallen zou het document definitief buiten bereik zijn. De arme Martin heeft die mogelijkheid nooit overwogen. Hij heeft altijd willen geloven dat de sleutel tot het leven van die twee broers ergens op hem lag te wachten.'
'Hij schijnt de zoektocht later te hebben opgegeven.'
'Dat heeft hij gedaan op de dag dat Rosalind stierf. Dat heeft hem gebroken, zou ik zeggen. Hij was er kapot van. Waarschijnlijk pleit dat voor hem. Misschien weet u niet hoe het is om de vrouw van wie je houdt te verliezen.'
'Eigenlijk wel. Mijn vrouw is... onlangs overleden.'
'O, ja?' Hij keek me eerder verbaasd dan meelevend aan.
'Ze is van de rotsen gevallen, vlak bij ons huis in Cornwall. Ik probeer... ermee in het reine te komen.'
'Dat zal niet meevallen.' Hij stond op en vulde ongevraagd mijn glas bij. Daarna vulde hij het zijne en ging weer zitten. 'Heeft u overwogen dat dit kan verklaren wat u op Otherways heeft ervaren?'
'U bedoelt zoiets als een posttraumatische hallucinatie?'
'Aye. Zoiets.'
'Daar zou ik het graag aan toeschrijven, ware het niet dat mijn hallucinatie griezelig veel blijkt te lijken op iemand die ik nog nooit heb ontmoet of gezien. Behalve op de foto die u me zojuist heeft laten zien.'
'Dat kunt u niet zeker weten.'

'Het voelt wel zo.'

'Het kan niet.'

'Alles is toch mogelijk?'

'Nee. Het spijt me u te moeten vertellen dat het niet waar is.'

'Heeft Rosalind nooit een hint gegeven dat er iets mis was? Dat Otherways haar... beïnvloedde?'

'Nee.' Hij nam een slokje whisky en staarde in zijn glas. Daarna glimlachte hij, bijna zijns ondanks, en zei hij: 'Om u de waarheid te zeggen, meneer Sheridan: áls mijn dochter... zeg maar spoken was gaan zien op Otherways, dan zou ik de laatste zijn aan wie ze dat had toevertrouwd.' Hij tikte tegen zijn hoofd. 'Ik ben te star van geest, snapt u? Te veel jaren van militaire conditionering. Ze zou zich wel twee keer bedenken alvorens ermee bij mij te komen.'

'Bij wie dan wel? Uw vrouw?'

'Nee, nee. Jean zat veel te veel bij mij onder de plak om in dat opzicht bruikbaar te zijn. Dat kan ik nu vrij duidelijk zien. En Rosalind zag dat toen al. Ik geloof evenmin dat ze haar verloofde ermee zal hebben opgezadeld. Die twee waren nog steeds in het verliefde stadium, begrijpt u. Een tikje te vroeg voor onthutsende psychologische onthullingen.'

'Had ze een boezemvriendin?'

'Niemand met wie ze erg intiem was. En ook niemand die Otherways een beetje kende. Behalve...' Hij trok een gezicht. 'Cristina.'

'Wie was dat?

'Onze au pair. Cristina... Pedreira heette ze. Ze woonde dat laatste jaar van Rosalinds leven bij ons in. Er waren er wel meer geweest. Maar niemand die zo op Rosalinds golflengte zat als met Cristina het geval leek te zijn. Na de begrafenis had ze de brutaliteit – en de harteloosheid – om tegen ons te zeggen dat we onze dochter niet hadden begrepen. Dat Rosalind hulp nodig had gehad en wij die niet hadden gegeven.'

'Hulp waarmee?'

'God mag het weten. Dat heeft ze nooit gezegd. Of als ze dat wel heeft gedaan...' Hij nam nog een slokje whisky. 'Het was een trieste tijd. Ik was niet alleen in de rouw maar ook razend. Boos op Rosalind omdat ze zoiets stoms en drastisch had gedaan. En op mezelf omdat ik geen tekens had gezien dat ze het misschien zou doen. Ik was niet bepaald in een ontvankelijke stemming toen die Portugese trut begon te...'

'Portugese, zei u?'

'Aye. Cristina was Portugese. Haar voorgangster was een Finse. Die dáárvoor een Griekse. Het was net de Verenigde Naties.'

'Maar Cristina Pedreira was dus een Portugese. Uit Lissabon misschien?'

'Dat kan best. Ik kan het me niet herinneren.'

'Emile Posnan was in Lissabon geëindigd.'

'Nou en?'

'Ook toevallig, vindt u niet?'

'Meer dan dat is het niet. We hebben haar via het gebruikelijke bemiddelingsbureau gekregen, man. Er kan niets...' Hij fronste. 'Althans, dat denk ik. Jean regelde dat allemaal. Ik weet niet... Het is al zo lang geleden.'

'Wat is er met haar gebeurd?'

'We hebben haar de laan uit gestuurd.'

'Terug naar Portugal?'

'Terug naar waar ze verdomme maar heen wilde. In elk geval uit onze ogen.'

'Zou u willen dat u Otherways nooit had gekocht?'

'Natuurlijk. Destijds leek het een goede koop. Het scheen zo'n beetje het enige goede dat uit de zaak-Milner was voortgekomen. Die spionagetoestanden in Harwell hebben mijn loopbaan geen goed gedaan, dat kan ik u wel vertellen. Maar de Milners trokken het ongeluk aan, nietwaar? Ik had niets met ze te maken moeten hebben. Noch met hun huis.'

'Gelooft u daar dan in: dat ze het ongeluk aantrokken?'

'Ik schijn er niet aan te ontkomen. Je kunt stellen dat Otherways me geen andere keus heeft gelaten. Of de mensen die er hebben gewoond. En zijn gestórven. Ik mag hopen dat de Priors de trend hebben gebroken.'

'Dat klinkt alsof u er weinig vertrouwen in heeft.'

'Vindt u dat gek? De geschiedenis spreekt voor zich.'

'Leeft Cedric Milner nog?'

'Ik heb niets gehoord dat op het tegendeel wijst. Ik stel me hem het liefst voor als een bejaarde met een armzalig bestaan in een bouwvallige Moskouse flat. De instorting van de Sovjet-Unie moet mensen als hij hard hebben getroffen. Mag ik tot mijn vreugde vaststellen.'

'Martin Fisher schijnt zijn motieven om de zaak te verraden nooit begrepen te hebben.'

'Ik ook niet. De man was een raadsel.'

'Gelooft u echt dat het materiaal dat hij heeft doorgespeeld belangrijk was?'

'Belangrijker materiaal was er niet. Niet in die tijd. De bom, man. Informatie over dood en verderf. Hoe kon hij die aan een monster als Stalin geven?'

'Zou u hem dat nog steeds willen vragen?'

'O, jazeker. Dat zou ik nog steeds willen.' Zijn blik ging op oneindig. 'Maar die kans zal ik nooit krijgen.' Ik kreeg de indruk dat hij het over meer dan één kans had, zo niet alle kansen van zijn bestaan, samengebundeld tot één. 'Daar is het nu te laat voor.'

Het was bijna donker toen we uitgepraat waren. De whisky en de stroom herinneringen hadden Strathallan een stuk vriendelijker gemaakt. Hij bood me een bed aan voor de nacht, wat ik dankbaar aanvaardde. Ik was moe na de lange rit en de grotendeels slapeloze nacht die eraan vooraf was gegaan. Ik viel direct in een diepe slaap in het piepkleine logeerkamertje, een slaap waar dromen geen vat op hadden, laat staan het soort dat me op Otherways had achtervolgd. Onder Strathallans dak voelde ik me veilig. Broomhaven was net het soort toevluchtsoord voor hem: kaal, onopgesmukt en niet geplaagd door associaties met andere mensen en andere plekken. Die nacht was het ook net een toevluchtsoord voor mij.

Ik versliep me en toen ik opstond, merkte ik dat ik de enige was in huis. Strathallan was weg. Ik snorde rond om iets voor het ontbijt te vinden en was bijna uitgegeten toen hij met een zondagskrant binnenkwam. Hij had de verwaaide aanblik van iemand die een heel eind verder had gelopen dan nodig is.

'Je bent dus toch opgestaan,' zei hij. 'Ik begon het me al af te vragen.'

'Ik heb de laatste tijd maar weinig geslapen.'

'Waarom dan wel?'

'Otherways is niet bepaald rustgevend gebleken.'

'Dat onderwerp zullen we maar mijden, als je het niet erg vindt. Ga je er vandaag weer heen?'

'Om u de waarheid te zeggen, weet ik nog niet waar ik heen ga.'

'Probeer je eigen huis maar, waar dat ook mag zijn.'

'Ik dacht aan een andere mogelijkheid.'

'En die is?'

'Martin Fisher.'

'Je moet het laten rusten, man. Echt waar,' zei Strathallan hoofdschuddend als een teleurgestelde schoolmeester. 'Dat had Martin ook moeten doen.'

'Weet u waar ik hem kan vinden?'

'Ik wist het wel, maar misschien is hij inmiddels verhuisd. Maar dat is niet waarschijnlijk. Ik heb hem vorig jaar nog gesproken om te vertellen dat Jean was overleden. Toen woonde hij nog op zijn oude adres. Een woonboot op de Theems. Het gaf hem iets van een bohémien. Nu zou ik zeggen dat het hem elke winter alleen maar bronchitis geeft. Hij is telefonisch te bereiken via een café in de buurt. Je kunt zeggen dat hij zowel voor als in de drank leeft. Hij verwijt mij dat ik hem met de harde realiteit kennis heb laten maken. Maar hij is het pas na de dood van Rosalind echt lekker gaan vinden. Geen gelukkig iemand, dat staat vast. De boot heet Samphire en hij ligt in Chelsea.'

'Misschien ga ik hem wel opzoeken.'

'Zou ik niet doen als ik jou was.'

'Luister, er is nog iets wat ik u moet vertellen. Over Rosalind.'

'Wat kan er nog aan toegevoegd worden?'

'Er is een dagboek. Het zat verstopt in de schoorsteenmantel in haar slaapkamer. Lucy heeft het gevonden.'

'Rosalinds dagboek?'

'Ja.'

'O, mijn god.' Hij liet zich op een stoel zakken. 'O, mijn lieve God.'

'Het is maar zo'n zakagenda. Alleen met afspraken en zo. Hij loopt van september vijfenzeventig tot en met augustus zesenzeventig. Er staat niets sensationeels in, niets... onthullends.'

'Moet dat een troost zijn?'

'Ik vond gewoon dat u het moest weten. Als u contact met Lucy opneemt, zal ze het u met plezier opsturen, dat weet ik zeker.'

'Ik weet niet of ik het wel wil zien.'

'Dat is aan u. We moeten allemaal een manier vinden die het beste bij ons past om... met zulke dingen te leren leven.'

'Dat is zo.'

'Eén ding is me wel opgevallen: gedurende haar tijd in Leeds had ze een heleboel afspraken met iemand die H.D. heet.'

'Zegt me niets.'

'Ik vroeg me alleen af...'

'Misschien haar mentor.'

'Kan.'

'Of misschien ook niet.' Hij keek me verdrietig aan. 'Je zult inmiddels wel hebben begrepen dat ik minder over mijn dochter wist dan ik als gewetensvolle ouder had horen te weten.'

'Ik weet niet of ik...'

'Nou, ik wel.' Hij stond op, slenterde naar het aanrecht, controleerde de temperatuur van de theepot en schonk een kop thee voor zichzelf in. Hij nam een slok, leunde tegen de gootsteen en staarde in de verte, naar zijn verleden. 'Toen Rosalind klein was, placht ze een gefantaseerd speelkameraadje te hebben. Ik begrijp dat kinderen dat wel vaker hebben. Ik zeg speelkameraadje, maar ingebeelde medebewoner zou nauwkeuriger zijn. Die noemde ze Ann. We dachten dat ze iets over de Milners had gehoord van haar schoolkameraadjes, maar konden nooit met zekerheid zeggen dat ze die naam van hen had. Het kan puur toeval zijn geweest. Het is tenslotte een vrij algemene naam. Het hield op toen ze naar kostschool ging.'

'Dus gewoon een fase.'

'Misschien.' Hij leegde zijn kopje. 'Of misschien hield ze gewoon op met ons dat soort dingen te vertellen naarmate ze ouder werd. Ik heb ruim veertig jaar op Otherways gewoond, Sheridan. Ik heb nooit iets... bovennatuurlijks gehoord, gezien of gevoeld. Maar ik zou er niet zo van hebben opgekeken als ik dat wel had. Het is niet wat je noemt een doodgewoon huis, vind je wel?'

'Nee, dat is het niet.'

'Voor Rosalinds bestwil wou ik dat ik al heel lang geleden had beseft dat het niet verstandig was om daar te wonen. En dat het voor haar... helemaal niet veilig was.'

'Ik heb er niets gevaarlijks gevoeld.'

'Dat geloof ik best.' Hij draaide zich om en spoelde zijn kopje af. 'Maar als ik je een goede raad mag geven: ga er niet op zitten wachten.'

De opwinding van de jacht was me inmiddels te sterk geworden. Er was geen schijn van kans dat ik de zoektocht naar de waarheid omtrent Otherways op zou geven, wat die waarheid ook mocht behelzen. Het was een manier geworden om de leegte te vullen waarin mijn leven grotendeels was veranderd door jouw dood. En een manier om de afrekening uit te stellen wat betreft Lucy en Matt. *Alles verdwijnt en niets blijft*? Volgens mij is dat niet zo. Er is altijd wel een spoor, een aanwijzing die nog boven water moet komen. Alles verdwijnt, ja. Maar een deel van dat alles blijft. Niets is absoluut, zelfs de dood niet.

Ten zuiden van Watford begon Londen met een nevel voor de zon en een horizon van slaperige voorsteden. Ik had zeven lange uren achter het stuur gezeten, maar voelde me fitter dan ik voor mogelijk had gehouden: op de been gehouden door nerveuze energie en een curieuze, bijna onfatsoenlijke opwinding bij het vooruitzicht van het opsporen van Martin Fisher.

Ik nam niet de rechtstreekse route van het eind van de M1 naar Chelsea. In plaats daarvan volgde ik de North Circular in zuidwestelijke richting, zoals wij plachten te doen als we vanuit de Midlands naar huis gingen in Chiswick. Ik reed helemaal door naar ons oude huis. Ik bleef er buiten in de auto naar zitten kijken. Aan de buitenkant was niets veranderd. Het was griezelig voorstelbaar dat, als ik naar de voordeur liep om aan te bellen, jij misschien open zou doen. Of ik. Jezus, wat een rare gedachte. Het zat me zelfs niet lekker dat die überhaupt bij me was opgekomen.

Maar ik was eigenlijk niet naar Chiswick gegaan om een fantasie uit te leven. Ik had me de formidabele voorraad sterke drank herinnerd bij de wijnboer waar we weleens kwamen. Ik arriveerde net toen hij bezig was te sluiten en vond wat ik zocht. Daarna ging ik naar Chelsea.

De Samphire was nog havelozer dan ik had verwacht na Strathallans beschrijving van de eigenaar: een omgebouwde aak die duidelijk aan een verf-, vernis- en breeuwbeurt toe was. Hij hing scheef aan zijn trossen naast een paar aanzienlijk flitsender vaartuigen bij Battersea Bridge. Ik stapte behoedzaam aan boord, kreeg geen reactie toen ik 'Hallo!' riep en baande me een weg naar een open luik.

Een trap voerde omlaag naar een donkere kajuit met een zure lucht. Het zonlicht van buiten werd flink gehinderd door vuile patrijspoorten en rafelige gordijnen. Wat ik kon onderscheiden, wekte de indruk dat de duisternis een zegen was. Oude kranten, verpakkingen van karton met alufolie van afhaalmaaltijden, lege flessen, rondslingerende kleren en vuil serviesgoed dreigden me bij elke stap beentje te lichten. De stank was een mengeling van ranzige alcohol, ongewassen mensenvlees en stilstaande rivierblubber in min of meer gelijke hoeveelheden, plus nog een paar niet thuis te brengen componenten.

Toen ik binnenkwam, bewoog zich een gestalte in een kooi. Hij verhief zich op een elleboog. 'Wie is daar, godverdomme?' zei hij met dikke tong, terwijl hij het dichtstbijzijnde gordijn opzij trok om me te bekijken en vervolgens zijn ogen samenkneep om gekweld in het licht te kijken. Dat moest Martin Fisher zijn: een man van tegen de vijftig met een dunne bos grijs haar, een baard van een paar dagen en de waterige, onvaste blik van de overtuigde alcoholist. Hij droeg een groezelig T-shirt, een spijkerbroek en sokken. Hij slaagde erin rechtop te gaan zitten, wreef in zijn ogen en staarde me lodderig aan. 'Heb je me gehoord?'

'Ik ben Tony Sheridan.'

'Nooit van gehoord.'

'Dat klopt. Je kent me niet.'

'Wat moet je?'

'Jij bent toch Martin Fisher?'

'Dat zeggen ze.'

'Ik heb een cadeautje voor je meegebracht.' Ik zette de fles die ik in Chiswick had gekocht op een leeg hoekje van de tafel vlak bij hem.

Hij boog zich naar voren om naar het etiket te turen. 'Krijg nou wat,' mompelde hij. 'Lagavulin. Precies wat de dokter heeft voorgeschreven.' Daarna keek hij me fronsend aan. 'Hoe weet je dat dit mijn lievelingsdrank is?'

'Geraden.'

'Wie ben je?'

'Een fan.'

'Wat?'

'Ik heb een paar dingen van je gelezen.'

'Dat moet je goddomme geschiedkundige zijn.'

'Zoiets. *Zeven gezichten van het verraad,* Fisher. Weet je nog?'

'Waar heb je dat gevonden? Op de vlooienmarkt?'

'Ik ben geïnteresseerd in de zaak-Milner.'

'Welke Milner?'

'Allebei. De moordzaak en de spionage.'

'Waarom?'

'Vrienden van mij wonen op Otherways.'

'Iemand moet er wonen.'

'Er gebeuren daar rare dingen.'

'Ja.' Hij pakte de fles van de tafel en ging met zijn vinger langs de opdruk als een blinde die braille leest. 'Dat kun je wel zeggen.'

'Schrijf je nog?'

'Alleen cheques. Als ik er niet aan ontkom. De rest kan me geen reet meer schelen. Zie je ergens een glas?'

'Geen schoon glas.'

'Lagavulin moet in een schoon glas. Kijk eens in die kast.' Hij wees met onvaste hand naar een kastje achter me. Ik maakte het deurtje open. Op een plank stonden zes kristallen glazen. Ze waren stoffig maar verder redelijk schoon. Ik haalde er eentje uit en gaf dat aan hem. Hij knikte goedkeurend, maakte de fles open en schonk een verrassend kleine hoeveelheid voor zichzelf in. 'Dankjewel,' mompelde hij. Daarna nam hij voorzichtig een teugje en zat met zijn ogen dicht te genieten. 'Godallejezus volmaakt, wist je dat? Het beste medicijn dat de mensheid bekend is.'

'Duncan Strathallan had me op het idee gebracht.'

'Ben je bij hem geweest?'

'Ja.' Ik trok de enige stoel in de kajuit onder de tafel vandaan en ging zitten.

'Waarom?' Hij nam nog een slokje whisky en zette het glas vervolgens op tafel. Zijn hand beefde niet meer zo en zijn stem klonk niet dik meer. 'Otherways, Fife, Chelsea. Ben je behalve historicus ook ontdekkingsreiziger?'

'Een beetje van allebei. Ik wil graag begrijpen wat er met dat huis aan de hand is.'

'Krankzinnigheid. Dat is wat er loos is. Het zit in de stenen.' Hij nam nog een slokje whisky, draaide zich om en trok het andere gordijn ook open. Hij scheen zich langzaam neer te leggen bij het feit dat het buiten nog licht was. 'En het heeft een paar levens gekost, hè? Meer dan een paar.'

'Hoe dat zo?'

'De Milners. De Strathallans. Jouw vrienden.'

'Mijn vrienden maken het best.'

'O, nee. Als dat zo was, zou je hier niet zitten. Als het jóú goed ging, nu we het er toch over hebben.'

'Strathallan denkt dat de zelfmoord van zijn dochter jouw ondergang is geworden. Is dat zo?'

'Kijk maar om je heen. Wat denk je?'

'Dat er iets in zit.'

'Ja. Dat zou ik ook zeggen. Maar het is niet een eenvoudig geval van een rouwende ex die tot een beklagenswaardige dronkelap verwordt. Ik weet het. Je kunt stellen dat ik het hele proces heb gevolgd. Ik hield van Rosalind. Maar ik had eroverheen kunnen komen. Natuurlijk had dat gekund. Dat heeft me niet de das omgedaan.'

'Wat dan wel?'

'Ik ben het kwijt.' Hij zuchtte. 'Het zelfvertrouwen. De *feeling*. Noem het wat je wilt. De zekerheid dat ik greep op de waarheid kon krijgen. Het geloof dat ik zicht kon krijgen op wat er werkelijk aan de hand was. Ik zag geen reet. Ze is vlak voor mijn neus te gronde gegaan. En ik kwam er voor het eerst achter toen ze daar aan mijn voeten lag. Totaal kapot. Aan gruzelementen, verdomme. Ze had geprobeerd het duidelijk te maken. Maar het enige wat ik meende te horen, was hysterisch geblaat over boze dromen en merkwaardige visioenen. Toen ze doodging, doofde er iets in me. Ze was de enige persoon die me ooit had vertrouwd. En wat heb ik voor haar gedaan? Een regeltje op de voorpagina van de krant die naast haar op de stoel van de auto lag, op die parkeerplaats waar ze haar hebben gevonden. Dat was ik. Niet meer dan een naam. Inkt op papier. Anders niet.'

'Het is ruim twintig jaar geleden.'

'Ja. En bijna zestig geleden dat James Milner zijn vrouw heeft vermoord. Maar wat maakt dat uit als je niet verder kunt?'

'Is dat zo?'

'Ik heb heel vaak gedacht dat ik het wel kon, maar ik hield mezelf voor de gek. Nu ben ik daarmee opgehouden.'

'Heb je James Milners bekentenis ooit gevonden?'

'Nee.'

'En ben je ook niet achter Cedric Milners drijfveren gekomen?'

'Ook niet. Ik ben naar Moskou geweest, weet je. Op zoek naar de bekentenis en het geheim van broeder Cedrics ziel. Ongeveer een jaar na Rosalinds dood. Ik probeerde weer op de rails te komen.'

'Wat is er gebeurd?'

'Voordat ik Cedric uit kon roken, begon de KGB me onder druk te zetten. Dat is net alsof er een olifant op je gaat zitten. Je smeert 'm of je wordt verpletterd. Ze wilden niet dat iemand hem lastigviel. Ik ben er niet eens achter gekomen waar hij woonde. Ik heb een keer een glimp van hem opgevangen toen hij door de gang van de faculteit natuurkunde aan de universiteit van Moskou liep. Een lange, grijze man die heel snel liep. Die glimp en een paar blauwe plekken was het enige wat ik van die reis heb overgehouden. Het geluk had me in de steek gelaten. Daar keek ik eigenlijk niet van op. Waarschijnlijk had ik al mijn geluk met Rosalind opgesoupeerd. Ze was zeventien toen ik haar voor het eerst ontmoette. Betoverend mooi. En ze had nog iets, waardoor ze ouder leek. Iets in haar ogen. Iets... niet van deze wereld. Toen had ik moeten weten wat er zou gebeuren. Maar dat weet je niet, hè? Dat weet je nooit.'

'Strathallan heeft het over een au pair gehad. Cristina Pedreira.'

'O, ja?' Hij leegde zijn glas en schonk nog een bodempje in. 'Echt iets voor die ouwe Dunc om die trut weer op te dreggen.'

'Mocht je haar niet?'

'Niet mogen is nog slap uitgedrukt. Zij had Rosalinds brein met allerlei flauwekul vergiftigd.'

'Noem eens wat?'

'Ze heeft haar best gedaan om Rosalind over het randje te duwen,' vervolgde hij zonder acht op mijn vraag te slaan. Cristina Pedreira was kennelijk een gevoelig onderwerp. 'Weet je waarom? Omdat ik haar afwees. Alleen daarom. Zij kon mij niet krijgen. Dus heeft ze ervoor gezorgd dat ik Rosalind niet kon krijgen. Wat een stuk vulles, hè? Wat een goor stuk vulles.' Hij schudde zijn hoofd en deed even zijn ogen dicht alsof hij een pijnscheut voelde. Daarna zette hij zijn glas met een klap op tafel en keek me aan, terwijl hij zichtbaar moeite deed om zich overeind te houden. 'Het ergste heb ik Dunc nooit verteld. Toen niet en later evenmin. Ik wist niet hoe hij zou reageren. Maar nu Jean dood is, nou ja, ik weet niet of het me wel kan schelen. Hoe dan ook, het is niet actueel, hè? Hij zal hier niet ieder ogenblik binnen kunnen wandelen. De begrafenisondernemer zal eerst mijn stoffelijke resten uit deze kooi moeten krabben voordat majoor Duncan Strathallan me een bezoekje zal brengen.'

'Wat was het ergste dan?'

'Het ergste? O, ja. Nou, dat heb je waarschijnlijk wel verdiend met deze fles Lagavulin. Rosalind had me daags voor haar dood gebeld. Vanuit een cel. Dat op zich was al zo raar. Ze was erg onsamenhangend. Ze zei de idiootste dingen. Ze zei dat ze wist dat Cristina en ik een relatie hadden. En dat ze mij in Cristina's kamer op Otherways had gezien toen ik geacht werd in Londen te zijn. Toen ik in Londen wás, om je de simpele waarheid te zeggen. Wat ze uitkraamde, was niet alleen onwaar, het was godsonmogelijk.'

'Dat had je toch wel kunnen aantonen?'

'Misschien. Als ik de kans had gekregen. Maar via de telefoon kwam ik nergens. Het was halverwege de week. Ik kon pas in het weekeinde naar Rutland. En ze weigerde pertinent om naar Londen te komen. Ik kon niets doen tot ik haar zou zien. Maar ik zou haar niet meer zien. Voor dat weekeinde was ze namelijk dood. En weet je wat haar laatste woorden waren, de allerlaatste woorden voordat ze de telefoon op de haak gooide? "Ik heb gezien dat je Cristina naaide." Lief, hè? Mooie woorden om me aan haar te herinneren. Echt een roerende tekst.'

'Hoe verklaar je dat dan?'

'Er is maar één verklaring mogelijk. Cristina had het haar wijsgemaakt. En Rosalind heeft zich ingebeeld dat het zo was.'

'Wat zei Cristina?'

'Niets. Ik kon haar niet openlijk gaan beschuldigen. Ik kon de leugens die ze verzon niet weerleggen. Dunc en Jean wilden zo dolgraag een verklaring voor Rosalinds zelfmoord vinden, dat ze het hele verhaal voor zoete koek hadden geslikt. Toen ik erin slaagde om dat loeder onder vier ogen te spreken, ontkende ze gewoon alles. Ze probeerde me aanvankelijk zelfs te versieren. Ze heeft zich er gewoon uit gebluft. Daarna is ze weggegaan, toen ik nog steeds bezig was de dingen op een rijtje te krijgen. Ze donderde weer op naar Portugal. Ze had ruzie met Dunc en Jean gehad over haar invloed op Rosalind. Ze hebben haar de laan uit gestuurd. Waarschijnlijk was ze blij dat ze weg kon. Er was niets om voor te blijven, hè? Rosalind was dood en ze dacht natuurlijk dat ik bezig was een gruwelijke wraakoefening voor te bereiden.'

'Was dat zo?'

'Min of meer. Ik heb haar adres in Lissabon van Jean los gepeuterd en ben haar een paar maanden later gaan zoeken. Als ik haar had gevonden... Nou, dan had ik nu misschien levenslang in een Portugese gevangenis gezeten wegens moord, in plaats van hier in mijn particuliere gevangenisboot.'

'Waarom kon je haar niet vinden?'

'Ze was verhuisd zonder een adres achter te laten om de post naar door te sturen. Volgens een buurman was ze 'm met een nieuw vriendje naar Brazilië gesmeerd.'

'Wat heb je toen gedaan?'

'Wat denk je? Dat ik naar Rio ben gegaan om de stad straat voor straat af te schuimen? Ze was weg. Haar soort laat geen sporen na. Ik heb het opgegeven.' Hij zuchtte. 'De repeterende breuk van mijn leven.'

'Heb je de Posnan-connectie nog nagetrokken toen je daar was?'

'Welke connectie?'

'Hij woonde in Lissabon. Net als Cristina Pedreira.'

'Nou en?'

'Vind je dat geen intrigerende toevalligheid?'

'Nee. Toevalligheden gebeuren voortdurend. Bovendien is dat bijna te flutterig om voor toeval door te gaan.'

'Weet je dat zeker?'

'Haar potje onrust stoken was iets persoonlijks. Tussen haar en mij. Dat had goddomme niets met Emile Posnan te maken.'

'Heeft niet alles op Otherways indirect met hem te maken?'

'Het krijgt je te pakken, Sheridan.' Hij keek me fronsend aan. Kennelijk had hij oprecht met me te doen. 'Je krijgt het ernstig te pakken.'

'Weet jij hoe de Strathallans aan Cristina Pedreira zijn gekomen? De oude man schijnt het zich niet te kunnen herinneren.'

'Via een of ander bureau?' Hij haalde zijn schouders op. 'Ik weet het net zomin als jij.'

'Stel dat ze niet via een bureau gekomen was? Stel dat ze hen rechtstreeks had benaderd? Met de specifieke bedoeling om zich in hun leven te wurmen?'

'Jij bent nog paranoïder dan ik.' Hij reikte naar zijn glas en nam een flinke slok. 'Daar moet je mee uitkijken.'

'Maar stel dat het zo is...'

'Nou? Wat dan nog?'

'Dat zou alles toch veranderen?'

'Nou, waarom ga je het haar niet vragen?'

'Waar?'

'In Lissabon.' Hij liet zich langzaam achteroverzakken tegen de lambrisering van zijn kooi. 'Ik lees de krant nog altijd, al betaalt niemand me meer om voor ze te schrijven. Het is een gewoonte. Nog zo een die ik maar niet af kan leren. Een van de zondagskranten had een paar weken geleden een stuk over Lissabon. Met aanbevolen restaurants en zo. Waar je moet zijn voor de lekkerste vis en de somberste *fado*. Een van de tentjes die ze beschreven, heette de Cristina. Kennelijk genoemd naar de charmante eigenares, beroemd om haar Braziliaanse specialiteiten.'

'Cristina Pedreira.'

'Zonder enige twijfel. Er stond een duidelijke foto van haar bij. Afschuwelijk onaangetast door de tand des tijds. Zag er nog altijd goed uit. En nog succesvol ook. Vind je dat niet om van te kotsen? Aan de andere kant heeft succes één nadeel: het maakt je zichtbaar.'

'Kom je niet in de verleiding om erheen te gaan en een hartig woordje met haar te wisselen?'

'Van geen kant. Maar jij blijkbaar wel, Sheridan. Ja.' Hij glimlachte sluw. 'Ik zou zeggen dat jij erg in de verleiding komt.'

'Wie was H.D.?' Ik vuurde de vraag agressief op hem af, want ik wilde zijn sarcasme maar wat graag afleiden.

'Wat?'

'Dat was iemand die Rosalind dikwijls zag op de Universiteit van Leeds.'

'Hoe weet jij dat nou?'

'Daar had Strathallan het over.'

'Dat heeft hij mij nooit verteld. Hoe dan ook, ik ben daar in de weekeinden vaak genoeg geweest om al haar vrienden te ontmoeten. Zoveel waren dat er niet. En de vrienden die er waren, verstopten zich niet achter initialen.'

'Misschien een andere man. Vandaar de anonimiteit.'

'Leuk gevoel voor humor heb jij, Sheridan.' Hij trok een grimas. 'Je zult wel erg populair zijn.'

'Misschien ben je het gewoon vergeten. Alcohol schijnt dat met je te doen.'

'Krijg de zenuwen.'

'Zoals ik al zei, heb ik je werk gelezen, Fisher. Scherpzinnig, puntig en snel. Jammer dat het allemaal hierop uitgedraaid is.' Zijn zelfmedelijden had me kwaad gemaakt en nu probeerde ik hem met opzet tot een soort reactie te prikkelen, wat dan ook. 'Zoals de droesem onder in een wijnfles. Zuur en vies.'

'Klootzak.' Hij wierp zich op me alsof hij zich vaag een zoekgeraakt *machismo* herinnerde, maar de rand van de tafel zat hem veel eerder in de weg dan ik en zijn duik eindigde in een struikelende smak. De fles Lagavulin ging met hem mee en viel hard genoeg op de grond om kapot te gaan, maar bleef wonderlijk genoeg heel. De whisky spatte eruit terwijl hij weg rolde en Fisher, die verkreukeld in de andere hoek van de kajuit lag, keek hem in afgrijzen na terwijl hij met een van pijn vertrokken gezicht naar zijn knie greep. 'Jezus,' bracht hij uit door zijn opeengeklemde kaken. 'Jezus Christus!'

Ik redde de fles voordat hij leeg was gestroomd en zette hem weer op tafel. Daarna draaide ik me om naar Fisher. 'Zal ik je overeind helpen?'

'Sodemieter op.' Hij deed een poging om zich op te richten en gaf die op omdat zijn knie of zijn brein niet wilde meewerken. Hij liet zich weer achteroverzakken en keek me nijdig en hijgend aan.

'Ik probeer alleen maar te doen wat jij al heel lang geleden had moeten doen,' zei ik, terwijl ik naast hem hurkte. 'De geheimen van dat huis ontsluieren.'

'Het zal je niet lukken. Dat weet ik, want ik héb het geprobeerd. Zoals je zegt. Heel lang geleden.'

'Er zijn dingen die niet kloppen.'

'Ja. De wereld barst ervan.'

'Waarom heeft Posnan de architectuur vaarwel gezegd?'

'Dat weet niemand.'

'Maar hij leefde vrijwel als kluizenaar in Lissabon, nietwaar?'

'Dat zeggen ze.'

'Hoe heeft Clarence Milner hem dan leren kennen?'

'Het verhaal gaat dat Posnan was uitgenodigd voor een feestje voor Engelse emigranten op de ambassade. Misschien had hij in een café een functionaris ontmoet. Ik heb gehoord dat hij veel tijd in cafés doorbracht. Hoe dan ook, hij is erheen gegaan, schepte tegen Milner op over Otherways en... bingo.'

'Wanneer is Posnan doodgegaan?'

'Ergens in de jaren vijftig, denk ik.'

'Is Cristina Pedreira oud genoeg om zich hem te herinneren?'

'Dat zou ik niet denken. Ze was ongeveer even oud als Rosalind toen ik haar kende.'

'Aan wie heeft James Milner zijn bekentenis gestuurd?'

'Het moet zijn broer of zijn schoonzus zijn. Kies maar uit. Maar het hemd is nader dan de rok, dus gok ik op Cedric.'

'In de *Sunday Times* liet je doorschemeren dat Daisy favoriet was.'

'Ik probeerde haar uit haar tent te lokken. Er gebeurde niets. Ze is een ouwe taaie.'

'Wat dacht Garvey?'

'Dat Cedric Ann had vermoord en James de schuld op zich heeft genomen.'

'Leeft Garvey nog?'

'Nee. Hij is een jaar of tien geleden overleden. Jean heeft me zijn overlijdensadvertentie uit de *Mercury* gestuurd.'

'Ben je het met hem eens?'

'Zijn theorie is evengoed als elke andere. Als ik niet zo – wat zei je ook weer? – zuur en vies was, zou ik die ouwe Cedric nog eens proberen, nu de KGB hem de hand niet meer boven het hoofd houdt. Maar waar zou dat toe dienen? Niemand kan het meer iets schelen, Sheridan. Niemand heeft er belangstelling voor.'

'Ik wel.'

'Waarom?'

'Er zijn redenen voor, neem dat maar van mij aan.'

'Je kunt maar beter zeker weten dat het de goeie redenen zijn.'

'Dat weet ik al zeker.'

'Ik wist het ook zeker.'

Ik stond op en keek op hem neer. Hij toverde een melancholisch glimlachje om zijn lippen. Hij wist dat zijn leven een zinloze troep was geworden. Maar dat besef kon altijd verdronken worden. Hij scheen troost uit dat besef te putten. En uit het besef dat ik het ook wist.

'Ga je achter dat loeder van een Pedreira aan?'

'Misschien. Heb je nog een boodschap voor haar?'

'Nee.'

'Moet ik je nog laten weten hoe het is afgelopen?'

'Nee.' Zijn gezicht vertrok en hij deed zijn ogen dicht. 'Ik wil helemaal niets meer weten, Sheridan. Dat is mijn boodschap. Ik kijk er alleen van op dat het nog niet tot je is doorgedrongen.'

'Jawel hoor,' zei ik. Ik draaide me om naar de trap en de frisse avondlucht die me buiten wachtte. 'Luid en duidelijk.'

Ik had tot maandag moeten wachten en van alles na moeten trekken. Ik had een stap terug moeten doen en diep moeten nadenken over wat ik ging doen. Maar ik wilde niet wachten of nadenken. Ik wilde op mijn instinct vertrouwen. Zoals je me altijd hebt aangeraden. 'Wees eens wat impulsiever, Tony. Maak dat de dingen gebeuren. Láát ze niet zomaar gebeuren.' Het waren jouw eigen woorden, Marina. Weet je nog? Ik wel. Ik wist het nog. Goeie raad, meende ik. Toen al, al deed ik alsof ik iets anders geloofde.

Dus wachtte ik niet af. Tot maandag, of tot wat dan ook. Inlichtingen buitenland verschafte me het nummer van restaurant Cristina in Lissabon en de man die opnam sprak, vloeiend Engels.

'*Senhora* Pedreira is er vanavond niet. Morgen is ze er weer.'

'Mooi. Dan bel ik nog een keer.' Ik zei er niet bij: aan de voordeur.

Ik reed linea recta naar Heathrow, nam een kamer in een van de hotels langs de A4 en boekte een ochtendvlucht naar Lissabon.

Zes

Lissabon was klamheet en zweterig druk. Ik wilde dat ik je kon vertellen over de bouwkundige hoogtepunten en de culturele geneugten van de stad, maar die waren niet meer dan een chaos van obstakels tussen mij en de ontdekkingen waarvan ik hoopte dat ze uiteindelijk de waarheid omtrent Otherways zouden prijsgeven.

Ik nam een taxi van het vliegveld linea recta naar Cristina. Het restaurant was in de stadswijk Lapa en de chauffeur vertelde me dat het een *de prestigio* gelegenheid was voor welgestelde zakenlui en diplomaten van de talrijke ambassades daar in de buurt. We passeerden er een aantal toen we omhoog en omlaag ronkten en door de smalle straatjes met hun haarspeldbochten en kinderhoofdjes ten westen van het centrum reden. Uiteindelijk werd ik afgezet voor een crèmekleurig gebouw met de naam Cristina in krullerig schrift op de luifels. Het was vlak bij de top van een van de steilste straten en had een schitterend uitzicht op de Taag aan de ene kant en een heiig gedeelte van de buitenwijken aan de andere.

Het middageten was in volle gang. De taxichauffeur had gelijk over de clientèle: voornamelijk mannen in donkere pakken die gezellig zaten te smoezen. Misschien was het 's avonds wel anders. Binnen was het koel en de zaak was gelambriseerd in zachte tinten. Er hingen veel grote spiegels met vergulde lijsten en er stonden massa's bloemen waarvan de geuren werden afgewisseld door etensluchtjes en sigarenrook. Ik stond met een menu en een drankje aan de bar en zag een vrouw zonder veel haast tussen de tafeltjes lopen. Onderweg begroette ze gewaardeerde klanten met een glimlach. Ik hoorde haar naam vaak genoeg vallen om zeker te zijn van haar identiteit en bleef kijken.

Ze was niet slank en evenmin mooi te noemen. Ze had scherpe trekken die bijna roofzuchtig waren als ze niet lachte. Haar sluike, zwarte haar met zilvergrijze strepen viel tot op de schouders. Haar handen waren druk in de weer: ze raakte mensen aan, klopte ze op de schouders of gebaarde. Ze had lange, soepele vingers. Ze droeg een matrozenpakje met een heel kort rokje en een jasje dat zo was gesneden dat je een glimp van een zwarte beha opving. Het klinkt misschien als een oud mens verkleed als tiener, maar ze had iets zekers in haar houding dat voor een heel andere uitstraling zorgde.

Tegen de tijd dat er een tafeltje voor me was gevonden, waren de meeste eters al aan het natafelen. Senhora Pedreira nam afscheid van lievelingsgasten. De obers begonnen zich te ontspannen. Ik zat in afwachting, wetend dat het juiste ogenblik zou komen.

Het was maar een zijdelingse glimlach en een vaag knikje toen dat gebeurde. Ik was geen vaste klant, dus verdiende ik geen bijzondere aandacht, maar een hoffelijke groet en een kort, sprankelend oogcontact toen ze langs mijn tafeltje liep.

'Senhora Pedreira,' zei ik zacht.

Ik probeerde mijn stem neutraal te houden, maar zij leek er direct iets merkwaardigs in te bespeuren. Ze bleef staan en keek me nieuwsgierig aan met haar wenkbrauwen ietsje opgetrokken.

'Kan ik u even spreken?'

'*Certamente.* Bent u een Engelsman?'

'Ja.'

'Ik hoop dat de bediening niets te wensen overlaat.'

'Alles is in orde.'

'Wat kan ik voor u doen?'

'Mijn naam is Tony Sheridan. Ik heb een lange reis gemaakt om u te ontmoeten.'

'Ik voel me gevleid.' Zo zag ze er niet uit. Ze begon zelfs argwanend te kijken.

'Het gaat over Otherways.'

'Otherways?' Nu had de argwaan plaatsgemaakt voor behoedzaamheid.

'En Emile Posnan.'

'Een lange reis, zei u? Ook een lange tijd geleden.'

'Wilt u niet aanschuiven?' Ik gebaarde naar de vrije stoel aan mijn tafeltje. 'Even maar.'

'Het kan ook maar even.' Ze ging zitten, sloeg haar benen over elkaar en keek me onderzoekend aan. Haar rechtstreekse blik was inmiddels uitdagend in plaats van innemend. 'Ik heb het druk.'

'Dat heb ik gezien.'

'Wat wilt u precies, meneer Sheridan?'

'Informatie. Ieder brokje informatie dat enigszins kan verklaren wat er in dat huis gaande is.'

'Dat huis?'

'Otherways. Kom nou, Cristina. Mag ik Cristina zeggen? Strathallan doet dat ook. Voor hem ben je nog steeds die brutale au pair die te dik met hun dochter was, niet de verfijnde restaurateuse over wie stukjes in de zondagskranten verschijnen.'

'U schijnt een heleboel te weten.'

'Maar niet genoeg. Daarom ben ik hier.'

De ober kwam met de vis die ik had besteld. Cristina wachtte terwijl die werd opgediend en zei vervolgens iets in het Portugees. Ik had de indruk dat ze koffie en een sigaret bestelde. Toen hij weg was, vroeg ze: 'Wat is jouw relatie met Otherways... Tony?'

'Er wonen vrienden van mij.'

'Ben je hier... namens hen?'

'In zekere zin. Maar voornamelijk op eigen initiatief.'

'Waarom?'

'Volgens mij heb jij wellicht een paar antwoorden.'

'Waarop?'

'Vragen. Om te beginnen waarom Rosalind Strathallan zelfmoord heeft gepleegd.'

'Dat is ruim twintig jaar geleden. Een oude tragedie die je maar beter kunt laten rusten, vind ik.'

'Als dat zou kunnen.'

'Waarom kan dat niet?'

'Ik heb haar gezien.'

'Wie?'

'Rosalind.'

Ze zei niets. Haar enige reactie was dat ze snel met haar tong langs haar lippen ging. De koffie en de sigaret werden gebracht. Ze keek me met een geconcentreerde frons aan terwijl ze vuur kreeg. Ze nam een lange, trage haal.

'Heb je gehoord wat ik zei?'

'Rosalind is dood.'

'Dat weet ik.'

'Heb je haar geest gezien?'

'Als je het zo wilt noemen. In haar vroegere slaapkamer op Otherways. Strathallan heeft me een foto laten zien. Ik twijfel er niet aan dat zij het was.'

'Woon je op Otherways?'

'Ik heb er gelogeerd, bij mijn vrienden.'

'Wie zijn dat?'

'Matt en Lucy Prior.'

'Zijn de Strathallans er weg?'

'Duncan Strathallan is verhuisd. Jean is er vorig jaar overleden.'

'Waarom ben je naar mij toe gekomen?'

'Strathallan schijnt te denken dat je een slechte invloed op Rosalind hebt gehad. Martin Fisher ook.'

'Dat verbaast me niets.'

'Maar hebben ze gelijk?'

'Ik heb geprobeerd het te begrijpen. Zij gaven er de voorkeur aan om het niet te begrijpen. Meer niet.'

'Er is een dagboek van Rosalind boven water gekomen. Van het laatste jaar van haar leven. Daarin schrijft ze over "zij" als een soort samenvatting voor wat haar kwelde. Heb je enig idee wie die "zij" waren?'

'Min of meer.'

'Wil je me dat vertellen?'

'Rosalind was mijn vriendin. Ze vertrouwde me. Ik wil dat vertrouwen niet beschamen. Behalve als daar een heel goede reden voor is. En die heb ik nog niet gehoord, Tony.'

'Ik kan je alleen zeggen dat ik wil uitzoeken wat er achter de merkwaardige gebeurtenissen steekt die op Otherways hebben plaatsgevonden. Die mij zijn overkomen. En andere mensen.'

'Een spook op Otherways is misschien niet zo merkwaardig.'

'Er is meer. Idiote, levendige dromen. Onverklaarbare gebeurtenissen. Onverklaarbaar... gedrag.'

'Van jou?'

'Tot op zekere hoogte. Maar luister...' Ik wilde maar al te graag die weg versperren voordat we hem gingen verkennen. 'Om een concreet voorbeeld te geven: wat denk je van een bad dat zichzelf met water vult? In de badkamer van Rosalinds vroegere slaapkamer?'

'De kamer waar jij hebt geslapen?'

'Ja. Ik trof het bad midden in de nacht vol warm water.'

Ze was even stil en nam een slokje koffie. 'Misschien moet je bij andere vrienden logeren.'

'Ik heb je hulp nodig, Cristina,' zei ik, plotseling met iets van wanhoop. 'Ik kan je er natuurlijk niet toe dwingen. Ik kan het alleen maar vragen. En dat is wat ik doe.'

'Hoe weet je zo zeker dat ik je kán helpen?'

'Een gevoel. Gebaseerd op je vriendschap met Rosalind en je connectie met Emile Posnan.'

'Hoezo, connectie?'

'Deze stad. Waar hij is gestorven en jij bent geboren. Omstreeks dezelfde tijd, als ik het wel heb.'

'Dit is een grote stad. Er gaan hier veel mensen dood en er worden veel mensen geboren.'

'Ik geloof niet dat het toeval was.'

'Dat zei ik ook niet.'

Eindelijk had ze iets toegegeven, al was het maar zijdelings. Ik keek haar zo openhartig mogelijk aan en spreidde mijn handpalmen om aan te geven dat ik niets meer te zeggen had. Ze kon me vertellen wat ze wist, of niet.

'Ik moet nadenken.'

'Ik kan wel wachten.'

Dat wachten duurde een paar minuten, terwijl zij haar koffie opdronk en haar sigaret oprookte. Ze boog zich naar voren om het peukje in de asbak uit te drukken, leunde weer naar achteren en zei uiteindelijk: 'Kom om zes uur terug. Dan is het hier rustig. Bel maar aan bij de zijdeur. Ik woon hierboven.'

'Goed.'

'Ondertussen wil ik dat je een kijkje gaat nemen bij een huis in de Bairro Alto. Rua do Bispo nummer tien.'

'Waarom?'

'Daar is Emile Posnan overleden, in een huurkamer op de derde verdieping, in 1959.'

'Dus je kent hem?'

'Ga maar kijken,' glimlachte ze. 'En ik verwacht je hier om zes uur weer terug.'

Ik nam een taxi naar een wijk van moderne hotels: een verstopte verkeersader ten noorden van het centrum die Avenida da Liberdade heette. Nadat ik een kamer had gereserveerd in het eerste het beste hotel dat er een vrij had, vroeg ik de portier om de Rua do Bispo voor me op de kaart aan te wijzen en ging direct op pad.

De stad was inmiddels zo heet als een oven en er kookten een aantal onsmakelijke ingrediënten in de alomtegenwoordige hitte. Ik ging met de kabelbaan omhoog naar de wijk Bairro Alto en volgde de plattegrond door een netwerk van smalle straatjes naar de Rua do Bispo nummer 10, het laatste huis van een bouwvallig achttiende-eeuws rijtje. Het rijtje had op zijn minst nog één huis gehad, want de zijmuur van nummer tien werd overeind gehouden door massieve houten balken die op een gelaagd stukje braak land rustten.

Ik staarde omhoog langs de gevel van bladderend stucwerk en rottend hout, en vroeg me af welk raam op de derde verdieping Emile Posnans uitzicht op de wereld was geweest. Boven aan de trap van het bordes was een rijtje drukbellen, maar de meeste naamplaatjes waren leeg of onleesbaar. Ik probeerde een willekeurige, wachtte tot iemand antwoord zou geven en probeerde er nog een.

Er werd opengedaan door een klein, vermoeid ogend oud vrouwtje in een groezelige jurk. Toen ik zei dat ik iemand in een kamer op de derde verdieping zocht, was het duidelijk dat ze me niet verstond, dus wees ik en drukte ik me zo goed mogelijk uit in gebarentaal. Ze schudde nadrukkelijk haar hoofd en herhaalde met klem een woord. '*Ninguém, ninguém.*' Ze herhaalde het nog steeds toen ik langs haar heen schoot en de trap opliep.

Toen ik op de overloop van de eerste etage omhoog keek, werd me duidelijk wat ze bedoelde. De bovenste etages waren leeg en vervallen, het was een stoffige spiraal van kale muren en versplinterde vloeren. Ik ging weer terug en seinde haar een zinloze verontschuldiging toe.

Op de drempel draaide ik me om en vroeg haar zomaar: 'Herinnert u zich Emile Posnan?' Maar ze schudde haar hoofd ter ontkenning van alles. Als ze zich hem herinnerde, was ze niet van plan het toe te geven.

Het was allemaal heel anders toen ik om zes uur terug was bij Restaurante Cristina: het was er stil, de luiken waren dicht en de sfeer was elegant gereserveerd. De zijdeur had een blinkende klopper in de vorm van een leeuwenkop en een hypermoderne intercom. Cristina ontgrendelde de deur, kennelijk zonder te controleren of ik het wel was. Misschien zat er ook een verborgen camera. Of vertrouwde ze domweg op mijn stiptheid.

Boven aan de trap stond ze me op te wachten, terwijl ze de deur van haar appartement openhield. Ze had zich verkleed in een spijkerbroek en een gestreept overhemd en haar haar naar achteren gebonden. Ze had bijna iemand anders kunnen zijn, zo drastisch was het verschil met haar uitmonstering van het middaguur. Toen ze me begroette, lag er een geamuseerde blik in haar ogen, alsof ze wist wat ik dacht.

'Hoe was de Rua do Bispo?'

'Er waren een heleboel kamers vrij op nummer tien.'

'Dat is al heel lang zo.'

'Hoe weet je dat hij daar heeft gewoond?'

'Altijd maar die vragen.'

'Ga ik de antwoorden horen?'

'Kom binnen.'

Ik liep langs haar heen via een korte gang een grote huiskamer in, die chic was gemeubileerd in donker hout en stoffen met exotische patronen. De gordijnen hingen als sjerpen voor de hoge ramen. De airconditioning, die in zo'n oud huis natuurlijk een fortuin had gekost, hield de temperatuur aangenaam laag. Er was een overvloed aan kleedjes, vazen en mysterieuze voorwerpen, maar het vertrek maakte toch geen bomvolle indruk. Boven de open haard hing een grote, antieke landkaart van de Amazone. En in een alkoof naast de schoorsteenmantel hing iets wat ik onmiddellijk herkende, zelfs van een afstand.

'Dat is wat je denkt,' zei Cristina.

Ik liep erheen. Het was een ingelijste bouwkundige schets van het huis, met daaronder een plattegrond van het interieur en daarboven, in het krullerige handschrift van de architect: *Woonhuis voor dhr. B.H. Oates: Otherways bij Hambleton, Rutland. E.F. Posnan, arch.* Daar was het dus: de voorstelling voor Posnans geestesoog, precies zoals het nu was, gezien van halverwege de oprijlaan, inclusief de bomen die hij had geplant, weergegeven in de toestand van volledige wasdom die ze pas naderhand hadden verworven.

'Een kunstenaar,' zei Cristina vlak achter me. 'Zoals alle bekwame architecten.'

'Hoe ben je eraan gekomen?'

'Kom maar kijken.'

Ze ging me voor en liep de gang weer in naar de kamer aan het andere uiteinde. Die werd schemerig verlicht door één raampje en als opslagruimte gebruikt. Tegen één muur stond een ijzeren ledikant naast een enorme, oude schoorsteenmantel. Het grootste deel van de vloer werd in beslag genomen door dichtgebonden kartonnen dozen, een paar grote koffers met leren riemen en een tiental blikken verf. Maar midden in de kamer prijkte een grote, houten kist alsof hij net uit een hoekje was getrokken. Boven het sleutelgat stonden de initialen E.F.P. in sjabloonletters.

'Mijn moeder kookte en maakte het huis schoon voor Posnan, net als haar moeder voor haar had gedaan,' vervolgde Cristina. 'Ze placht te zeggen dat hij zo hulpeloos was als een baby. Toen ik klein was, nam ze me heel vaak mee naar die kamer aan de Rua do Bispo. In die tijd zag het er daar beter uit. Niet veel, maar iets. Ik vond het leuk omdat Posnan goed met kinderen om kon gaan. Hij kon mooie verhalen vertellen en dingen maken van touw en karton die me uren bezighielden. Hij was een mager mannetje met fonkelende ogen en glimmend zwart haar. Hij hield altijd zijn hoofd schuin als hij naar me lachte. Dan had hij iets van een vogel. Hij had een piepstem en werd nooit boos, zelfs niet als ik hem uitlachte. Hij rook naar alcohol. Mijn moeder zei dat het haarolie was, maar later besefte ik wat het echt was geweest. Als ik mijn ogen dichtdoe, kan ik hem nog een sigaret zien opsteken. Dan hield hij de brandende lucifer op armlengte en bracht hem langzaam dichter bij tot hij bij de sigaret was; alsof hij probeerde zijn neus aan te raken met een blinddoek voor. Zo'n vreemde man.'

'Hoe kom je aan die koffer?'

'Hij had hem aan mijn moeder gegeven toen hij erachter kwam dat hij stervende was. Hij had longkanker. Hij zei dat hij geen vrienden of familie had en bang was dat de huisbaas de inhoud zou verbranden.' Ze liep om me heen en maakte de deksel open. 'Hij zei tegen mijn moeder dat zijn documenten om historische redenen bewaard moesten blijven. Mijn moeder heeft tot haar eigen dood gewacht tot een historicus erom zou komen vragen.'

De koffer zat ongeveer driekwart vol met bundels paperassen die waren overdekt met Posnans eigenaardige handschrift, en grotere vellen met plattegronden, elevaties en kunstenaarsimpressies van gebouwen die hij kennelijk had ontworpen. Ik vouwde er eentje open om te bekijken. Het was een ontwerp van een groot, particulier huis dat aan één kant op een bizarre manier was afgeplat met een lang, hellend dak, op elke hoek een torentje als een pepervat en een merkwaardige, zwierige trap aan de buitenkant.

'Je lijkt wel verbaasd, Tony.'

'Ik dacht dat Otherways Posnans enige voltooide werk was.'

'Dat is ook zo.'

'Maar... wat is dit dan?' Ik liet de tekening weer in de koffer vallen. 'En al die andere?'

'De huizen die hij in zijn dromen bouwde.'

'Maar...' Ik bekeek nog een paar vellen. Nog meer huizen; grote en kleine, in uiteenlopende decors: groen laagland en ruig berglandschap. Een aantal waren bijna conventioneel en andere uitermate experimenteel. 'Dit moeten wel honderden ontwerpen zijn.'

'Dat is ook zo.'

'En stuk voor stuk... alleen maar fantasieën?'

'Hij heeft er brieven over geschreven aan zichzelf.'

'Wat?'

'Er zijn brieven.' Ze wees naar een bundeltje paperassen. Ik bladerde erdoorheen en zag dat het brieven in Posnans handschrift waren, kennelijk van een Londens adres: Piedmont Place 8, W.C.2. Maar ze dateerden stuk voor stuk van zijn zelfgekozen ballingschap in Lissabon, voornamelijk in de jaren twintig en dertig. *Beste Emile*, begonnen ze, alvorens in bijzonderheden te treden over de vooruitgang van diverse projecten. *De villa van dr. Armitage vordert naar wens en alleen slecht materiaal kan mijn ambities nog in de weg staan*, stond er in de bovenste. De brief was representatief. Voor zover ik kon zien was de rest van hetzelfde laken een pak. Ze waren ondertekend met *Fenby*. 'Zijn tweede naam,' zei Cristina over mijn schouder. 'Emile Fenby Posnan.'

'En dat adres in Londen?'

'Daar was zijn kantoor voordat hij hierheen kwam. In 1940 is het door een Duitse bom met de grond gelijkgemaakt.'

'Geen enveloppen natuurlijk. Geen poststempels van Londen.'

'Deze brieven gingen nergens heen, Tony.'

'Behalve in zijn hoofd.'

'Precies.'

'Dit is krankzinnig.'

'Hij wás krankzinnig.'

'Waar diende dit allemaal toe?'

'Hij was architect.' Ze haalde haar schouders op. 'Dat is hij gebleven.'

'Maar waarom niet een echte?'

'Volgens mij had Otherways hem de stuipen op het lijf gejaagd.'

'Wat bedoel je?'

'Ik denk dat hij besefte dat hij iets anders had gebouwd dan de bedoeling was.'

'Je praat in raadsels.' Ik deed de deksel van de koffer dicht en stond op. 'En ik heb zo'n beetje mijn buik vol van raadsels.'

'*Ma sorte*. Otherways ís dan ook een raadsel.'

'Waarom ben je erheen gegaan?'

'Omdat ik had gelezen wat die rare man, die eruitzag als een vogel, in zijn koffer had achtergelaten. Het fascineerde me. Toen ik erachter kwam dat Otherways een echt huis was dat je kon aanraken, met echte mensen erin, wilde ik het zien, wilde ik er ook in wonen als dat mogelijk was. In de zomer van 1975 ben ik naar Engeland gegaan. Ik zei tegen mijn moeder dat ik werk wilde zoeken om mijn Engels te verbeteren. Een van de eerste plekken waar ik naartoe ging was natuurlijk Rutland om Otherways te bekijken. Het was net als de tekening: wonderbaarlijk. Ik kwam Strathallans au pair Ulla in het café in Hambleton tegen. Ze zei dat ze eerdaags weg zou gaan. Ze nam me mee terug naar het huis om me aan mevrouw Strathallan voor te stellen. Ik heb haar zover gekregen om mij als Ulla's plaatsvervangster in dienst te nemen. Die kans leek me te mooi om te laten lopen. Ulla zei dat ze blij was dat ze weg kon omdat het huis haar de kriebels gaf. Ik begreep het niet. Ik dacht dat ze onzin uitkraamde. Later was ik daar minder zeker van.'

'Wat deed je van gedachten veranderen?'

'Rosalind.'

'Hoe?'

'Kom, dan gaan we weer naar de huiskamer. Wil je een kop koffie, of thee?'

'Niets.'

'Ik neem misschien een glaasje wijn. Doe je mee?'

'Oké,' antwoordde ik ongeduldig.

In de huiskamer bekeek ik de tekening van Otherways opnieuw terwijl zij een fles en een paar glazen ging pakken. Emile Posnan had zijn reputatie eer aangedaan – als excentriekeling, kluizenaar, dromer en zuiplap – en was in stijl gestorven. Aan zijn huishoudster had hij een papierberg van schizoïde fantasieën nagelaten: een heleboel luchtkastelen. Niets concreets, niets voltooids. Behalve Otherways. Daar had hij iets duurzaams geschapen, iets wat hem althans zou overleven. En vervolgens was hij teruggedeinsd. Maar waarom? Hoe kon een architect nu bang van een gebouw worden?

'Dank je,' zei ik toen Cristina me een glas wijn aanreikte.

'Vertel eens waarom Otherways zo belangrijk voor je is,' zei ze, terwijl ze plaatsnam in een leunstoel en vragend naar me opkeek over de rand van haar glas.

'Ik dacht dat jíj dat aan míj ging vertellen.'

'Je zult me eerst een reden moeten geven om het je te vertellen.'

'O, kom nou toch.' Ik zette het glas met een klap op de schoorsteenmantel en zag misnoegd hoe de steel brak zodat ik niets anders dan de kelk in mijn hand hield. 'Verdomme.'

'Onhandig van je.' Ze sprong op om hem van me over te nemen. 'Je bent nogal geïrriteerd, kennelijk.'

'Vind je het gek? Eerst laten Strathallan en Fisher me kringetjes draaien en nu jij.'

'Wat hebben ze over mij gezegd?'

'Dat wil je niet horen.'

'Ik kan het wel raden. Majoor Strathallan heeft de pest aan me omdat ik zijn dochter beter begreep dan hij. En Martin Fisher...'

'Nou?'

'Had een hekel aan me omdat hij zich tot me aangetrokken voelde.'

'Dat was niet zo aardig van je, hè? Om het met Rosalinds verloofde aan te leggen.'

'Ik heb er niet op aangestuurd, het was gewoon... iets wat had gekund.' Ze wendde haar blik af. 'Ik zal een nieuw glas voor je halen.' Uit de keuken riep ze: 'Heb je op Otherways bij je vrienden gelogeerd?'

'Ja.'

'Hoe lang?'

'Lang genoeg voor een paar heel rare ervaringen.'

'Vertel eens.' Ze kwam terug met het glas, gaf het aan me en ging weer zitten. 'Ik wil er alles van weten.'

Ik nam een slokje wijn en probeerde rustig te blijven en de dingen van haar kant te bekijken. Ik eiste eerlijkheid en openhartigheid van haar, maar had haar tot dusverre geen goede of dringende reden gegeven. Ze had me verteld wat haar naar Otherways had gebracht en het was alleen maar redelijk om hetzelfde aan mij te vragen. Ik glimlachte om mijn eigen onredelijkheid en ze glimlachte terug.

'Waarom ga je niet zitten?'

'Oké.' Ik ging in de makkelijke stoel tegenover haar zitten. 'Mijn vrouw is onlangs overleden. Ze is van een klif vlak bij ons huis in Cornwall gevallen. Lucy is haar zus. Matt is zowel een oude vriend als mijn zwager. Ze hadden me op Otherways uitgenodigd om me eroverheen te helpen. Sindsdien...' Toen ik eenmaal A had gezegd, viel het me makkelijk om de dingen te vertellen die er waren gebeurd. Het was bijna een opluchting om ze te beschrijven aan iemand die bereid scheen te geloven dat boze dromen en rare sensaties meer konden betekenen dan de symptomen van rouw of overspannen zenuwen. Ik vertelde natuurlijk niet het hele verhaal. Ik zei niets over mijn relatie met Lucy. Ontdaan van dat aspect klonk het hele verhaal zelfs mij overspannen en vaag hysterisch in de oren. Er zat net niet genoeg in om mijn rusteloze speurtocht naar antwoorden te rechtvaardigen. Vandaar waarschijnlijk dat tikje scepsis in Cristina's blik. Ze scheen de oprechtheid van wat ik zei niet in twijfel te trekken. Maar ze liet zich er evenmin door overtuigen. Aan beide kanten bleef iets van behoedzame afstand. Elk van ons hield nog vast aan zijn eigen verborgen agenda.

Toen ik uitgesproken was, stak Cristina een sigaret op en liep een poosje peinzend rond. Daarna ging ze weer zitten en zei: 'Ik zal je vertellen wat ik kan, Tony. Ik zal je vertellen wat ik denk. Je gelooft me of je gelooft me niet. Dat is jouw keus. Ik ga niet proberen je te overtuigen. Dit is zoals ik het zag. En nog steeds zie. Als je het niet leuk vindt, kun je me niets verwijten. Als het je zorgen baart – wat best mogelijk is – probeer het me dan niet uit mijn hoofd te praten. Je hebt om antwoorden gevraagd. Die krijg je. Daarna zijn de vragen afgelopen. En gaan we ieder ons weegs. Afgesproken?'

Ik haalde mijn schouders op. 'Oké.'

'Mooi. Rosalind en ik waren niet echt... *simpatico*. We hadden nooit boezemvriendinnen kunnen worden. Maar toen ze op Otherways woonde, kon ze bij niemand anders terecht. De vrienden van de universiteit waren ver weg. Haar ouders wilden niet toegeven dat er iets met hun lievelingsdochter mis kon zijn. En ik denk dat Martin Fisher alleen maar hoopte dat trouwen met haar en haar van dat huis weghalen al haar problemen zou oplossen. Misschien had hij zelfs gelijk. Maar zijn aanpak was verkeerd. Doe maar alsof het er niet is en het zal wel verdwijnen. Dat maakte het voor Rosalind alleen maar erger. Als ze hem vertelde wat er met haar gebeurde, zei hij dat ze het zich allemaal maar verbeeldde. Dus vertelde ze het aan mij. Ze moest het namelijk aan iemand kwijt. Ik was haar *ultimo caso*.'

'En wat heeft ze jou verteld?'

'Dat ze vreemde dromen had. Heel levendig, en heel echt. Soms ook als ze wakker was. Soms als ze niet zeker wist of ze wakker was of sliep. Ze zag en hoorde dingen. Ze zag mensen lopen en hoorde ze praten. Mensen die er niet waren.'

'Spoken?'

'Dat woord heeft ze nooit gebruikt. Afdrukken, noemde ze ze. Sporen van mensen die op Otherways hadden gewoond. Basil Oates. De Milners. Andere mensen die ze niet thuis kon brengen. Ze dacht dat het mensen waren die er later zouden komen wonen. In de toekomst. Of het kon de tegenwoordige tijd van nu zijn. Als jij bijvoorbeeld een van de mensen was die ze heeft gezien.'

'Wat?'

'Jij hebt haar gezien. Dat heb je me verteld. En ze heeft iets tegen je gezegd, nietwaar? Ze heeft me verteld dat ze dat deed: proberen met ze te communiceren. Maar ze zeiden nooit iets terug. Heb jij dat wel gedaan?'

'Het leek wel... of ik dat niet kon.'

'Ze lieten haar maar niet met rust, die mensen uit het verleden en de toekomst. Ze bleven maar komen. En de dingen die ze zag, werden steeds erger, vertelde ze. Ze was bang dat ze bezig was hun geest binnen te dringen, of dat zij dat bij haar deden. Ze begon naar een soort *conselheiro psiquiatrico* van de universiteit van Leeds te gaan. Misschien is dat die H.D. die je noemde. Ze heeft zijn naam nooit genoemd. Hij was trouwens nutteloos. Hij vertelde haar dat het waandenkbeelden waren. De gewone freudiaanse *disparate*.'

'Misschien wáren het wel wanen.'

'Ik denk het niet. Volgens mij heeft dat huis, Otherways, een zekere... *res-*

sonância... die door sommige mensen wordt gevoeld en anderen niet.'

'Bij welke groep hoor jij?'

'Ik heb daar vreemde dromen gehad, Tony. Net als jij. Een aantal van die dromen was zo echt als jij en ik nu tegenover elkaar zitten. Ik kan me herinneren dat ik op een ochtend in alle vroegte uit mijn slaapkamerraam keek en een man op een zitstok op de rand van het gras halverwege de oprijlaan zag zitten. Hij had een schetsboek op zijn knie en zat te tekenen. Het was Posnan. Ik zweer het je. Veel jonger dan ik hem ooit had gekend. Hij zat het huis te tekenen nog voordat het er stond. Misschien was het wel die tekening daar op de muur.' Ze gebaarde ernaar en haar blik ging op oneindig. 'De eerste keer dat ik die tekening uit de koffer haalde en hem naar het licht hield, voelde ik iets. Ik kan je niet zeggen wat het was. Maar die bewuste ochtend voelde ik het weer. Daar zat Posnan. Terwijl ik naar hem keek, hield hij op met tekenen, hield hij zijn hoofd schuin en keek hij omhoog naar mijn raam alsof hij mij naar beneden kon zien kijken. Toen ik de voordeur uit holde, was hij er niet meer. Maar hij was er wel gewéést. Het was een ontmoeting, een... *intersecçao*... net als jij met Rosalind.'

'Dus jij gelooft dat zij die dingen, die mensen echt zag?'

'O, ja. Jij niet dan? Zij was op Otherways geboren. Ze heeft daar gewoond. Ze is daar gestorven. Het was een deel van haar. Net als de mensen die daar gewoond hadden en gestorven waren. Ze kon hun niet ontkomen. Ze kon natuurlijk weggaan en aanvankelijk kon ze daar ook mee volstaan. Maar uiteindelijk volgden ze haar, waar ze ook heen ging. Ze beschreef het als een last die op haar drukte, langzaam maar zeker zwaarder werd en haar op een kwade dag zou verpletteren. Twijfel je daar nog aan?'

'Volgens mij moet ik dat wel.'

'Nee. Je zult het moeten geloven. Ze bekende me dat ze weleens aan zelfmoord dacht om eraan te ontkomen. Ze zei dat ze van plan was haar polsen door te snijden als ze in bad zat. Hetzelfde bad dat jij vol water hebt gezien toen je het niet had gevuld.'

'Maar het wás ook vol. Dat was geen...'

'Waanbeeld? Nee, dat was het niet, hè? Het was helemaal geen waandenkbeeld. James Milner heeft er dingen gezien die hem ervan overtuigden dat zijn vrouw overspel pleegde met zijn broer. Wat heeft hij nou eigenlijk gezien? De toekomst, zonder hem? Wat er zou gebeuren, of wat er kón gebeuren als hij er niet was? Begrijp je het niet, Tony? Alternatieven. Mogelijkheden. Die zíjn de toekomst. Er is niets gebeurd tussen mij en Martin. Maar het had wel kunnen gebeuren. Wat Rosalind zag... had kunnen gebeuren. Voor haar was het echt. Het was waar, zoals alle dingen die ze zag waar waren, zoals alle dingen die James Milner had gezien waar waren. Martin denkt dat ik dat idee bij haar had gezaaid om hem te kwetsen. Maar dat idee kwam niet bij mij vandaan. Het kwam van het huis dat Emile Posnan had gebouwd.'

'Waarom heeft Rosalind de hand aan zichzelf geslagen?'

'Omdat ze geloofde dat de twee mensen die ze het meest vertrouwde haar wilden verraden. En misschien omdat de hand aan zichzelf slaan haar de enige manier leek om te voorkomen dat wij haar zouden verraden. Of misschien omdat de spanning haar ten langen leste te veel was geworden. Zelfmoord verandert de toekomst, nietwaar? Het is ons enige... veto... over wat andere mensen voor ons in petto hebben.'

Ik zat naar Cristina te kijken en vroeg me af of ze misschien gelijk kon hebben. Mijn eigen ervaringen leken haar hypothese te ondersteunen, hoewel ik niet in de positie was om het meest treffende voorbeeld daarvan te onthullen. In het rijk van de ratio en de redelijkheid was geen plaats voor zulke opvattingen. Maar sinds jouw dood was ik uit dat rijk weg gedobberd. Misschien Lucy ook wel, sinds ze naar Otherways was verhuisd. Ik stond op en liep weer naar Posnans tekening om deze van dichtbij te bekijken. Het was een briljant accurate weergave van hoe het huis erbij zou staan. Nog voor de eerste geul gegraven was, had hij het eindresultaat al voor zijn geestesoog gezien; de vreemdheid die tegelijk de toepasselijkheid van het ontwerp was; de ongrijpbaarheid van zijn aantrekkingskracht die op het eerste gezicht esthetisch maar bij nader inzien in wezen etherisch was. Misschien had hij ook veel meer gezien.

'Als ik jou was, zou ik mijn vrienden zover zien te krijgen dat ze verhuisden, Tony.'

'Gemakkelijker gezegd dan gedaan.'

'Ik zou het doen, *apesar disso*.'

'En als ze niet willen luisteren?'

'Toch proberen ze zover te krijgen.' Ze stond op en kwam bij me staan voor de tekening. 'Zowel voor jouw als voor hun bestwil.'

Toen ik Cristina vaarwel had gezegd, liep ik naar de Bairro Alto om iets te gaan drinken in een café niet ver van de Rua do Bispo, en ik vroeg me af of het een van Posnans aanlegplaatsen was geweest. Het was oud, donker en bedompt. Vijftig jaar geleden had het er waarschijnlijk vrijwel net zo uitgezien. Hij had net als ik aan de bar kunnen staan met zijn voet op de stang en zijn blik in de spiegel achter de met flessen beladen schappen, om de barkeeper met een knikje van zijn hoofd te kennen te geven om nog eens bij te schenken. Misschien had hij naar het komen en gaan om zich heen gekeken en met een half oor geluisterd naar het gekeuvel van de andere klanten terwijl voor zijn geestesoog fantastische gebouwen gestalte kregen. Ik stelde me voor dat hij een brief uit zijn zak haalde om hem daar te lezen, een brief van de ene versie van zichzelf aan de andere. Emile Fenby Posnan, gesjeesd architect en verloren ziel, onderduikend voor zijn verleden en op de vlucht voor de toekomst.

'Je beseft zeker wel,' had ik tegen Cristina gezegd toen ze me uitliet, 'dat dit godsonmogelijk waar kan zijn?'

'*Naturalmente*,' antwoordde ze. 'Het kan toch niet?'

'En toch geloof je het.'

'Ja. En jij ook.'

Toen ik Lucy de volgende ochtend belde, wist ik nog altijd niet goed wat ik moest zeggen. Ik had een middagvlucht terug naar Londen geboekt zonder duidelijk plan wat ik zou doen als ik terug was. Maar ik moest een poging wagen mezelf tegenover haar nader te verklaren. Dat wist ik wel.

Nesta nam op. En ze had een verrassing voor me. 'Lucy is er niet, Tony. Ze moest naar Bournemouth. Haar moeder is ziek. Ze logeert in een hotel. Wil je het nummer?'

Dat had ik niet voorzien. Toen ik het hotel probeerde, verwachtte ik eigenlijk dat ze er niet zou zijn. Waarschijnlijk zat ze in het verpleegtehuis. Maar nee, ze was op haar kamer. En zij had ook een verrassing voor me.

'Moeder maakt het prima. Nou ja, zo goed als mogelijk is. Ik moet je bekennen dat ik gewoon weg moest. Ik vond het niet leuk om Matt te bedriegen, weet je. Je kunt je niet voorstellen hoe moeilijk dat is. Wat ben ik blij dat je belt. Waar zit je nu?'

'Dat doet er niet toe. Ik wou... je gewoon weer zien.'

'Ik jou ook. Jezus, Tony, ik ben de afgelopen dagen door de hel gegaan. Ik vroeg me af hoe ik het kon volhouden om Matt te laten denken dat alles in orde was. Ik vroeg me af of jij ooit...' Ze stopte. 'Wat een opluchting om je stem weer te horen.'

'Ik zit in Lissabon. Ik moest weg... Om na te denken.'

'Wanneer kom je weer terug?'

'Vanmiddag.'

'Kom je dan hierheen?'

Dat was precies wat ik van plan was. Opeens leek de oplossing voor de hand te liggen. Als Lucy en ik gewoon samen wegliepen, konden we loskomen van de halfbewuste gevaren die Otherways leek te herbergen. Het huis zou worden verkocht als onderdeel van de echtscheidingsregeling. Dan zouden wij het allemaal kwijt zijn, zelfs Matt. En hoewel wij de komende maanden stuk voor stuk door de emotionele gehaktmolen gehaald zouden worden, was dat in elk geval te verkiezen boven het rekken van de leugens en uitvluchten tot een of ander verschrikkelijk moment van ontdekking dat naar alle waarschijnlijkheid niet lang meer op zich zou laten wachten, wat we ook deden.

'Zeg dat je hierheen komt, liefste. Alsjeblieft.'

Zeven

Ik herinner me nog dat je een keer hebt gezegd dat Lucy's innemendste en tegelijkertijd meest ergerniswekkende eigenschap haar vastberadenheid was. Ze kon nooit eens een beetje enthousiast zijn, nooit eens een beetje geïrriteerd. Voor haar bestond de gulden middenweg niet. Misschien had het daarom geen verrassing moeten zijn dat toen Lucy zei dat ze van me hield – zoals ze die nacht vele malen in die hotelkamer in Bournemouth zei – ze eigenlijk bedoelde dat ze me aanbad, dat ze alles zou doen om me te houden, dat ze onvoorwaardelijk en onmiskenbaar van mij was, met ziel en zaligheid.

Ik wou dat een en ander voor mij net zo eenvoudig had gelegen. Omdat Lucy in zoveel opzichten zo op jou leek, was er een soort ontspanning tussen ons, een vertrouwdheid die de indruk wekte dat we al vele jaren minnaars waren geweest. Maar dat was ook het breukvlak van twijfel dat door mijn relatie met haar liep. Haar liefde voor Matt was verwelkt tot weinig meer dan de wens om hem niet te kwetsen als ze dat kon voorkomen. Mijn liefde voor jou was sterker dan ooit. Zij hield van mij in plaats van hem. Ik hield van haar om een lege plek in mijn hart te vullen, als substituut voor jou. Dat was niet hetzelfde. Onze liefde stond niet op gelijke voet.

Maar voorlopig maakte dat niets uit. Lucy was domweg niet in staat om voor Matt de schijn op te houden, zoals haar vlucht naar Bournemouth bewees. Dat verlangde ik trouwens ook niet van haar. We zetten er ofwel een punt achter of kwamen er openlijk voor uit en accepteerden de consequenties. En die nacht bewees dat we niet van zins waren om er een streep onder te zetten. De seks was natuurlijk belangrijk, vooral voor Lucy na een drooggelegd huwelijk van een aantal jaren. Maar de wezenlijke aantrekkingskracht zat 'm in de intimiteit met een ander mens die we om verschillende redenen waren gaan missen. We zijn allemaal veel kwetsbaarder dan we wel willen bekennen. De waarheid was dat ik gewoon niet erg goed in eenzaamheid was, Marina. Ik zei altijd: 'Wat moet ik toch zonder jou?' Ik zou uit de grond van mijn hart willen dat ik er nooit achter was gekomen.

De volgende morgen liepen we de pier op gehuld in regenjassen tegen de motregen, die de badgasten van het strand had gejaagd. Lucy scheen niet te vinden dat we de nabije toekomst moesten voorbereiden. In haar opvatting zorgde de liefde voor alles. Ik dacht daar anders over. Een paar redenen daarvoor hadden met Otherways te maken en met mijn steeds onthutsender ontdekkingen over zijn vroegere bewoners. Die had ik niet goed aan Lucy uit kunnen leggen; ik was amper in staat ze aan mezelf uit te leggen. Maar de meest directe en dwingende reden was mijn zekerheid op één onderdeel: we konden Matt niet blijven bedriegen.

'We moeten het hem vertellen,' zei Lucy met grimmige eenvoud. 'Hoe eerder hoe beter.'

'En wat dan? Ga jij dan weg uit Otherways om bij mij op Stanacombe te komen wonen?'

'Als jij dat wilt.'

'Misschien moeten we naar het buitenland. Althans voor een tijdje.'

'Zeg jij het maar, Tony. Mij kan het eerlijk gezegd niets schelen. Zolang we maar bij elkaar zijn.'

'Eerst het belangrijkste dan maar. Hoe gaan we het aan Matt vertellen?'

'We zeggen hem gewoon de waarheid.'

'Wij?'

'We zullen het hem uiteindelijk allebei moeten uitleggen. Zou het niet het beste zijn om het maar meteen te doen?'

'Ja. Maar ik wil niet dat hij denkt dat ik me achter jou verschuil. We zijn al zo lang bevriend dat ik eigenlijk vind dat ik hem dit... onder vier ogen moet zeggen.'

'Als mannen onder elkaar?'

'Zoiets.' Als er een manier was om Matt een zachte val te laten maken, moest ik die zien te vinden. En ik wist dat we die niet zouden vinden als we hem samen confronteerden: dan zou er alleen sprake van woedende verwijten zijn.

'Wil je hem alleen spreken?'

'Volgens mij is dat het beste.'

'Wanneer?'

Ik wierp een blik op de zee. 'Meteen. Als ik nu vertrok...'

'Dan kun je daar wachten tot hij thuiskomt.'

'Ja.'

'Dat kan weleens laat worden. Hij heeft sinds zijn reis naar New York veel overgewerkt.'

'Jezus, die reis naar New York.' Ik gaf een klap tegen mijn voorhoofd. 'Die was ik helemaal vergeten.'

Lucy glimlachte. 'Ik ook.'

'Wat gaat er gebeuren? Gaat die... schaalvergroting nog door?'

'Waarschijnlijk wel. Hij heeft het me allemaal verteld. Maar het leek me zo... irrelevant. Ik heb maar half geluisterd.'

'Dat zou kunnen helpen. Misschien geeft het hem iets om zich op te concentreren.' Of ergens heen te gaan, dacht ik. Matt in de Verenigde Staten, druk in de weer met een nieuwe keten van *Pizza Prego*, nieuwe mensen ontmoeten, nieuwe vrienden maken. Wie weet wat daar nog uit voort kon komen? Ik wilde alleen maar een haalbare toekomst, zowel voor hem als voor ons. En daar op die pier, met Lucy naast me en een bundel zonlicht die door de wolken in het westen viel, leek dat me dat niet te veel gevraagd.

Ik kwam in de namiddag op Otherways aan. Het weer in Rutland was anders. Een stevige wind blies de wolken langs een opklarende lucht. De zon verscheen en verdween en op het meer en de omringende heuvels wisselden licht en schaduw elkaar af. Er was geen mens in huis. Dat voelde ik al toen ik de oprijlaan opreed. Ik was er eerder dan Matt. Posnans schepping stond verlaten in zijn vriendelijke plooi van gazons, gracht en bomen.

Ik ging naar binnen met Lucy's sleutel, prutste aan het alarm tot het eindelijk zweeg en liep vervolgens naar de hal, terwijl ik omhoog keek om met mijn ogen de golvende cirkel van de balustrade om de trap en de overloop te volgen. Alle deuren en ramen waren dicht, dus de stilte was bijna tastbaar. Het tikken van diverse klokken in verschillende vertrekken was duidelijk hoorbaar en het gezoem van de verwarming verrassend luidruchtig. Verder was er niets wat geluid maakte, behalve mijn eigen voetstappen toen ik van de ene naar de andere kamer liep. Het huis was leeg en toch klaar, als een podium in een verduisterd theater, klaar voor de dingen die komen gingen.

Het was bijna zes uur. Het kon nog wel een uur of langer duren voordat Matt thuiskwam. Met Lucy in Bournemouth was er niets om zich voor naar huis te spoeden. Hij had geen reden om iemand te verwachten en mij wel het minst. Ik ging naar de huiskamer om de openslaande deuren open te zetten zodat ik zijn auto zou horen aankomen. Vervolgens schonk ik mezelf een dubbele whisky in en ging zitten. Het licht in de tuin bleef veranderen terwijl ik daar zo over de gracht zat te staren, en dat ging zo snel dat het wel leek of ik naar een beeldje-voor-beeldje-film zat te kijken waardoor de uren tot minuten werden samengebald in plaats van minuten die zich tot uren rekten, zoals het eigenlijk voelde. Buiten snelde de wereld voorbij. Binnen hield Otherways de adem in. We wachtten af, het huis en ik. Totdat één mogelijkheid de toekomst was geworden.

Hoe langer ik daar zat, des te meer ik aan Matt moest denken en aan wat hij voor me betekende. Ik moest aan onze studententijd in Durham denken: de zuippartijen, de wandelingen door de heuvels, de lange gesprekken tot diep in de nacht. Toen wist ik al dat de vriendschap duurzamer zou zijn dan welke vriendschap die ik ooit zou sluiten. Ik had niet verwacht dat we uiteindelijk met elkaars schoonzus zouden trouwen, maar toen het eenmaal zo uitpakte, leek het ons niet meer dan logisch. In veel opzichten voelden we ons meer als broers dan echte broers. Het leek te zijn zoals het hoorde te zijn.

Dat was nu allemaal verleden tijd. Door jouw dood waren de draden die ons knusse kwartet bijeen hadden gehouden gebroken. De relaties waren gaan hellen en gekapseisd. Alles was uit het lood. Alles zat scheef. En daarom zat ik hier te wachten om het laatste stukje van de lus om onze nek te leggen. Uiteindelijk hoorde ik de auto niet eens. Ik moest te zeer in gedachten verzonken zijn geweest om het geluid tot me door te laten dringen. Het geluid van de sleutel in het slot rukte mijn aandacht weer naar het hier-en-nu. Ik sprong op en haastte me naar de hal.

Matt mompelde in zichzelf toen hij binnenkwam en de deur achter zich dicht trok. Vervolgens zag hij mij onzeker staan glimlachen. 'Tony,' zei hij met een brede grijns. 'Ik kon mijn ogen nauwelijks geloven toen ik je auto op de oprijlaan zag staan. Hoe lang ben je er al?'

'Ongeveer een uur.' Ik wierp een blik op de klok en zag dat het bijna twee keer zo lang was.

'Ik wist niet dat je de sleutel had.'

'Lucy heeft me de hare gegeven.'

'Heb je Lucy dan gesproken?'

'In Bournemouth, vanmorgen.'

'Ben je erheen gegaan? Is haar moeder er erg slecht aan toe? Als ik gedacht had dat het zo ernstig was...'

'Die maakt het prima.'

'Echt?'

'Echt.'

'Waarom blijft Lucy daar dan?'

'Omdat haar moeder niet de reden is dat ze daarheen is gegaan.'

Hij liet zijn tas vallen en keek me fronsend aan. 'Wat bedoel je?'

'Kom mee naar binnen. Ik... moet je iets zeggen.'

'Oké.' Hij volgde me de kamer in. 'Je praat echt in raadsels, Tony.'

Ik schonk nog een whisky in. 'Jij ook?'

'Zeg ik geen nee tegen.'

Ik schonk hem een flinke bel in, deed er een beetje water bij en gaf hem het glas.

'We kunnen drinken op het succes van *Pizza Prego* in de Verenigde Staten.'

'Ik betwijfel of je met mij überhaupt nog ergens op wilt drinken als je hoort wat ik je vertellen heb.'

'Zo erg kan het toch niet zijn?'

'Jawel.'

De frons die op zijn gezicht was blijven hangen werd dieper. 'Waar heb je het in godsnaam over?'

'Lucy.' Ik dwong mezelf om hem recht aan te kijken. 'En ik.'

'Pardon?'

'Het spijt me, Matt. Heus.'

'Wat spijt je?'

'We zijn verliefd op elkaar.'

Jij... en Lucy?'

'Ja.'

'Je maakt een geintje.' Zijn aarzelende glimlach was eerder smekend dan ongelovig. 'Niet dan?'

'Ik wou dat het zo was.'

'Jíj... en Lúcy?' herhaalde hij, alsof de betekenis van mijn woorden nu pas tot hem begon door te dringen. 'Dat... kan niet waar zijn.'

'Maar dat is het wel.'

'Nee, nee, dit is krankzinnig.'

'Misschien. Maar wel waar.'

'Dit is bespottelijk. Bedoel je... dat jij en Lucy... jij en mijn vrouw...'

'Er is geen eenvoudige manier om het uit te leggen. We hebben het niet gepland. We hebben het niet gewild. Het is gewoon... gebeurd.'

'Wat is er gebeurd?'

'Dat probeer ik je nou juist te vertellen. We zijn verliefd op elkaar geworden.'

'Verlíefd? Ik geloof er niks van. Dat kan niet.'

'In godsnaam, Matt, luister even naar me. Dit is het ergste wat ik je ooit heb moeten zeggen, wat ik ooit tegen wie dan ook heb moeten zeggen. Toen jij in New York was, beseften Lucy en ik...' Ik staarde hem aan in de hoop dat ik het niet hoefde te spellen. 'Dat we elkaar nodig hadden.'

'Ben je met haar naar bed geweest?' Op het laatst geloofde hij me. Op zijn gezicht streden angst, afschuw en weerzin om voorrang. En opeens wenste ik uit de grond van mijn hart dat ik zijn ongeloof kon herstellen. 'Ik had nooit kunnen dromen... in geen miljoen jaar...'

'Ik ook niet.'

'Jij bent mijn vriend. Mijn beste, oudste, meest vertrouwde vriend.' Hij leek ieder woord op een goudschaaltje te leggen. We bevonden ons op een plek waar vriendschap niet tegen bestand was. Op een schandelijke kronkelplek van te veel kennis en te weinig zekerheden. 'Godallejezus.' Hij liet zich langzaam in een leunstoel zakken en bleef met gerimpeld voorhoofd op het puntje zitten. Hij zette het glas op de grond en hield zijn handen voor zijn mond. Daarna hief hij zijn hoofd en keek hij me aan en begreep ik voor het eerst hoe doortrapt en onvergeeflijk het was wat ik hem had aangedaan. Het was erg genoeg dat Lucy een relatie had. Maar dat ze die met mij had, was het toppunt. Daarmee stond zijn hele wereld op z'n kop. 'Hoe kon je?' mompelde hij.

'Ik weet het niet. Ik...'

'Hoe kon je... Na al die tijd... Na al die jaren?' Hij leek het echt totaal niet te vatten. 'En dan hierheen komen... Terwijl zij zich schuilhoudt in Bournemouth... En doodleuk te zeggen...' Hij stond zo plotseling op dat ik even dacht dat hij me ging bespringen. Maar hij stevende de kamer door en naar buiten.

'Matt!

Hij reageerde niet. Ik ging hem achterna. Hij liep naar de keuken. Ik volgde hem de trap af en de deur door en zag hem een stukje papier van het boodschappenbord bij de koelkast trekken. Daarna rukte hij de telefoon van de haak en toetste een nummer in.

'Wie bel je?'

Hij negeerde me, maar ik kreeg mijn antwoord gauw genoeg. 'Mevrouw Prior alstublieft,' zei hij tegen de receptionist. 'Zij logeert bij u... Wat?... Ik ben haar man... Ja... Dank u...'

'Ze wilde met me meekomen, Matt. Ik wilde met alle geweld alleen gaan. Hier schieten we niets mee op. Hang op, dan praten we dit uit.'

Maar hij bleef me negeren. Vervolgens nam Lucy de telefoon in haar kamer op, ongetwijfeld in de hoop dat ik degene was die haar belde. 'Lucy? Met mij... Ja... Hij is hier nu... O, ja, hij heeft het verteld... Wat denk je?... Zeg dat het niet waar is, Lucy. Zeg dat dit niet gebeurt... Wat?... Is dat alles wat je kunt zeggen?... Ik hou van je, en ik dácht dat jij ook van mij hield... Wát?... Vanwege... Dáárom?... O, nee, dat is gewoon te....' Zijn stem brak.

Zijn hele gezicht verkreukte. Hij drukte zijn vrije hand tegen zijn voorhoofd en kneep zijn ogen dicht, alsof hij tegen zijn tranen vocht. Er ontsnapte een snik. Daarna slaakte hij een verstikte kreet van pijn. Hij gooide de hoorn op de haak en draaide zich met een ruk naar mij om. 'Hoe lang?' zei hij met gesmoorde stem. 'Hoe lang is dit al aan de gang?'

'Dat heb ik al gezegd. Het is begonnen toen jij in New York zat.'

'Daar geloof ik niets van. Volgens mij is het al veel langer aan de gang.'

'Nee.'

'Sinds voor Marina's dood, denk ik.'

'Kom op, Matt. Je bent in de war. Dat is belachelijk en dat weet je best.'

'Ja.' Hij kneep zijn ogen samen. 'Dat verklaart alles. Nu begrijp ik het. Het past allemaal als een legpuzzel in elkaar. Dat was jij, hè? Van meet af aan.'

'Hier schieten we niets mee op.'

'Dat kwam jou wel uit, hè? Dat Marina verongelukte? Precies in je straatje. Een mooie kans om de ene zus voor de andere in te ruilen.'

'Zo is het niet gegaan. Dat weet je best.'

'Heb je haar een handje geholpen met die val?'

Even was ik sprakeloos. Dit was het laatste wat ik had verwacht. Hij was boos en daar had hij het volste recht op. Maar in feite beschuldigde hij me van moord, dat ik jóú had vermoord. En dat recht had hij niet.

'Jij denkt dat je heel slim bent, hè Tony? Jij en Lucy? Mijn god, hoe heb ik zo blind kunnen zijn?'

'Het is vorige week begonnen, en dat is de waarheid.'

'Nee, dat is gelogen. Een gore leugen.'

'Ik ben hier vandaag gekomen omdat geen van ons beiden het kon verdragen om je te blijven bedriegen. Je bent van je stuk. Natuurlijk ben je van je stuk. We hebben je gekwetst. Dat was niet de bedoeling, maar dat is toch zo. Maak het niet nog erger door...'

'Je leugens terug in je strot te duwen?' Zijn starende ogen waren groot en bloeddoorlopen. Hij geloofde geen woord van wat ik zei. 'Je boft dat ik niets kan bewijzen, hè?'

'Je slaat wartaal uit.'

'O, nee hoor. Je vindt het gewoon niet leuk om dit te horen.'

'Ik weet niet waar je het over hebt.'

'Ik wou dat ik dat kon geloven.'

'Dat kun je.'

'O ja?' Hij stopte. Zijn woede scheen een tikje af te nemen. Hij was nog steeds argwanend, maar niet meer zo overtuigd van de een of andere ingebeelde samenzwering. 'Het is mogelijk, dat geef ik toe. Het zou nét mogelijk kunnen zijn.' Daarna ging zijn hoofd weer op hol. 'Ze heeft jou er ook ingeluisd, hè? Ze heeft zowel jou als mij maar wat voorgelogen. Ze heeft iedereen besodemieterd.'

'Hier moet je mee stoppen, Matt.'

'Nee. Jij bent degene die moet stoppen, Tony. Jij moet stoppen haar te geloven.'

'Ik hou van haar.'

'Dan heeft ze je precies waar ze je hebben wil. Ze heeft je ingepalmd. En nu gaat ze je weer uitkotsen.'

'Je weet niet wat je zegt. Alles wat je zegt is buiten proporties.'

'Ik weet precies wat ik zeg. Vertrouw haar niet, Tony. Geloof geen woord van wat ze zegt.'

'Ik ga niet meer naar deze idiotie luisteren.' Ik draaide me om naar de deur. 'Morgen praten we verder. Als je wat rustiger bent.'

'Morgen?' riep hij me na toen ik de trap opliep. Ik beefde inmiddels zelf van woede, en ook van het schuldgevoel dat de woede alleen maar erger maakte. 'Misschien ben ik hier morgen niet meer.'

Maar dat zou hij wel zijn. Dat wist ik zeker. Hij kon nergens anders heen. En het zou niet al te lang duren voordat hij weer bij zinnen zou zijn en spijt van zijn uitbarsting zou krijgen. Dat wist ik ook zeker. We waren tenslotte oude vrienden. Ik kende hem bijna even goed als ik mezelf kende.

'Luister naar me zolang je dat nog kunt!' riep hij.

Maar op dat moment was het duidelijk wat me te doen stond. En dat was niet naar hem luisteren. Ik liep door de hal naar de voordeur, maar voordat ik daar was, begon de telefoon te rinkelen. Hij rinkelde nog steeds toen ik de deur met een klap achter me dichttrok en met grote stappen naar de auto liep.

Ik kwam niet verder dan het eind van de oprijlaan voordat het berouw me had ingehaald. Ik stopte, draaide het raampje omlaag en ademde de koele avondlucht diep in. Waar was ik in godsnaam mee bezig? Hoe had ik de situatie zo vreselijk uit de hand kunnen laten lopen? Matt was in shock. Hij was niet verantwoordelijk voor wat hij allemaal zei. Hij meende er geen woord van. Hij beschuldigde Lucy of mij niet echt ergens van, behalve van wat ik hem al had bekend. Ik had moeten weten dat hij wild om zich heen zou gaan trappen. Ik had hem de ruimte moeten geven. Wat ik niet had moeten doen was driftig worden en hem de rug toekeren.

Ik weet niet hoelang ik daar bleef zitten om te besluiten of ik naar hem terug moest gaan of niet. Het risico was dat ik het alleen maar erger zou maken. Maar ik hoefde maar te denken aan de toestand waarin ik Matt had achtergelaten om te beseffen dat dit risico waarschijnlijk de moeite waard was om genomen te worden. Uiteindelijk leek me er niets anders op te zitten dan terug te gaan.

Ik startte de motor en wilde net buiten het hek een U-bocht maken, toen ik in mijn zijspiegeltje Matts auto met grote snelheid op me af zag komen. Hij raasde me voorbij, remde te laat en scheurde vrijwel op twee wielen door de bocht het weggetje op. Instinctief ging ik achter hem aan.

Hij was linksaf geslagen naar het oostelijke uiteinde van het schiereiland een kleine twee kilometer verderop en alleen een paar akkers en struikgewas scheidden hem van die kaap. Voordat je aan het eind van de weg was, stond er een hek om te voorkomen dat mensen naar de rand van het water zouden rijden. Matt reed met grote snelheid een doodlopende weg af. Ik gaf vol gas, maar hij liep nog steeds op me uit. Vervolgens verdween hij om de volgende bocht uit het gezicht.

Op het moment dat ik de bocht zelf nam, zag ik Matt weer voor me uit rijden, en ik zag ook het hek verderop. Waarschijnlijk besefte ik toen pas wat hij van plan was. Hij raakte het hek als een stormram, mikkend op het zwakste punt waar de twee helften met een hangslot aan elkaar zaten. Ze barstten open en de auto steigerde en helde over van de klap. Daarna was hij er met slippende achterbanden doorheen terwijl hij zijn uiterste best deed om de macht over het stuur te herwinnen. Toen dat lukte, gaf hij weer plankgas.

Ik laveerde tussen de wrakstukken van het hek door en vloog over de laatste heuvel voor het meer. Het water was een grauwe, door de wind gegeselde massa waarin het weggetje abrupt afdaalde aan de rand van het struikgewas waar ik Rainbird was tegengekomen. Ooit had het door de velden naar Normanton gelopen. Recht voor me zag ik de kerk aan de overkant. Nu ging het weggetje nergens meer heen behalve onder water.

Matt ging steeds harder de heuvel af, in de richting van het meer. Vanaf het eind van het weggetje liep een ponton voor vissers het water in. Die ponton was te smal voor een auto, maar Matts snelheid was zo hoog toen hij hem bereikte dat zijn vaart hem op twee wielen tot halverwege de ponton bracht voordat de wagen eraf kieperde, in het water stortte en het gebrul van de motor plaatsmaakte voor een sissend gegorgel toen hij door zijn eigen boeggolf werd verzwolgen.

Ik bleef zo hard rijden als ik durfde, trapte vervolgens op de rem en kwam vlak voor de rand van het water tot stilstand. Matts auto was al uit het gezicht verdwenen en grote luchtbellen stegen een meter of tien voorbij het eind van de ponton naar de oppervlakte om de plek aan te geven waar hij was gezonken. Ik sprong uit de auto, rende over de ponton en dook in de kolkende luchtbellen.

De schok van het koude water trof me vlak nadat ik kopje onder was. Het was donkerder en stiller dan ik voor mogelijk hield zo dicht bij de oppervlakte, en mijn handen voelden het dak van de auto voordat ik hem zag. Toen ik mezelf naar de bestuurderskant trok, zag ik dat de raampjes open stonden. Matt had geen reddende luchtbel gewild. Hij had een snel einde voor ogen gehad. Maar dat betekende ook dat ik hem zonder moeite kon bereiken. Ik zag hem in zijn gordels over het stuur gezakt, maar hij scheen zich niet van mij bewust. Hij leek zich nergens van bewust. Zijn ogen waren dicht. Zijn mond was open. Hij was bezig voor mijn ogen te verdrinken. Ik stak mijn arm door het raampje om de gesp van de gordel te bereiken.

Opeens gingen zijn ogen open. Hij staarde me aan. Daarna greep hij mijn arm en trok me in de auto. Ik probeerde me aan de deurlijst vast te houden, maar hij was te sterk voor me. Mijn hand slipte weg en ik rolde over het stuur. Een lang, gedempt moment was zijn gezicht vlak bij het mijne. Hij probeerde iets te zeggen. Luchtbellen stroomden uit zijn mond. Ik worstelde om me om te draaien. Hij verstevigde zijn greep. De hoeveelheid lucht in mijn longen begon uitgeput te raken. Ik stak mijn vrije hand uit naar het portier aan de passagierskant in de hoop mezelf los te trekken en via die kant te kunnen ontsnappen. Maar mijn vingers raakten massief glas. De raampjes aan die kant zaten dicht. Ik greep de hoofdsteun van de passagiersstoel en probeerde me af te zetten, maar het was te laat. Ik kon mijn adem geen seconde meer inhouden. Ik deed mijn mond open.

En schreeuwde. Ik zat in de huiskamer van Otherways. Die was waarachtig echt en tastbaar. Het avondlicht was kristalhelder. De lucht was koel en bijna geurig, toen ik kalmerende hoeveelheden naar binnen zoog. Ik keek op de klok. Het was nog geen zeven uur. En Matt was nog niet thuis. Ik had gedroomd. Anders niet. Het was maar een droom. Meer niet.

Maar ook niets minder. En hij leek van geen kant op wat ik ooit eerder had gedroomd, zelfs niet in dat huis. Ieder woord en elk detail had zich scherper in mijn geest geëtst dan welke herinnering ook: duidelijk en onvergetelijk. Het had niet eens als een droom aangevoeld. Ik had niet eens het gevoel dat ik had geslapen. Hoe had ik dat trouwens gekund? Ik was vervuld geweest van angstige zorgen en mijn gedachten hadden het verleden en de toekomst afgeschuimd op zoek naar...

Ik keek weer op de klok. Nog geen zeven uur. Het had tegen achten gelopen toen Matt was binnengekomen. In mijn droom. Als het tenminste een droom was geweest. Nog een uur dus. Een stukje toekomst. Gefantaseerd, of reeds beleefd. Dat was onmogelijk. Dat kon gewoon niet. Dat zou ik althans gezegd hebben: ooit, op een andere plek. Het was krankzinnig. Verbeelding. En dat kon ik vrij gemakkelijk bewijzen. Ik hoefde alleen maar af te wachten. Tot Matt thuiskwam. Hoe laat dat ook zou zijn. En dan...

Maar ik keek wel uit, ik ging niet wachten. Ik moest de spelregels zien te veranderen. Ik kon het hem niet daar vertellen. Niet die avond. Niet na wat ik net had gezien en gehoord. De pijn die ik op zijn gezicht had gelezen, was nu een deel van mij. Misschien was het allemaal wel van eigen maaksel geweest: de boze droom van een nog bozer geweten. Maar ik kon daar niet blijven om erachter te komen. Dat was het enige wat ik zeker wist. Ik moest daar weg.

Ik vertrok in een plotselinge, blinde paniek; in een angstaanval zoals ik nog nooit had meegemaakt. Maar die nam snel af en verdween zodra ik de oprijlaan afreed. Ik nam gas terug, stopte en dwong mezelf hard en rationeel na te denken. Daarna reed ik weer verder, sloeg linksaf naar de oever van het meer via de weg naar nergens.

Het hek stond nog over het weggetje: op slot en intact. Ik liet de auto daar staan en liep door naar de plek waar de weg het water raakte. Er was niets te zien. De ponton was verlaten en het uitzicht op het meer en de lucht grauw en saai. Golfjes, veroorzaakt door de wind, kabbelden kalmpjes tegen het asfalt. Ik staarde naar de plek waar ik de luchtbellen uit Matts gezonken auto had zien opstijgen. Wat een levendige, echte droom. Maar geen feit. Nog niet.

De tijd verstreek. Ik weet niet hoelang ik daar stond. Daarna liep ik terug naar de auto en reed ik in de richting van Hambleton. Ik passeerde de ingang van Otherways zonder een blik opzij te werpen. Ik wist niet eens waar ik heen ging of wat ik ging doen. Er moest een antwoord zijn. En dat moest ik zien te vinden.

Toen ik gas terugnam voor de bocht bij Hambleton Church, kwam Matts auto me tegemoet. Daar was hij dan. Zijn gezicht was uitdrukkingsloos en hij had zijn blik recht voor zich op de weg. Daarna was hij me voorbij. Hij had opzij kunnen kijken en me kunnen zien. Eén blik was voldoende geweest. Maar dat had hij niet gedaan.

Ik stopte bij de kerk en zag zijn auto in mijn spiegeltje steeds kleiner worden toen hij buiten de bebouwde kom gas gaf in de richting van Otherways. Daarna keek ik op het dashboardklokje. Het was zeven minuten voor acht.

Ik reed naar Oakham en nam een bed voor de nacht in de Whipper-In. Zodra ik op mijn kamer was, pakte ik de telefoon van de haak en zag met een merkwaardige, onthechte nieuwsgierigheid de trilling in mijn hand toen ik de hoorn vasthield. Ik had Lucy willen bellen, maar voordat ik halverwege het nummer was, stopte ik en ik legde de telefoon langzaam weer terug. Ik kon haar niets zeggen dat niet krankzinnig of slap zou klinken. Ik kon haar altijd nog bellen om te zeggen dat Matt niet was komen opdagen en ik had besloten om het tot de volgende ochtend uit te stellen. Maar nu nog niet. Daar was het te vroeg voor. Ik ging naar de bar beneden en bestelde iets te drinken.

Ik stond te wachten terwijl de barkeeper inschonk, toen ik iets langs mijn elleboog voelde strijken en ik besefte dat Norman Rainbird naast me stond.

'Goeienavond, Tony,' grijnsde hij. 'Wat een fortuinlijk toeval. Maar geen zuiver toeval, want ik zag je auto voor staan.'

'Wat moet je?'

'Dat is erg vriendelijk van je. Doe maar een jus d'orange. Met een tikje tonic.' De barkeeper knikte dat hij het had gehoord en ik miste de fut om er een stokje voor te steken. 'Ik moet zeggen dat ik ervan opkijk om je hier te zien.'

'Hoezo?'

'Omdat ik ervan uitging dat je contact met me zou opnemen zodra je uit Schotland terug was. Tenzij je natuurlijk net terug bent en je afvroeg hoe je me moest bereiken. Ik weet dat het niet altijd makkelijk is om Maydew House te bellen. Ik had je eigenlijk het nummer van mijn mobiele telefoon moeten geven, maar het exorbitante tarief maakt me zo nijdig, zelfs als iemand anders betaalt.'

Het laatste waar ik op zat te wachten was een dosis dubbele bodems van die snaterende Rainbird. De snelste manier om me van hem te ontdoen, was duidelijk maken dat ik hem niets te vertellen had. Maar op de een of andere manier betwijfelde ik of hij me zou geloven. 'Ik kreeg niet thuis bij Strathallan. De hele reis was voor niets.'

'Wat heeft je dan zo opgehouden? Je bent vier dagen weggeweest.'

'Ik moest naar Londen.'

'En wat heeft dat opgeleverd?'

'Niets.'

'Waarom doe je me geen plezier met de hoed en de rand? Je ziet er niet echt uit als iemand die bot heeft gevangen. Ik durf er iets om te verwedden dat je meer hebt gevonden dan je zocht.'

'Dan zou je de weddenschap verliezen.'

'Integendeel. Ik win mijn weddenschappen altijd. Welnu...' Hij liet zijn stem dalen. 'Waarom trekken we ons niet terug aan een hoektafeltje om de bijzonderheden van je ontdekkingsreisje uit te benen?'

'Ik zit hier best.'

'Geloof me maar. Er zijn een paar dingen die ik met je wil doornemen en die een zekere mate van... privacy vereisen.'

Uiteindelijk had ik geen zin om er iets tegen in te brengen. We gingen naar hetzelfde tafeltje waar ik hem de eerste keer had aangetroffen toen we daar hadden afgesproken. Er stond een onzichtbaar kaartje op met *Gereserveerd voor Rainbird.*

Omdat het voor de hand lag dat James Milners bekentenis hetgeen was waarop Rainbird de hand wilde leggen, beperkte ik me tot de feiten daaromtrent en hield verder mijn mond. Twee vruchteloze ontmoetingen aan beide uiteinden van het land – met Strathallan en Fisher – waren de enige kwesties waarover ik hem vertelde. Lissabon – en Cristina Pedreira – hield ik voor me. Rainbird keek verre van tevreden. Maar hem tevredenstellen stond niet boven aan mijn prioriteitenlijstje. Ik snakte naar tijd en ruimte om na te denken over wat er die avond op Otherways was gebeurd. Rainbird was maar een luis in mijn pels. Lastig om kwijt te raken misschien, maar meer ook niet.

'Ik ben een teleurgesteld mens,' zei hij toen ik uitgesproken was.

'Dat zei ik toch?'

'Niet omdat je maar zo weinig te weten bent gekomen, maar omdat je schijnt te denken dat ik goedgelovig genoeg ben om aan te nemen dat dat alles is wat je boven water hebt gekregen.'

'Zet je vraagtekens bij mijn eerlijkheid, Norman?'

'Nee. Vraagtekens veronderstellen twijfel. Die heb ik niet. Je speelt domweg geen open kaart.'

'O nee?' Ik was te moe en te afwezig om te happen. In zekere zin was ik blij dat hij had gezegd dat hij me niet vertrouwde. Dat maakte het me makkelijk om een eind aan ons onderonsje te maken. 'Nou, dan zijn we uitgepraat, hè?'

Ik was half uit mijn stoel, toen hij zo zachtjes en nadrukkelijk: 'Ga zitten' zei, dat ik tot mijn eigen verrassing gehoorzaamde. Zijn blik was kil en hard geworden en zijn grijns een litteken van opgegeven hartelijkheid. 'Wat jou ontbreekt is een aanmoedigingspremie, Tony. Toevallig heb ik die voor je.

Als je gehoord hebt wat ik je te vertellen heb, denk ik dat je het met me eens zult zijn dat je je geen betere had kunnen wensen.'

'Dat betwijfel ik.'

'Laat me alsjeblieft uitspreken. Mevrouw Prior is momenteel niet thuis, begrijp ik.'

'En?'

'Is er sprake van onmin met meneer Prior?'

'Nee. Geen sprake van. En als dat wel zo zou zijn, zou dat jouw zaak niet zijn.'

'Ik heb een levendige belangstelling voor de levensvatbaarheid van onze nationale instituten, waarvan het huwelijk er een is. Ik raak altijd van mijn stuk als ik hoor dat zo'n verbintenis op het spel staat, en misschien wel des te meer omdat ik nooit het genoegen heb gesmaakt om de liefde en kameraadschap te proeven van...'

'Kun je niet ter zake komen?'

'Heel goed.' Hij verviel tot *sotto voce*. 'Jij en mevrouw Prior hebben een overspelige relatie.'

'Wat?'

'Je hebt me best gehoord. En dat feit is ons beiden bekend, dus je ongelovigheid – of liever gezegd je armzalige poging tot – is overbodig.'

'Wacht eens even...'

'Tot je de volgende logische redenering hoort, Tony. Die zal je de komende dagen en weken goed van pas komen. De dagen en weken van onze nauwe samenwerking.' Hij gunde zich een korte pauze voor het effect. 'Ik heb de gelegenheid die je me twee weekeinden geleden enigszins zorgeloos hebt verschaft om een kijkje in Otherways te nemen, te baat genomen om afluisterapparatuur in de voornaamste vertrekken te verstoppen. Het is goed om op de hoogte blijven van de nieuwste technologie. In het rijk van de geheime surveillance schijnt die geen grenzen te kennen. Het opgenomen materiaal is van zeer hoge kwaliteit. Uiterst expliciet, mag je wel zeggen. Vandaar mijn heldere inzicht in hoe de zaken er tussen jou en mevrouw Prior voorstaan.'

Hij had het mis wat mijn ongeloof betreft. Die was niet gespeeld. Ik kon mijn oren echt nauwelijks geloven. Een luis in mijn pels? Het leek eerder een olifant die op me zat. En het ergste was dat ik in de halfvolle bar van de Whipper-In mijn stem niet eens kon verheffen om te protesteren. Rainbird had mijn volledige aandacht. Of ik hem die nu gunde of niet.

'Ik heb het volste vertrouwen in je, Tony. Jij bent ofwel reeds in het bezit van James Milners bekentenis, of je maakt een heel vlotte kans om die te pakken te krijgen. Een vlottere kans dan ik, dat staat vast. Nu heb je ook nog een dringend motief. In die zin bewijs ik je een dienst. De hazewind rent niet zonder de haas. Dus hier heb je de haas, gebraden en wel. Of liever gezegd, op de band. Matthew Prior is je beste en oudste vriend. Dat heb je zelf gezegd. Dat heb ik je hóren zeggen. Wil je dat hij je dat ook hoort zeggen? Natuurlijk zal het daar niet bij blijven. Hij zal ook minder opbeurend materiaal te horen krijgen. Het kan niet aangenaam zijn voor een man om te horen hoe zijn vrouw tot een hoogtepunt wordt gebracht door zijn beste en oudste vriend. En wat ze wil, hoe ze het wil en waar ze het wil. Mevrouw Prior neemt geen blad voor de mond, hè? En wat een mond. Ik moet bekennen dat ik me heel afgunstig voelde toen ik...'

'Hou je bék!' Ik kon niet langer zwijgen. Het kon me niet schelen of mijn luidruchtige interruptie de aandacht van de andere klanten in de bar had getrokken. 'Hou gewoon maar je gore bek.'

'Volgens mij heb ik geen profaan woord geuit, Tony,' zei Rainbird vriendelijk. 'Ik heb je gewoon de feiten voorgelegd en er mijn volmaakt redelijke interpretatie aan toegevoegd. Maar aangezien de details van de situatie je van je stuk blijken te brengen, moeten we maar tot de kern van de zaak komen. Je krijgt één week om me James Milners bekentenis te bezorgen. Het origineel, wel te verstaan, geen kopie. Zo niet, dan zal ik zorgen dat de heer Prior een bandje krijgt met wat je noemt de geredigeerde hoogtepunten van het leven op Otherways ten tijde van zijn reis naar New York.'

'Ik heb geen idee hoe ik aan Milners bekentenis moet komen,' zei ik tandenknarsend. 'Als hij nog bestaat, heeft zijn broer hem waarschijnlijk.'

'Een interessante hypothese. Misschien is een budgetreisje naar Moskou geboden. Vergeet niet een badstop mee te nemen.'

'Ik ga niet naar Moskou, noch waar dan ook omdat jij dat zegt.'

'Moet ik dat opvatten als een rechtstreekse weigering van mijn voorstel?'

'Je kunt het opvatten als een rechtstreekse weigering om te worden gechanteerd.'

'Moet je er niet minstens een nachtje over slapen?'

'Misschien hoef ik dat niet.' Ik toverde een naar mijn mening zelfverzekerd lachje te voorschijn. 'Misschien kan het me niets schelen wat je doet.'

'Je geregistreerde zorgelijkheid over meneer Priors reactie op het nieuws over de relatie van zijn vrouw met jou ondersteunen die hypothese nauwelijks. Zelfs al ben je van plan hem de waarheid te vertellen, dan zal het bandje alsnog een overbodige hoeveelheid zout in de wonde betekenen, iets wat je hem zou moeten besparen. Hij is een liefhebbende, sterker nog: slaafse echtgenoot. Bovendien is hij je beste vriend. Wat gaat die wrede desillusie precies bij hem teweegbrengen, Tony? Dat zul je jezelf moeten afvragen.'

Dat hád ik al gedaan. En het ergste was dat ik het antwoord al wist. Het zou hem kapot maken. Ik had het die avond met eigen ogen op Otherways gezien. 'In godsnaam, Norman. Ik kan niet doen wat je van me verlangt.'

'Je kunt het proberen. En je kunt een schietgebedje doen dat vergeefse inspanning jouwerzijds mij de hand over mijn hart zal laten strijken. Maar daar zou ik niet op rekenen. De bezorging van de bekentenis binnen een week is je enige echte kans op verlossing.'

Zou het? In het onwaarschijnlijke geval dat het me zou lukken, hoe kon ik er dan op rekenen dat hij niet met een volgende eis zou komen? Ik had het afschuwelijke gevoel dat ik geen schijn van kans had. 'Waarom wil je die bekentenis zo graag, Norman?'

'Ga hem maar zoeken, dan zul je het antwoord op die vraag misschien ook wel vinden.'

'Jij bent net zo goed toegerust als ik om hem op te sporen.'

'*Au contraire.* Jij ben een insider op Otherways geworden. Alle medespelers in dit drama zullen naar jou luisteren. Deuren die voor mij gesloten zijn, zullen voor jou opengaan. Hetzelfde geldt voor harten en hoofden. Nee, nee. Jij bent de aangewezen man voor deze klus, Tony. Ik reken erop dat je zult slagen.'

'Je bent gek.'

'Dat heb ik dikwijls zelf gedacht over mensen voor wie ik heb gewerkt. Ik was niettemin verplicht om ze te gehoorzamen, net als jij nu.'

'Ben ik dat echt?'

'Ik denk het wel, tenzij je nog genadelozer bent dan ik denk.' Daar had hij gelijk in, de schoft. Dit was iets waarvoor ik niet weg kon lopen. 'O, dat was ik bijna vergeten.' Hij haalde een stukje papier uit zijn zak, krabbelde er iets op en schoof het over tafel naar me toe. 'Het nummer van mijn mobiele telefoon. Het kan zijn dat je me dringend moet spreken. Voel je vrij om dat te doen zodra je vooruitgang hebt geboekt. Of zelfs als je om tactisch advies verlegen zit. Als ik in de tussentijd niets van je hoor, verwacht ik je over een week.' Hij dronk zijn glas leeg. 'Zelfde tijd, zelfde plek?'

Het was bijna donker toen Rainbird wegging. Ik wandelde door de straten van Oakham, die zo stil waren als een kerkhof, en probeerde een uitweg te vinden uit de val waarin hij me had gevangen. Ik was moe, maar mijn hersens gunden me geen rust. Er was geen uitweg. Ik kon redeneren wat ik wilde, een ander antwoord op zijn ultimatum dan me erbij neerleggen had ik niet. Aan de andere kant had ik geen realistische hoop op het vinden van de bekentenis, en kon ik er amper op rekenen dat Rainbird me los zou laten als ik dat wel deed. Dat liet me nog maar één mogelijkheid: Matt de waarheid vertellen, hem zo goed en zo kwaad als het ging over de schok heen helpen, Rainbird zo lang mogelijk aan het lijntje houden en een schietgebedje afsteken dat Matt het ergste achter de rug had als en wanneer hij het bandje zou horen. In mijn droom had ik hem de waarheid al verteld, met gevolgen die te erg waren om bij stil te staan. Maar die konden niet erger zijn dan wanneer ik hem door Rainbird liet inlichten over de kwestie. Ik kon het ook niet uitstellen zonder Lucy iets over het bandje te vertellen, tenzij ik uitlegde dat de een of andere droom me ervan had overtuigd dat het te riskant was om ons oorspronkelijke plan ten uitvoer te leggen, waardoor ze terecht aan mijn verstandelijke vermogens kon twijfelen. Ze kon me ook terecht verwijten dat het bandje überhaupt bestond.

Het zou vrij makkelijk zijn geweest om zelf aan mijn verstandelijke vermogens te twijfelen. Maar voorschouw – als dat tenminste was wat mijn droom vertegenwoordigde – gaf me een kostbare voorsprong om me aan vast te klampen. Ik wist al een paar fouten die ik waarschijnlijk zou maken. Ik was niet van plan ze in het echt te maken. De volgende keer zou het anders gaan.

'Hallo.'

'Matt, met Tony.'

'Tony. Ben je thuis? Ik heb een paar keer gebeld maar er werd niet opgenomen.'

'Ik ben weg geweest.'

'O ja? Ik dacht dat je was vertrokken omdat er een koper voor Stanacombe was.'

'Er was geen koper.'

'Dan moet Lucy je verkeerd begrepen hebben. Ik zou het haar wel kunnen vragen, maar ze zit momenteel in Bournemouth. Het gaat helemaal niet goed met haar moeder.'

'Haar moeder maakt het prima.'

'Pardon?'

'Luister, kan ik je spreken? Vanavond?'

'Spreken? Waar zit je dan?'

'In Oakham.'

'Nou, waarom kom je dan niet gewoon hierheen? Dat had je hoe dan ook kunnen doen. Je hoefde niet te bellen.'

'Ik wil je niet op Otherways spreken.'

'Waarom niet in hemelsnaam?'

'Dat is te ingewikkeld om uit te leggen. Kun je over een halfuur hier op het station in Oakham zijn?'

'Op het station? Heb je je auto niet?'

'Die heb ik wel, maar daar gaat het niet om.' Waar het wel om ging zou hem krankzinnig in de oren hebben geklonken als ik een poging had gedaan om het uit te leggen. Ik moest hem – en mezelf – zien weg te krijgen van Otherways en Rutland Water. Ik moest zien dat we elkaar op neutrale, onbehekste grond konden spreken. 'Kun je daarheen komen, Matt? Het is echt heel belangrijk.'

Toen ik aankwam op het station, waren de laatste treinen in beide richtingen al vertrokken. Het loket was dicht en de perrons waren verlaten. Ik ging op de voetgangersbrug over de spoorwegovergang staan kijken naar de rails die stil in het lamplicht lagen te glimmen, en hoorde ergens in de nacht een hond blaffen. Het geluid werd met tussenpozen onderbroken door auto's die over de overgang ronkten. Daarna zag ik een gestalte langzaam over perron-zuid mijn kant op komen. Ik hief mijn hand en Matt zwaaide terug.

'Was dit uitstapje echt nodig?' vroeg hij met een glimlach toen hij boven was.

'Ik ben bang van wel.'

'Je klinkt serieus.'

'Dat ben ik ook.'

'Herken je die seinpost?' Hij knikte ernaar.

'Hoe bedoel je?'

'Hornby heeft zijn spoorwegmodel gebaseerd op de post van Oakham. Toen ik klein was, had ik er eentje bij mijn speelgoedtreintje. Had jij een Hornby-stel?'

'Nee, dat had ik niet.'

'Ik heb altijd gezegd dat je een achterstandsjeugd hebt gehad.'

'Ik wou dat het waar was. Dan kon ik die misschien als excuus gebruiken.'

'Waarvoor?'

'De manier waarop ik me heb gedragen.'

'Wat is er mis met de manier waarop je je hebt gedragen?'

'Alles.'

'Waar heb je het in godsnaam over?' Nu klonk hij ironisch. Zijn toon was volslagen anders. Maar de huiveringen liepen me over de rug bij de echo van zijn woorden in mijn herinnering aan mijn droom op Otherways. Ik had een andere locatie gekozen. En een ander tijdstip. Maar ik had niet alles kunnen veranderen. Wat ik hem te vertellen had bleef hetzelfde.

'Lucy,' zei ik dof, en gehoorzaam aan de logica van zijn vraag. 'En ik.'

'Pardon?'

'Het spijt me, Matt. Het spijt me echt.' Ik draaide me naar hem toe en keek hem aan. Mijn gedachten tuimelden over elkaar heen om het gesprek dat we al hadden gevoerd te reconstrueren en tegelijkertijd te deconstrueren. 'Lucy en ik... zijn verliefd op elkaar.'

'Jij... en Lucy?'

'Ja.'

'Je maakt een geintje.'

'Ik wou dat het waar was.'

'Jíj... en Lúcy?' herhaalde hij, net als de eerste keer; létterlijk zelfs. 'Dat... kan niet waar zijn.'

'Maar dat is het wel.'

'Nee, nee, dit is krankzinnig.'

'Ja. Krankzinnig én waar.'

'Dit is bespottelijk. Bedoel je... dat jij en Lucy... jij en mijn vrouw...'

'Er is geen eenvoudige manier om het uit te leggen. We hebben het niet gepland. We hebben het niet gewild.' Dit schenen nog altijd de beste woorden te zijn die ik kon vinden. 'Het is gewoon... gebeurd.'

'Wat is er gebeurd?'

'We zijn verliefd geworden.'

'Verlíéfd geworden? Ik geloof er niks van. Dat kan niet.'

'In godsnaam, Matt, luister naar me.' Ik legde mijn handen op zijn schouders zodat we gedwongen waren elkaar aan te kijken. Ik klampte me letterlijk vast aan onze vriendschap om datgene op afstand te houden wat ik vreesde. Geen glibberige taal deze keer, hield ik mezelf voor. Zeg het hem recht voor zijn raap. 'Toen jij in New York zat, zijn Lucy en ik met elkaar naar bed geweest.'

'Wat?'

'We beseften dat we van elkaar hielden. Zo erg is het. En dat zou je in geen miljoen jaar gedroomd hebben, hè?'

Hij rukte mijn armen weg, wankelde achteruit, hield zich in evenwicht aan de balustrade en staarde me aan. Ik hoorde zijn ademhaling, snel en ondiep. 'Jij bent mijn vriend. Mijn beste, oudste, meest vertrouwde vriend.' Hij wendde zich af. 'Godallejezus.' En vervolgens kwam er nog een gedachte, zoals ik al wist: 'Hoe kon je?'

'Ik weet het niet. Maar...'

'Hoe kón je?' schreeuwde hij bijna. 'Na al die tijd, na al die jaren?' Het maakte niet uit hoe dikwijls hij die vraag stelde. Ik zou het antwoord altijd schuldig blijven. Hij zou het nooit krijgen. 'Een koper voor Stanacombe die uit het niets kwam vallen. Lucy's moeder ziek. Dat was allemaal niet waar, hè?'

'Luister...'

'En dan hierheen komen... Terwijl zij zich schuilhoudt in Bournemouth... En doodleuk zeggen...' Hij draaide zich met een ruk om. In zijn hoofd vormde zich al het plan om Lucy te bellen in de vage hoop dat zij zou zeggen dat alles in orde was en ik niet wist waar ik het over had. Het was het moment waarop ik had gewacht. Dit was mijn kans om in te grijpen.

'Stop!' Ik wierp mezelf op hem en drukte hem tegen de balustrade. Onze gezichten waren vlak bij elkaar. In zijn ogen las ik alle angst en afschuw en weerzin die ik op de een of andere manier in bedwang moest zien te houden. 'Luister naar me, Matt. Alsjeblieft, Lucy wilde met me meekomen. Ik wilde met alle geweld alleen gaan. Maar ik heb me vergist. We moeten dit samen uitvechten. Jij, ik én Lucy. We moeten eruit zien te komen. Je kunt haar nu niet gaan bellen. Daar is het te laat voor. De receptie van het hotel zal je op dit uur niet doorverbinden. Hoe kun je bovendien zoiets telefonisch met haar bespreken? Ga met de auto naar Bournemouth. Dat is de manier. We gaan samen. We reizen vannacht wel door.'

'Wij gaan nergens samen heen.'

'Het moet. Ik laat niet alles kapot gaan hierdoor.'

'Jammer dat je daar niet eerder aan hebt gedacht.'

'Ja. Dat is zo. Maar ik denk er nu aan, Matt. Ik denk aan jou. Geloof me.'

'Waarom zou ik?'

'Omdat ik je de waarheid heb verteld, hoe moeilijk ik dat ook vond.'

'O ja? Is het echt begonnen toen ik in New York zat?' Waarom twijfelde hij daar nou aan? Daar moest een reden voor zijn. En terwille van ons allebei moest ik daar achter zien te komen. 'Volgens mij niet, Tony.' Hij duwde me weg, maar week niet van zijn plek. De volgorde van de gebeurtenissen zoals ik die kende wankelde op de een of andere onzichtbare rand in de duisternis tussen ons in. 'Volgens mij is het al veel langer aan de gang.'

'Nee.'

'Sinds voor de dood van Marina.'

'Denk je soms dat ik haar een duwtje over de rand van de klif heb gegeven?'

'Misschien wel. Dat zou verklaren...'

'Ik híéld van Marina. Ik aanbád haar!' Nu schreeuwde ik, en ik liet hem horen en begrijpen dat die krankzinnige argwaan nergens op sloeg. 'Misschien heeft het feit dat ik haar heb verloren mij in staat gesteld om onze vriendschap te verraden, Matt. Dat kan best zijn. Lucy lijkt in zoveel opzichten op haar. Maar om te suggereren...' Ik liet mijn stem dalen. 'Het is vorige week begonnen. Dat is de absolute waarheid.'

'Ja?' Zijn woede zakte, zoals ik al eerder had zien gebeuren. 'Het is mogelijk, dat geef ik toe. Het zou nét mogelijk kunnen zijn.' En terwijl ik afwachtte, nam een nieuwe verdenking bezit van hem, zoals ik wist dat zou gebeuren. 'Ze heeft jou er ook ingeluisd, hè? Ze heeft zowel tegen jou als tegen mij gelogen. Ze heeft iedereen bedrogen.'

'Waar heeft ze over gelogen?' Daar waren we dan, bij de vraag waar naar mijn gevoel alles om draaide.

'Je weet het niet, hè? Je weet het echt niet.'

'Vertel op.'

'Ze heeft je precies waar ze je hebben wil.'

'En waar is dat dan, Matt?'

'Begrijp je dat dan niet?'

'Nee. Leg maar uit.'

'Zij heeft dit zo gepland. Stap voor stap, van meet af aan.'

'Wat gepland?'

'Om jou van Marina af te pikken.'

'Dat slaat nergens op en dat weet je. Dit zou allemaal niet zijn gebeurd als Marina niet was verongelukt. Dat kan Lucy niet bedacht hebben.'

'O nee?'

'Natuurlijk niet. Wat probeer je in hemelsnaam te insinueren?'

'Wat denk je?'

En op dat moment, in de stilte die ons eensklaps overweldigde, had ik mijn antwoord.

Een man met een hond aan de lijn liep langzaam over de spoorwegovergang beneden ons en keek op. De schakels van de ketting tinkelden zachtjes. De nacht was windstil, maanloos en geruisloos; een lege ruimte die zich naar alle kanten uitstrekte.

'Dat is krankzinnig,' mompelde ik.

'Zoals je al zei. Krankzinnig én waar.'

'Nee, alleen krankzinnig. Otherways doet rare dingen met mensen, Matt. Dit heb je je verbeeld.'

'Ik wou dat het waar was.'

'Lucy was thuis op Otherways toen Marina verongelukte.'

'Nee, dat was ze niet. Wie van ons nam op toen je belde om het nieuws te vertellen?'

'Nou... Jij... denk ik.' Mijn herinnering aan de bewuste avond was hooguit fragmentarisch. Het enige wat ik zeker wist, was dat ik ze op een bepaald moment samen had gesproken. 'Maar...'

'Zij is later thuisgekomen en heeft je vervolgens gebeld.'

'Ja. Dat is zo. Maar dan nog...'

'Zij en Daisy waren naar de races in Worcester geweest.'

'Nou, kijk eens aan. Dan was ze in Worcester. Met Daisy.'

'Dat dacht ik ook. Dat had ze namelijk gezegd. Maar heen en weer naar Worcester is ongeveer tweehonderdvijfentwintig kilometer. Ik heb de kilometerteller in haar auto gecontroleerd. Die dag had ze er meer dan zevenhonderdvijftig op zitten.'

'Zévenhonderdvijftig?'

'Ja. Dat is ongeveer zo ver als...'

'Stanacombe.'

Hij knikte. 'En terug.'

'Er moet een soort vergissing in het spel zijn.'

'Nee hoor. Ik had een poosje het gevoel dat die uitstapjes naar de paardenrennen een dekmantel waren voor iets anders. Vriendschap sluiten met iemand als Daisy is domweg niets voor Lucy.'

Nu volgde ik hem niet. Die vriendschap was me natuurlijk en oprecht voorgekomen. De vraag die ik mezelf al stelde, was niet of het waar kon zijn wat hij suggereerde – het was natuurlijk uitgesloten – maar hoe het zover had kunnen komen dat hij dacht dat het waar zou kunnen zijn. Misschien lag het antwoord voor de hand. Het zou weinig fantasie gevergd hebben om Lucy ervan te verdenken dat ze haar seksuele bevrediging elders haalde, omdat hij daar niet meer voor kon zorgen. Een paranoïde nieuwsgierigheid naar haar doen en laten kon haar behoedzaam en ontwijkend hebben gemaakt. Had hij niet met alle geweld gewild dat ik een oogje op haar zou houden terwijl hij in New York was? Van de angst om maar wat te worden voorgelogen is het maar een kleine stap naar de werkelijkheid. En in zo'n denkraam is alles mogelijk. Hij had de discrepantie op de kilometerteller niet geregistreerd als hij er niet regelmatig, zo niet obsessief, naar keek. Obsessief zou weliswaar het laatste zijn wat ik aan zijn karakter zou toeschrijven, maar dat was allemaal veranderd. Op Otherways.

'De dagteller klopte met Worcester,' vervolgde hij. 'Daar had ze aan gedacht. Alleen het totaal op de klok heeft haar verraden.'

'Weet je dat zeker? Je kunt toch een misrekening hebben gemaakt?'

'Nee. De extra kilometers zaten erop. Getallen liegen niet.'

Hij had gelijk. Dat kon niet. Maar wat zat er in werkelijkheid achter? Hij had gezocht naar bewijs om zijn argwaan te bevestigen, en dat had hij gevonden. Maar mij leek het verdomd veel op een speurtocht die gedoemd was iets op te leveren. Hij was het punt gepasseerd waar argwaan zichzelf gaat bewijzen.

'Je gelooft me niet, hè?'

'Ik zeg dat er een onschuldige verklaring voor moet zijn.'

'Denk je niet dat ik dat ook graag zou willen?'

'Het is vrij makkelijk uit te zoeken. Vraag het maar aan Daisy.'

'Die zal zeggen dat ze naar Worcester zijn gegaan.'

'Denk je dat zij ook liegt?'

'Dat moet haast wel. Anders zou Lucy haar er niet bij hebben betrokken. Een alibi moet overeind blijven, nietwaar? Lucy kwam die avond pas na tien uur thuis. Ze zei dat zij en Daisy onderweg waren gestopt om te eten. Nou, dat kon ze toch niet riskeren als Daisy haar waarschijnlijk zou tegenspreken?'

'Waarom zou Daisy haar rugdekking geven?'

'Weet ik niet. Het heeft iets met Otherways te maken. Je hebt gelijk over dat huis. Het heeft een rare invloed op mensen. Lucy is niet meer de oude geweest sinds de verhuizing. En ik misschien ook niet.' Hij wreef zich in de ogen met de muis van zijn hand, en ik besefte dat hij had staan huilen. Waarschijnlijk al een poosje; ik had het alleen niet in de gaten. 'Daisy en dat huis hebben samen een heel verleden. De Milnermoord is nog maar een fractie. Er hebben zich ook andere tragedies afgespeeld. De dochter van Strathallan heeft zelfmoord gepleegd.' Dus hij wist van Rosalind. Dat wekte de indruk dat Lucy's poging om dat voor hem te verzwijgen maar een van een hele massa misleidingen was. 'Het is dieper en duisterder dan je denkt, Tony. En Daisy Temple zit ergens bij de kern van het verhaal.'

'Kom nou, Matt. Dat kan toch niet?'

'Je bedoelt dat je jezelf er niet toe kunt brengen om het zo te zien. Lucy heeft je verblind voor wat er gaande is.'

'Nee, dat heeft ze niet.'

'Het is niet echt haar schuld. Dit zou allemaal niet zijn gebeurd als we dat klotehuis niet hadden gekocht. Dat heeft ons de das omgedaan. Daarom ben ik zo enthousiast geworden voor Sindermanns voorstel. Om Lucy hier weg te halen.' De tranen blonken op zijn wangen. Hij had een dikke tong, alsof hij dronken was. 'Maar nu zal ze niet met mij meegaan naar New York, hè? Daar heb jij wel voor gezorgd.'

'In godsnaam, Matt. Weet je wel wat je zegt? Je kunt toch niet menen dat Lucy Marina heeft vermoord?'

'O nee?'

'Het waren zussen. En boezemvriendinnen. Hun hele leven al.'

'Ja. Juist. Boezemvrienden. Zoals ik dacht dat jij en ik waren.'

'Dat zijn we ook. Luister... Dit is... krankzinnig.'

'Dat denk je echt, hè?'

'Wat kan het ánders zijn?'

'Niets waarschijnlijk. Als je verliefd op haar bent. Want je kunt natuurlijk niet verliefd zijn op de moordenaar van je vrouw, hè? Behalve...' Hij slikte de rest van zijn woorden in en deed zijn mond dicht alsof hij zijn gedachten niet durfde uit te spreken. En ik wist onmiddellijk wat het was. Ik had een patroon doorbroken, maar er was een nieuwe en veel ergere versie voor in de plaats gekomen.

'Niemand heeft een moord op zijn geweten, Matt. Wees nou even redelijk.'

'Rédelijk?' Zijn stem sloeg over. 'Ik durf te wedden dat je dat graag zou willen. Dat zou je uitstekend van pas komen, hè? Jullie allebei.'

'Ik maak me zorgen om jou, Matt, niet om ons.'

'Dat is dan ook nergens voor nodig, hè? Niet nu je weet dat ik geen spatje bewijs heb. Daar was het jullie allemaal om te doen, hè? Dat ik niets had om jullie op vast te pinnen. Nou, mijn gelukwensen, Tony. Je gaat vrijuit. En maak je geen zorgen. Ik zal het jullie erg makkelijk maken. Ik zal jullie niet in de weg lopen.'

'Wat bedoel je daarmee?'

'Wat kan jou dat nou schelen?' Hij draaide zich met een ruk om en liep naar de trap. Ik liep hem achterna en legde een hand op zijn schouder. Hij schudde hem van zich af en draaide zich om. 'Laat me met rust!' riep hij. 'Je hebt wat je wou. En Lucy ook. Ik hoef hier niet te staan luisteren naar jouw verklaringen dat het allemaal het beste is.'

'Dat heb ik niet gezegd.'

'Maar dat zou je wel hebben gedaan als ik je de kans had gegeven. Je denkt het toch? Daardoor probeer je de wereld een dit-was-sterker-dan-wij-verhaal te verkopen en hoop je tegelijkertijd dat iedereen die ik de waarheid vertel mij als getikt afschrijft. Dat is je strategie. En die zal waarschijnlijk nog werken ook. Behalve het laatste hoofdstuk. Daar zorg ik wel voor.'

'Matt...'

Hij haalde zo plotseling uit dat ik op de grond lag voordat ik besefte dat hij me een oplawaai gegeven had. Ik denk dat het hem net zo verraste als mij. Ik voelde een brandende pijn om mijn linkerwenkbrauw en zag Matt op me neerkijken terwijl zijn rechtervuist zich langzaam tot een open hand ontspande en een vreemd, onwillekeurig vaarwelgebaar maakte. Daarna maakte hij met een ruk rechtsomkeert en holde hij naar de trap.

'Matt!' riep ik hem na. Maar hij bleef niet staan. Ik krabbelde overeind en zag hem nog net de voet van de trap bereiken en doorhollen, de overgang over en langs de weg naar het stationsplein waar hij zijn auto moest hebben geparkeerd. Ik ging hem achterna, meer vertraagd door de schrik van de klap dan door de klap zelf.

De droom in mijn hoofd was nu even echt als de tegenwoordige tijd. Ik zag het smalle, omlaag duikende weggetje voorbij Hambleton. Ik zag Matts auto de ponton op vliegen en in het water duiken. En ik zag zijn gezicht, ondergedompeld en starend, terwijl de luchtbellen uit zijn mond ontsnapten. Ik had niets veranderd, absoluut niets. Ik had de afloop alleen maar zekerder gemaakt.

Er was geen schijn van kans dat ik hem te voet in zou halen. Hij had de auto al gestart toen ik het stationsplein bereikte. Hij reed slippend achteruit om te draaien en kwam vervolgens in volle vaart op me af. Ik wierp mezelf uit zijn baan en zag hem brullend terug naar de spoorwegovergang scheuren. Daarna sloeg hij met een ruk linksaf naar de High Street en de weg naar Stamford. Ik holde naar mijn eigen auto. Ik startte, de motor sloeg één keer af en daarna zette ik de achtervolging in. Het enige waar ik verder aan kon denken was een manier te vinden – hoe dan ook – om hem tegen te houden voordat hij het eind van het schiereiland had bereikt.

Maar misschien hoefde ik helemaal niets te doen. Op de markt stond een politieauto. Ik zag hem voor me de weg op rijden toen Matt met twee keer de maximumsnelheid langs scheurde. Het zwaailicht en de sirene gingen aan. Ik hield hen bij, in de hoop dat ze alleen maar oog voor de wagen voor hen hadden.

Matt verschafte ze in elk geval een heleboel om in het oog te houden. Voor zover ik kon beoordelen aan de snelheid van de politieauto en de parallax tussen koplampen en achterlichten, nam hij geen gas terug. Hij reed recht over een rotonde waardoor een andere automobilist boven op zijn remmen moest gaan staan en vervolgens zwaaide hij linksaf de weg naar Stamford op en gaf hij plankgas. De politie volgde hem met loeiende sirene en blauw zwaailicht. En ik sloot de rij.

We reden bijna honderdtwintig toen we de bebouwde kom achter ons lieten. Het kon niet lang duren, hield ik mezelf voor. Matt kon elk moment gas terugnemen en stoppen in het besef dat hij ze niet van zich af kon schudden en de zaak alleen maar erger zou maken als hij dat toch probeerde. Of niet? Wat ging er door hem heen? Wilde hij echt tot het uiterste gaan? Dat kon hij toch niet hopen? Niet nu.

Een kleine kilometer buiten Oakham was de afslag naar Hambleton, een scherpe bocht naar rechts van de weg naar Stamford. De politie zou niet verwachten dat hij die zou nemen. Ik flitste met mijn lichten en zette mijn rechterclignoteur aan in een radeloze poging om ze te waarschuwen, maar kon hoegenaamd niet uitmaken of ze het hadden gezien. In de volgende paar ogenblikken deed het er trouwens niet meer toe. Matt gaf geen rechtsafsignaal. Ik vroeg me af of hij van plan was rechtdoor te rijden, zoals de politie zou hebben verwacht. Ik kon de koplampen van een tegenligger zien, met kleine veiligheidslichtjes op dakniveau, zoals je weleens ziet bij vrachtwagens met aanhangers. Matt moest ze ook hebben gezien, gevaarlijk dichtbij en oogverblindend. Zijn remlichten gloeiden op. Hij ging stoppen. Hij moest wel. 'Goddank,' zei ik bij mezelf.

Maar hij stopte niet. Het remmen was slechts voldoende om slippend de bocht te nemen. En de slip was voldoende om zijn auto in het pad van de vrachtwagen te werpen. Ik hoorde het lage geblèr van de vrachtwagenclaxon en gierende remmen. Er was een fractie van een seconde van totale stilte. Daarna een geweldige, versplinterende klap.

Acht

Ik herinner me dat ik dacht: 'O God, alstublieft, laat hem niet sterven,' toen ik de klap hoorde. Waarschijnlijk was het schietgebedje evenzeer voor mij als voor Matt. Op de een of andere manier had ik een soort tweede kans voor ons beiden bekokstoofd en die had ik verknald. Vuriger dan ik ooit iets had gewenst, wilde ik nu een derde kans. Maar zelfs tweede kansen zijn dun gezaaid. Ik vroeg het onmogelijke. Toen ik de wagen aan de kant van de weg had gezet en naar de plek was gehold waar de botsing was geëindigd in een chaos van verpletterd metaal en versplinterd glas, was het enige wat ik van Matts auto kon zien een verwrongen vorm onder de cabine van de vrachtauto. Het leek amper meer op een auto. Wat daar in zat was dood. Zo'n klap was domweg niet te overleven. Ik bleef een ogenblik staan staren naar de platte klont metaal waaruit verpulverd glas met onregelmatige tussenpozen omlaag viel, als sneeuw van de takken van een overbeladen boom. Het was heel onwezenlijk, maar ik wist dat het waar was. Dit was de plek waar een punt achter onze vriendschap werd gezet, waar deze koud en traag leegbloedde in de eindeloos durende nacht.

Maar kansen – eerste, tweede, óf derde – hebben altijd twee kanten. Ze kunnen deze of gene kant op gaan, ongeacht wat je wenst, vreest of zelfs verdient. Ze zijn je niets verplicht, maar ze koesteren ook geen wrok. Ze blijven liggen waar ze vallen. Negen van de tien keer, misschien zelfs negenennegentig van de honderd keer, zou zo'n botsing niet te overleven zijn geweest. Maar die avond was nou juist die ene keer, misschien wel de enige keer. Die nacht ging Matt niet dood.

Hij had geboft. Hij had erg geboft. De airbag had zich tussen hem en de voorruit opgeblazen. En een van de twee politieagenten in de patrouillewagen was in staat de ergste bloedingen te stelpen, terwijl de andere een ambulance en een brandweerploeg met snijbranders liet komen. Dat allemaal terwijl ik maar bleef staan staren. Matt zat klem in zijn stoel. Hij was buiten westen, maar ademde nog. Het bloed van minder ernstige wonden bedekte zijn gezicht en het bloed uit een of andere ernstiger verwonding droop al uit de auto en mengde zich met de beekjes benzine uit de gebarsten tank en water uit de gescheurde radiator.

De vrachtwagenchauffeur was ongedeerd, maar gedesoriënteerd door shock. Hij bleef maar tegen me praten in een stroom van herhalingen van wat er was gebeurd, terwijl ik toekeek hoe de politieagent aan Matt werkte. Vervolgens stond de andere politieagent naast me om vragen te stellen. Of ik het slachtoffer en de naaste verwanten kende. Of hij gedronken had. Of er sprake van een ruzie was geweest. Ik probeerde het uit te leggen, maar de blik op zijn gezicht deed vermoeden dat ik wartaal uitsloeg. Ik klonk hem waarschijnlijk even samenhangend in de oren als de vrachtwagenchauffeur in de mijne en om dezelfde reden: shock had me gereduceerd tot een bazelende schaduw van mezelf die nog traag van begrip was ook.

Dat veranderde niet gedurende het uur dat het ze kostte om Matt te bevrijden en hem in de ambulance te laden. Ambulancepersoneel en artsen en brandweerlieden bewogen zich kalm en efficiënt om de auto heen, terwijl ik op een afstandje bleef staan en me vastklampte aan de vurige hoop dat Matt het zou overleven en de overtuiging dat ieder moment dat hij niet doodging het waarschijnlijker maakte dat hij zou blijven leven. Op een bepaald ogenblik begon het te regenen. Ik weet nog hoe de fijne mist de lichten om het wrak in elkaar deed overlopen en glom op de gele, reflecterende jassen en het asfalt dat glad van de benzine was. Ik herinner me dat ik naar de trage, gelijkmatige regenval uit de duisternis boven me en om me heen keek. Dat beeld van die nacht staat me nog het allerduidelijkst voor de geest. Ik weet niet waarom.

Kennelijk besefte de politie dat ik niet naar behoren in staat was om zelf te rijden, want ze brachten me naar het ziekenhuis in Leicester. Toen ik arriveerde, was Matt al in de operatiekamer. De zuinige antwoorden die ik op mijn vragen kreeg, maakte het langzaam maar zeker duidelijk dat ik het waarschijnlijk mis had met te veronderstellen dat zijn kansen de hele tijd verbeterden. Het was allemaal erg kantjeboord.

Ik belde Lucy's hotel, maar hoorde dat ze al was vertrokken. De politie had kennelijk al contact met haar opgenomen. Waarschijnlijk had ik ze het nummer gegeven en vervolgens weer vergeten dat ik dat had gedaan. Een meelevende zuster stelde me gerust dat dergelijke verwarring onder de gegeven omstandigheden heel gewoon was. Ze bracht me naar een lege kamer waar ik kon zitten en gaf me een kopje thee. De operatie zou waarschijnlijk lang gaan duren en onvoorspelbaar zijn, volgens iemand in een witte jas die even bij me kwam kijken. Of ik wist wanneer mevrouw Prior zou arriveren?

Nee. En verder wist ik ook niet veel, trouwens.

Het was op zijn minst drie uur rijden van Bournemouth en zoveel tijd moest er dus ongeveer zijn verstreken toen Lucy arriveerde, hoewel het begrip tijd in mijn conditie onthutsend rekbaar was geworden. De botsing leek zowel een eeuwigheid als een paar minuten geleden. Op mijn gezicht voelde ik nog altijd de regen die mijn eerste blik op hem had vervaagd, toen hij nog ineengezakt in de verkreukelde restanten van zijn auto zat.

Lucy had holle ogen en trilde een beetje. Het leek alsof ze net zoveel moeite had als ik om zich aan te passen aan wat er was gebeurd. We knuffelden elkaar zoals we vroeger zouden hebben gedaan: als vrienden, als zwager en schoonzus. Het was net alsof we door de shock waren terug geschoten naar de relatie die we hadden gehad voordat we minnaars werden. Of misschien konden we geen van beiden de verantwoordelijkheid onder ogen zien die we juíst als minnaars deelden voor het feit dat Matt er bijna in was geslaagd om zichzelf van het leven te beroven.

'De artsen hadden het over ernstig borst en bekkenletsel,' zei ze. 'Weet jij nog meer?'

'Ze hebben jou al meer verteld dan mij. Maar hij kan niet anders dan zwaar gewond zijn. Toen ik de botsing zag, wist ik zeker dat hij dood was.'

'Hoe is het gebeurd?'

'Hij reed als een idioot. De vrachtwagen raakte hem toen hij ervoor langsging om de weg naar Hambleton op te rijden.'

'Ik begrijp het niet. Matt is een voorzichtige chauffeur. Hij houdt zich altijd aan het boekje. Zo correct dat je er gek van wordt.'

'Ik had hem net het nieuws verteld.'

'Maar waarom zat hij dan op de weg? Je zou thuis op hem wachten.'

'Ik had besloten dat... een neutrale plek... beter zou zijn. We hadden elkaar in Oakham gesproken.'

'Waarom? Het was logisch dat hij van zijn stuk zou zijn. Hem zomaar weg laten rijden was toch...'

'Riskant. Ja. Dat blijkt.'

'Je hebt dit toch niet...' Ze keek me even weifelend aan. 'Ik bedoel...'

'Nou?'

'Niets.' Ze schudde haar hoofd, maar de gedachte bleef, onuitgesproken en onweerlegd. Misschien had ik het ongeluk een handje geholpen. Dat was haar als een reële mogelijkheid te binnen geschoten. Misschien had ik het geregisseerd.

'Hebben ze gezegd wat zijn kansen zijn?'

'Fifty fifty.'

'Is dat alles?'

'Ze weten meer als hij uit de o.k. komt. Maar ik blijf me afvragen wat ze met *ernstig* bedoelen. Hoe ernstig is het eigenlijk?'

'Ernstig. Maar niet fataal.'

'Nog niet.'

'We zullen moeten afwachten. En er het beste maar van hopen.'

'Ik hoop dat hij blijft leven, Tony. Ik hoop dat hij er weer volledig bovenop komt. Ik wil niet dat hij doodgaat.'

'Natuurlijk wil je dat niet.'

'Maar ik wil ook niet dat dit iets verandert. Tussen ons, bedoel ik.' Ze stak haar hand uit en streelde mijn gezicht. Ik kromp toen haar vingers langs de blauwe plek boven mijn oog gingen. 'Wat is dat?'

'Ik weet het niet. Ik denk dat ik de deurlijst heb geraakt toen ik na het ongeluk uit de auto sprong.'

'Er ís toch niets veranderd?' Ze keek me smekend aan en dwong me te zeggen wat ze wilde horen. 'Of wel, lieveling?'

'Niets.'

'Je doet zo... afstandelijk.'

'Ik heb hier een opdonder van gekregen, Lucy. Jij ook. Maar dat gaat wel over. Matt blijft leven. Het komt wel goed.'

'En zullen we dan bij elkaar zijn?'

'Ja.' We omhelsden elkaar weer. Ik keek over haar schouder naar de lege, beige wachtkamermuur. Ik had het gezegd. Maar geloofde het niet echt. Het was niet alleen omdat Matts leven in de waagschaal lag. Het was vanwege ons aller toekomst, gecompliceerd door het heden en gecompromitteerd door het verleden. Het was niet een kwestie van wat Lucy wilde of wat ik wilde. Het was een kwestie van wat er in feite zou gebeuren. En ik had geen flauw idee wat dat zou zijn. 'We vinden er wel wat op,' mompelde ik. 'Dat beloof ik.'

Ongeveer een uur daarna kwam de chirurg ons opzoeken. Hij zag er net zo moe uit als wij, maar in zijn geval was het gewoon beroepshalve. Hij gaf ons een nuchter overzicht van de toestand van zijn patiënt. Voor hem hing er niets vanaf.

'Voorlopig hebben we gedaan wat we konden. Hij zal een poosje op de intensive care blijven en er vrij afschrikwekkend uit blijven zien, maar volgens mij hebben we hem kunnen stabiliseren. Hij is buiten bewustzijn en het kan best dat het een paar dagen zal duren. De schade is aanzienlijk.

Maar onder de gegeven omstandigheden doet hij het erg goed. Er is geen teken van hersenbeschadiging. We hebben het buikvlies moeten verwijderen, maar dat heeft waarschijnlijk geen nadelige gevolgen op de lange termijn. Een van zijn longen is geperforeerd, maar dat hebben we hersteld en hem helemaal opgelapt. Hij is nog niet buiten levensgevaar. In dit soort gevallen kunnen zich plotseling onverwachte problemen voordoen. Schud een complex apparaat als het lichaam zo door elkaar als met het zijne is gebeurd en allerlei verbindingen kunnen los gaan zitten. Maar... ik ben voorzichtig optimistisch.'

We mochten de zaal op om te kijken. Hij zat aan een woud van infusen en slangetjes en was omgeven door ECG- en EEG-apparatuur en god mag weten wat nog meer om zijn levensfuncties te meten. Hij lag aan de beademing om zijn ademhaling te ondersteunen. Zuiver uit voorzorg, hoorden we. Hij had geen pijn. En hij leefde. Op de een of andere manier was hij, tegen alle logica in en ondanks mijn grootste angst, in leven.

Naderhand zaten we in de ziekenhuiskantine met de blik op oneindig koffie te drinken, zonder veel te zeggen, maar des te meer te denken. Lucy liet me op een gegeven moment alleen om Matts broer te bellen. Kennelijk had ze al contact met hem gehad en had hij het op zich genomen om het nieuws aan zijn ouders te vertellen. De rimpels van de gebeurtenissen verspreidden zich over de tot nu toe kalme vijver van Matts bestaan.

Toen Lucy terugkwam, zei ze dat ze Nesta ook had gebeld, en Daisy. Ik moest direct aan Rainbird en zijn doortrapte chantagepoging denken. Ik had nog niet de moed om dat aan Lucy te vertellen, maar opeens zag ik dat in een nieuw licht, als iets smerigs en onbelangrijks waarmee ik nu kon afrekenen, ook al was me die mogelijkheid gegeven op een manier die ik me nooit zou hebben gewenst.

'Daisy vroeg of ik bij haar wilde logeren,' zei Lucy afwezig. 'Dat was waarschijnlijk goed bedoeld.'

'Ik vind dat je dat aanbod moet aannemen.'

'Waarom?'

'Otherways is... Nou ja, een groot huis om alleen te zijn.'

'Jij komt me toch gezelschap houden?'

'Ik weet niet of dat wel kan, op dit moment. We hebben tijd nodig om... onze gedachten op een rij te krijgen.'

'Op Otherways ben ik thuis, Tony. Waarom zou ik daar weg moeten?'

'Dat kan ik niet uitleggen. Maar doe mij een plezier, Lucy. Gewoon voor een tijdje. Ik ga in de Whipper-In logeren. Ik ben binnen handbereik.'

'Goed dan.' Ze scheen te moe om er iets tegen in te brengen; totaal afgemat. 'Jij je zin. En Daisy ook. Ze zei bijna hetzelfde over Otherways. Ik weet niet wat jullie tegen dat huis hebben.'

'We willen gewoon niet dat je in een periode als deze alleen bent.'

'Maar ik hoef toch niet alleen te zijn?'

'Ik vroeg het je om mij een plezier te doen.' Ik keek haar smekend aan. 'Een paar dagen maar, Lucy. Meer niet.'

'Dat is je maar geraden ook. Wat mij betreft is een paar dagen onder één dak met Norman Rainbird een paar dagen te veel.'

'Maak je niet druk om Rainbird.' Het plan dat in mijn hoofd gestalte kreeg, nam een definitieve vorm aan. 'Laat hem maar aan mij over.'

Lucy was te zeer in beslag genomen door Matts toestand om mijn opmerking over Rainbird te analyseren; sterker nog: om meer dan een symbolisch protest te laten horen tegen de plannen die Daisy en ik in een onopzettelijke samenzwering voor haar hadden gemaakt. Het personeel op de intensive care maakte duidelijk dat Matts vooruitgang – als daar sprake van zou blijven – langzaam en onregelmatig zou zijn. Het was onwaarschijnlijk dat hij zich voorlopig van zijn omgeving bewust zou zijn. Vermoedelijk zou hij ook iets van geheugenverlies hebben, vooral met betrekking tot de periode vlak voor de botsing. Met andere woorden: het zou best kunnen dat hij zich ons treffen op het station in Oakham helemaal niet zou herinneren. De derde kans waar ik voor had gebeden, werd me met andere woorden heel letterlijk gegund. Maar alleen als hij vooruitgang zou blijven boeken. Gezien de ernst van zijn verwondingen was daar geen peil op te trekken. Tussen de regels van wat de artsen ons duidelijk hadden gemaakt, bespeurde ik een slag om de arm: het kon nog altijd twee kanten op gaan. Ik weet niet of dat ook tot Lucy was doorgedrongen. De schok van het ongeluk had een buffer opgeworpen tussen haar en de bittere werkelijkheid van alledag. Ze was onnatuurlijk timide en meegaand geworden. Maar haar zorgen voor Matt waren niet gespeeld. Geen van de zusters kon betwijfeld hebben of ze wel van hem hield. Zelf kon ik dat evenmin. Het maakte dat ik aan onze gevoelens voor elkaar ging twijfelen. Waren die echt, of ging het om een tijdelijke bevlieging? We waren twee radeloze mensen die zich aan elkaar vastklampten. En nu radelozer dan ooit.

Ik zei tegen Lucy dat de politie erop had gestaan dat ik direct mijn auto weg zou halen van de plek van het ongeluk en liet haar in het ziekenhuis om de eerste trein naar Oakham te nemen. Die bracht me terug naar de plek van mijn rendez-vous met Matt van de avond tevoren. Die zag er bij daglicht anders uit en voelde ook anders: saai, bevolkt en functioneel. Een brug, een spoorwegovergang: een onderdeel van een plaats. Zoals op die plekken waar een dodelijk ongeluk is gebeurd en rouwende familieleden bossen bloemen neerleggen, was niets van het gebeurde bewaard gebleven. Net als Matts geheugen was de locatie gewist. Al mijn verspilde woorden en hoop waren uitgegomd.

Ik nam vlug een douche in de Whipper-In en daarna ging ik met een taxi naar de afslag naar Hambleton op de weg naar Stamford. Er was een diepe, modderige kerf in de rechterberm, maar ze hadden Matts autowrak al weggesleept. Samenkomende remsporen gaven de plek aan waar hij op de vrachtwagen was gebotst. Iemand, vermoedelijk de politie, had met spuitverf een reeks pijlen om de sporen aangebracht als een emotieloze registratie van de geometrie van de gebeurtenis, gefotografeerd voor eventueel toekomstig gebruik bij een proces of een gerechtelijk onderzoek.

Een halfuur later was ik op Maydew House. Rainbirds auto stond op de oprijlaan. Kennelijk hoefde ik niet lang naar hem te zoeken. Maar eerst wilde ik Daisy laten weten waarom ik hem zocht.

Ik vond haar met een kop koffie in het atelier en ze zat bewogen naar de onvoltooide buste van Lucy te staren. 'De volgende keer dat ze voor me poseert, zal ze er anders uitzien,' zei ze. Mijn bezoek verraste haar zo weinig dat ze me gewoon in haar gedachtegang inlijfde. 'Zo'n ervaring laat zijn sporen na. Als ik jou voor de dood van je vrouw had gekend, had ik waarschijnlijk de verandering in jou ook bespeurd.'

'Matt is niet dood.'

'Goddank niet, nee. Maar ik begrijp dat het niet veel had gescheeld.'

'Geen haartje. En het kan alsnog verkeerd aflopen.'

'Echt?' Ze zuchtte. 'Lucinda heeft niet gezegd dat het er zo om spande.'

'Ik weet niet of ze dat wel beseft. Niet alles dringt momenteel tot haar door.'

'Ze klonk inderdaad een beetje in de war. Daarom heb ik voorgesteld dat ze hier een paar dagen komt logeren. Waarschijnlijk zal ze toch het grootste deel van de tijd in het ziekenhuis zijn. Maar ik dacht dat het tussen de bezoeken door misschien wel goed is...'

'Om niet op Otherways te zijn.'

Daisy keek me aan met één wenkbrauw ietsje opgetrokken, ten teken dat ze begreep wat ik bedoelde. 'Nou, ik kan het alleen maar aanbieden.'

'Ze is van gedachten veranderd en heeft me gevraagd dat aan jou door te geven.'

'Mooi.' De wenkbrauw ging weer omhoog. 'Ik moet zeggen dat ik er wel van opkijk. Ze is sterk aan Otherways gehecht.'

'Onnatuurlijk sterk.'

'Zo ver zou ik niet willen gaan.'

'Ik wel.'

Daisy zette haar kop neer, legde voorzichtig een doek over de buste en kwam bij me staan in de deuropening. 'Volgens Lucinda heb je de botsing gezien.'

'Ja. Ik heb Matt gisteravond in Oakham gesproken om hem over Lucy en mij te vertellen.'

'Aha. Nou snap ik het.'

'Ik heb dat minder goed gedaan dan had gemoeten. Hij scheurde ervandoor alsof hij door de duivel op de hielen werd gezeten. Ik ben hem achterna gegaan. Ik was bang dat... Nou ja, dat hij zichzelf iets aan ging doen.'

'Je denkt toch niet...'

'Nee, het was echt een ongeluk. Maar de manier waarop hij reed, maakte een botsing min of meer onvermijdelijk.'

'En jij voelt je verantwoordelijk?'

'Ik had hem op de een of andere manier moeten tegenhouden.'

'Dat zul je vast wel geprobeerd hebben.'

'Niet hard genoeg.'

'Je kon niet weten hoe hij zou reageren. En hij moest het vandaag of morgen weten.'

'Voordat hij het uit andere bron zou horen?'

'Dat bedoelde ik niet.'

'Nee? Nou ja, het is in elk geval een factor om rekening mee te houden. Dat is een van de redenen dat ik hier ben. Het gaat om je huurder, Daisy. Meneer Rainbird.'

Ze fronste. 'Wat is er met hem?'

'Volgens mij moet je overwegen om hem eruit te gooien.'

Haar frons werd dieper. 'Waarom?'

Rainbird reageerde prompt en joviaal toen we bij hem aanklopten. 'Kom binnen,' zei hij. Het was bijna alsof hij ons verwachtte.

De kamer wekte nauwelijks de indruk dat hij er al ruim zes maanden woonde. Het meubilair en de rest van de inrichting waren duidelijk van Daisy. Rainbirds eigendommen, wat die ook mochten zijn, waren nergens te bekennen. Het was net alsof hij er een nacht logeerde in plaats van een hele poos. Hij zat in een leunstoel bij het raam een beduimelde pocket te lezen. Toen hij die op het tafeltje naast de stoel neerlegde, zag ik dat het *Tristram Shandy* was. Jij bent er ooit in begonnen en hebt het opgegeven, herinner ik me. Ik ben er nooit aan begonnen. Maar Rainbird had het al voor tweederde uit.

'Een afvaardiging nog wel,' zei hij toen hij ons zag binnenkomen. 'Wat kan ik voor jullie doen?'

'Matt Prior is gisteravond zwaar gewond geraakt bij een auto-ongeluk,' zei ik.

'O, heer. Toch niet die botsing op de A606 bij Oakham? Het was op het plaatselijke nieuws.' Hij gebaarde verklarend naar een transistorradio op zijn nachtkastje. 'Het klonk ernstig.'

'Dat was het ook.'

'Nou, het spijt me dat te horen.'

'De enige zegen is dat het je poging tot chantage in het juiste perspectief plaatst.'

'Mijn... wat?'

'Tony heeft me alles verteld,' zei Daisy.

'Echt?'

'Je ontkent het toch niet?'

'Het hangt ervan af wat je met "ontkennen" bedoelt.'

'Geef je toe dat je Tony hebt gedreigd met onwettige bandopnamen van privé-gesprekken?'

'Ik geef toe dat ik dergelijke bandopnamen gisteravond, enkele uren voor het... ongeluk van meneer Prior, in de Whipper-In met Tony heb besproken.' Hij straalde ons toe alsof hij daarmee elke suggestie van iets onbetamelijks zijnerzijds uit de wereld had geholpen.

'Dit is onvergeeflijk en kan niet getolereerd worden,' zei Daisy. 'Je hebt je schandelijk misdragen.'

'O, ja?'

'Ik wil dat je vertrekt. Vandaag nog.'

'Denk niet dat ik onredelijk wil zijn, maar ik heb de huur tot het eind van deze maand betaald, beste dame.'

'Die zal ik dan terugbetalen. Je vertrekt, of ik bel de politie.'

'Je bluft.' Hij keek van de een naar de ander. 'Niet erg overtuigend, moet ik zeggen.'

'Neem de proef maar op de som,' zei ik, en ik keek hem recht aan.

'Nou, ik wil bepaald niet blijven waar ik niet gewenst ben.' Hij haalde zijn schouders op. 'Misschien ís het ook wel tijd om op te stappen.'

'Ik wil die bandjes hebben, Norman. En weten waar die microfoontjes zitten.'

'Ik ben bang dat ik je daar niet aan kan helpen.'

'Ik vraag het niet. Ik zeg het je. Geef op.'

'Als dat kon, zou je ze krijgen.' Hij spreidde glimlachend zijn handen. 'Er zíjn geen bandjes, Tony. En ook geen microfoontjes. Geen verborgen afluisterapparatuur van welke aard ook.'

'Wat bedoel je, verdomme?'

'Ik had het verzonnen. Het was een list. Een lakmoestest voor mijn hypothese over jou en mevrouw Prior. Het ontbreekt mij volledig aan de technische kennis om dergelijke apparatuur te gebruiken, ook al zou ik weten waar ik die moest bemachtigen. Nee, nee. Het had niets met de werkelijkheid uitstaande. Waarom zou het ook?' Zijn glimlach werd breder. 'Als ik zulke bevredigende resultaten kon bereiken door domweg... mijn verbeelding te gebruiken?'

'Je liegt.' In woede ontstoken door de gedachte dat hij misschien níét loog, stortte ik mezelf op hem en sjorde hem uit zijn stoel. 'En ik zal je...'

Het ene moment staarde hij me nog verbijsterd aan, als een dood gewicht in mijn handen, het volgende was hij op de een of andere manier aan mijn greep ontglipt en had hij me even moeiteloos omgedraaid als een kind dat met een priktol speelt. En vervolgens stond ik over het tafeltje naast zijn stoel gebogen met mijn gezicht op het omslag van *Tristram Shandy* en mijn rechterarm dubbelgevouwen op mijn rug, terwijl de pijn door mijn schouder brandde. 'Je zult wat, Tony?' informeerde Rainbird vriendelijk terwijl hij de druk op mijn arm liet toenemen. 'Dat zou ik erg graag willen weten.'

'Laat hem los!' riep Daisy. 'Laat hem onmiddellijk los.'

'Met alle plezier.' Opeens was ik los. Rainbird deed een stap naar achteren en ik liet mijn arm voorzichtig zakken. 'Uw wens is mijn bevel.'

'Alles in orde, Tony?' Daisy hielp me overeind en keek me bezorgd aan.

'Ja,' hijgde ik. 'Niets aan de hand.'

'Natuurlijk is er niets aan de hand,' lachte Rainbird opgewekt. Hij vertoonde geen spoor van ademloosheid. 'Er was hoegenaamd geen kans op het tegenovergestelde. Het was uitsluitend zelfverdediging. Tony was in... deskundige handen, zogezegd.'

'Mijn huis uit,' zei Daisy langzaam en kil. Maar de schrik klonk duidelijk door haar zelfbeheersing heen. 'Nu direct.'

'Het zal me even tijd kosten om mijn spullen te pakken, hoewel ik een door de wol geverfde reiziger ben. Maar ik ga pakken. En zal zonder verdere omhaal binnen een uur verdwenen zijn. En geen seconde zeuren over het onbenutte deel van mijn huur. Kan het nog fatsoenlijker? Volgens mij niet.' Hij liet zich naast het bed op de knieën zakken, trok een koffer te voorschijn, zette hem rechtop en maakte de knippen open. Daarna draaide hij zich met een grijns naar ons toe. 'Tot dat tijdstip verwacht ik enige privacy.' De grijns maakte plaats voor een ijzige blik. 'Mijn kamer uit. Allebei. Nu direct.'

Daisy vroeg of ik wilde blijven tot Rainbird weg was. Volgens mij was ze van haar stuk door de plotselinge omslag in zijn karakter. Hij was zonder meer sterker en leniger dan ik achter hem had gezocht. Ik was zelf van mijn stuk en voelde me nog dwaas ook. Rainbird de gladde intrigant was één ding, Rainbird in actie was heel iets anders.

'Ik dacht altijd dat hij een onschuldige excentriekeling was,' zei ze toen we in een atmosfeer van breekbare kalmte met een kop koffie in de huiskamer zaten. 'Je moet van me aannemen dat ik geen flauw idee had dat hij tot zoiets in staat was.'

'Hij zoekt iets wat zich op Otherways bevindt. Hij is geobsedeerd door dat huis. Ik denk dat hij daarom een kamer bij jou heeft genomen.'

'Met mij heeft hij nooit over Otherways gesproken.'

'Waarschijnlijk omdat hij bang was dat je hem dan meteen weg zou sturen.'

'Waarom zou ik?'

'Omdat het huis een heleboel geheimen herbergt. En een heleboel geheimen hebben iets met jou te maken.' Ik keek haar openhartig aan. 'Ik zal open kaart met je spelen, Daisy. Lucy heeft me gewaarschuwd het onderwerp te mijden, maar er is inmiddels te veel gebeurd om nog langer om de hete brij heen te draaien. Als ik in spoken geloofde, zou ik denken dat Otherways een spookhuis is.'

'Maar daar geloof je dus niet in.'

'Ik weet het niet zeker. En jij?'

'Ik heb nog nooit een spook gezien, Tony. Niet op Otherways noch elders.'

'Wanneer ben je er voor het laatst geweest?'

'Al heel lang niet.'

'Hoe lang?'

'Vele jaren.'

'Maar hoeveel jaar precies?'

'Het was op de dag van Anns begrafenis.'

'Zo lang al niet?'

'Ja.' Ze keek naar de buste van haar zus op de vensterbank. Diffuus zonlicht bewoog zich over de groen geaderde, marmeren trekken, synchroon met de zachte bewegingen van het gordijn erachter. 'Precies zo lang.'

'Het is vlakbij. Je kende de Strathallans. Je bent een vriendin van Lucy. Hoe ben je erin geslaagd het huis te mijden?'

'Je bent niet geïnteresseerd in het hoe maar in het waarom, Tony.'

'Dat is waar.'

'Het probleem is gelegen in de herinneringen, niet in eventuele spoken. Zowel de herinneringen aan Cedric als aan Ann.'

'Wanneer heb je hem voor het laatst gezien?'

'In de lente van 1947. Hij bracht een bezoek aan Otherways kort nadat de luchtmacht het had ontruimd en kwam langs om mij op te zoeken. Het was een enigszins gespannen ontmoeting. Ik voelde dat het de laatste keer zou zijn. En dat is uitgekomen.'

'Waarom heb je je verloving met hem verbroken?'

'We hadden amper een keus, gezien het feit dat zijn broer mijn zus had vermoord. Maar dat is natuurlijk een oppervlakkig antwoord. Onze liefde had dat wel doorstaan als hij sterk genoeg was geweest. Dat was duidelijk niet het geval.'

'Je weet dat er mensen zijn die hebben gesuggereerd dat Cedric getuige is geweest van de moord, en zelfs de dader geweest kan zijn?'

'Met "mensen" bedoel je wijlen Donald Garvey. Ik ben me maar al te goed bewust van het verhaal dat hij de wereld in heeft geholpen. Het is volslagen onzin. Cedric was aan het fietsen toen het gebeurde. Hij kwam thuis, trof Ann dood en James zat kalmpjes op de politie te wachten.'

'Dus je hebt nooit aan zijn versie van de gebeurtenissen getwijfeld?'

'Nee.'

'En evenmin aan die van zijn broer?'

'Nee. Ik had James en Ann die zomer vaak genoeg gezien om te weten dat er iets mis was tussen die twee. Ann had me verteld dat James argwaan leek te koesteren jegens haar. Maar ze kon niet begrijpen waarom. Er was geen reden voor, Tony. Ann had geen relatie met Cedric. Dat had ze niet voor mij kunnen verbergen.'

'James had zich dat dus maar wijsgemaakt.'

'Ja.'

'Er moet een reden voor zijn geweest.'

'Dat kun je wel zeggen. Maar ik heb geen idee wat dat geweest kan zijn. Na zijn arrestatie weigerde hij mij te ontmoeten. Cedric ook. En in de rechtbank zweeg hij als het graf. Het enige wat we hebben, is de verklaring die zijn advocaat tijdens het proces heeft afgelegd. En daar werd geen reden in genoemd.'

'Misschien is er wel meer. Als de bekentenis waar Rainbird zo tuk op is echt bestaat.'

'Precies. Als.'

'Wat denk jij?'

'Ik weet het eerlijk niet. Wat dat betreft is mijn enige voorsprong op de rest van de wereld het feit dat ik zeker weet dat ik hem niet heb en nooit heb gehad.'

'Maar Cedric?'

'Hij kan naar hem zijn gestuurd. Hij kan hebben besloten om hem niet aan mij te laten zien. Als hij überhaupt ooit is geschreven. Als je dat allemaal aanneemt – en dat is heel wat – kun je uit Cedrics stilzwijgen afleiden dat hij niet wilde dat hij ooit het daglicht zou zien. En in dat geval heeft hij hem waarschijnlijk vernietigd. Meneer Rainbird kan hoog of laag springen, hij zal hem niet vinden. En ook niet...' Ze zweeg toen ze voetstappen op de trap hoorde. 'Ha. Als je het over de duivel hebt...'

We zagen Rainbird door het raam de oprijlaan op klossen met een koffer in elke hand en een tas onder zijn arm geklemd. Hij laadde ze in de kofferruimte van zijn auto en ging vervolgens weer naar binnen zonder ons één blik waardig te keuren.

'Ik zal blij zijn als hij is opgehoepeld,' zei Daisy toen zijn zware voetstappen de trap op waren verdwenen. 'Ik had hem maanden geleden al de wacht aan moeten zeggen, toen ik besefte dat Lucinda zijn aanwezigheid hier vervelend vond.'

'Waarom heb je dat dan niet gedaan?'

'Hij had me geen specifieke aanleiding gegeven. Schoon. Netjes. Rustig. Op tijd met de huur. In sommige opzichten een ideale huurder.'

'Maar niet in andere.'

'Nee, niet in andere.'

'Waar kwam hij vandaan?'

'Londen. Hij had me een aanbevelingsbrief van zijn vorige huisbazin gegeven. Ik dacht dat het in... Brentwood was.'

'Wat weet je van zijn achtergrond?'

'Eigenlijk niets. Hij deed altijd zo vaag.'

'Een mysterieus iemand.'

'Misschien. Maar de meeste mysteries blijken alleen maar hol van binnen.'

'Niet in zijn geval.'

'Misschien heb je wel gelijk.'

'Wat zou hij eigenlijk zoeken? Dat is de kernvraag. Hij zei dat ik zou weten wat hij zocht als ik de bekentenis had gevonden.'

'Hij pestte je alleen maar. Hij heeft die bekentenis nooit gezien; daaruit volgt dat hij niet kan weten of er iets onthullends in zal staan.'

'Het was meer dan pesterij. Ik had de indruk... dat hij het meende.'

Boven ons sloeg een deur dicht. We hoorden Rainbird de trap afkomen. In de gang bleef hij staan. We hoorden hem een tikje tegen de barometer geven en 'tuttut' zeggen. Daarna klopte hij aan en kwam binnen.

'Uw sleutels, mevrouw Temple.' Hij liet ze op een bijzettafeltje naast de buste van een kale man van middelbare leeftijd vallen. 'U heeft mijn erewoord dat ik geen duplicaat bezit. Maar u kunt altijd de sloten laten vervangen als u dat nodig vindt.'

'Vaarwel, meneer Rainbird,' zei Daisy afgemeten.

'Vaarwel, mijn beste mevrouw.' Hij glimlachte naar haar. Daarna keek hij naar mij en zijn glimlach maakte plaats voor een tevreden grijns. 'Je hoort nog van me, Tony. Vrees niet.'

Ik wilde weer naar het ziekenhuis zodra Rainbird was vertrokken. Maar ik wilde Daisy nog iets vragen. Haar antwoord – hoe dat ook zou luiden – was belangrijk; het was zo'n beetje het allerbelangrijkste.

'Mensen die op Otherways wonen, verbeelden zich van alles, Daisy. Je kunt zeggen dat ze dingen zien. Er is een patroon in de levens die daar worden geleid. Een aantal mensen – die er gevoelig voor zijn – vallen onder de betovering. James Milner. Rosalind Strathallan. En Matt Prior.'

'Kom, kom.'

'Toen we elkaar gisteravond spraken, zei hij een paar vreemde dingen. Ze deden me beseffen dat hij bepaalde... onverklaarbare verdenkingen koesterde... omtrent Lucy.'

'Over haar en jou?'

'Nee. Iets anders. Iets veel... ergers.'

'Wat kan er erger zijn?'

'Hij scheen te denken dat ze tegen hem had gelogen over waar ze was geweest... op de dag dat Marina verongelukte.'

Ik keek haar recht aan toen ik de zin afmaakte, en lette scherp op elk teken van verwarring op haar gezicht. Er gebeurde niets. Haar gezicht was even kalm – of even goed gebeeldhouwd – als dat van haar zus, vereeuwigd in marmer aan de andere kant van de kamer.

'Ik begrijp dat Lucy bij jou was.'

'Dat is juist.'

'Waren jullie naar de paardenrennen geweest?'

'Ja. In Worcester. Dat herinner ik me nog goed. We hadden zo'n heerlijke dag. En vervolgens hoorde ik de volgende dag dat verschrikkelijke nieuws... over je vrouw.'

'Zijn jullie de hele dag bij elkaar geweest?'

'Ja, inderdaad.'

'En zijn jullie behalve naar Worcester nergens anders heen geweest?'

'Nee. Nou ja, we zijn op de terugweg gestopt om te eten. In de buurt van Warwick. Maar dat was alles. Waar wil je precies heen?'

'Volgens Matt stonden er in Lucy's auto veel te veel kilometers op de klok voor een retourtje Worcester.'

'Dat is bespottelijk. Ik kan je verzekeren dat we daarheen en terug zijn gegaan en nergens anders heen.'

'Ik geloof je.'

'Dat mag ik hopen.'

'Maar dat betekent dat Matt zich de discrepantie heeft verbeeld, hè?'

'Ja, waarschijnlijk wel.'

'Een discrepantie die hij verwachtte, anders had hij er niet naar gezocht.'

'Waarom zou hij ernaar hebben gezocht?'

'Zeg jij het maar.'

'Ik weet het niet.'

'Nee. Precies.'

'Hoezo... precies?' Ze keek me fronsend aan. 'Ik volg je niet.'

'Dat huis, Daisy. Het heeft hem te pakken. Zoals het jouw zwager te pakken heeft gekregen. Iets in dat huis dringt de geest binnen om de boel te verdraaien. Iets in dat huis... is gevaarlijk.'

Ze schudde haar hoofd. 'Ik... Dat kan ik niet geloven.'

'Ik ook niet.' Ik dacht even na. 'Maar ik kan het ook niet van tafel vegen.'

Ik stond op en liep naar de deur. 'Niet meer.'

Een ding spraken Daisy en ik af voor ik vertrok. Geen van beiden zouden we tegenover Lucy met één woord over Matts kennelijk ongefundeerde verdenkingen reppen. Dit was niet de juiste tijd om haar met dat soort dingen te belasten. Misschien zou het dat ook nooit zijn.

Wat Rainbird betrof, waren we het eens dat ze waarschijnlijk maar al te blij zou zijn dat hij weg was om vraagtekens bij de omstandigheden te zetten. Maar ik kon ze niet zo makkelijk van me afschudden. Misschien had hij me beduveld met die afluisterapparatuur, misschien ook niet. Zo ja, dan was zijn giswerk griezelig goed geweest. Zo niet, dan was zijn ontkenning dat er microfoontjes zaten de echte verlakkerij. Ik moest dringend weten hoe het zat. En toen herinnerde ik me hoe dankbaar een vroegere cliënt van me was geweest omdat ik voor een expert op het gebied van de elektronische beveiliging had gezorgd om zijn hoofdkwartier in de City 'waterdicht' te maken. Ik had nog een gunst te verzilveren.

Lucy zat naast Matts bed toen ik in het ziekenhuis arriveerde. Er was geen verandering in zijn toestand opgetreden. Hij bleef buiten bewustzijn: aan de drain, het infuus en de beademing. Lucy zelf leek me ziek van vermoeidheid. De zuster van de intensive care ried haar aan om naar huis te gaan en wat rust te nemen; het zou toch een lange hijs worden. Aan de lunch in de kantine – waarvan ze nog minder naar binnen kreeg dan ik – probeerde ik haar over te halen de raad van de zuster op te volgen.

'Ik wil hier zijn als hij bijkomt,' wierp ze tegen. 'Om hem te laten zien dat ik nog altijd om hem geef.'

'Als je zo doorgaat, zul je ook opgenomen zijn als dat gebeurt. Waarom laat je je niet door mij naar Maydew House brengen? Dan kun je wat slaap inhalen en vanavond hier terug zijn.'

'Ik wil daar niet heen. Niet met Rainbird in de buurt.'

'Die is er niet. Hij is vertrokken.'

'Wanneer is dat gebeurd?'

'Vanmorgen. Kennelijk een impulsieve beslissing. Echt iets voor hem.'

'Is Rainbird weg?' De energie om er veel van te brouwen leek haar te ontbreken. 'Opgestapt?'

'Misschien is *gevlogen* een beter woord.'

Ze dacht even na. Het woordgrapje was niet tot haar doorgedrongen. Toen zei ze: 'Goed dan.'

'Doe je het?'

'Iedereen schijnt te denken dat het goed voor me is.'

'Ik weet zeker dat het...'

'Megan was hier vanmorgen.'

'Pardon?'

'Megan Blackwell. Matts persoonlijke assistente. Ze was vreselijk van haar stuk. Ze is hem altijd erg toegewijd geweest, weet je. Nou ja, Matt roept nu eenmaal toewijding op, hè? Behalve bij zijn naasten.'

'Luister Lucy, ik...'

'Waarom moest dit gebeuren? Dat blijf ik me maar afvragen. Waaróm?'

'Het had niet gehoeven.'

'Dat maakt het dan des te erger, hè?'

'Wat bedoel je?'

‘Nou, als dit ongeluk niet nodig was geweest, had het toch niet mogen gebeuren?’

Er viel een stilte. Ik zat met mijn mond vol tanden.

‘Ik kan Daisy maar beter even bellen om te zeggen dat we eraan komen,’ zei ik, en toen ik mijn stoel naar achteren duwde, piepte het rubber op het linoleum. ‘Ik ben zo terug.’

Toen ik een minuut of wat daarna bij het tafeltje terugkwam, had Lucy haar bord opzij geschoven en zat ze geconcentreerd in een zakagenda te lezen. Eén krankzinnig ogenblik vroeg ik me af of het de agenda van Rosalind Strathallan was omdat ik Lucy er nooit een had zien gebruiken, maar toen ik ging zitten, herkende ik het handschrift als dat van Matt. En vervolgens zag ik de bloedvlekken op de omslag en de randen van de bladzijden.

‘Ze schenen het erg belangrijk te vinden om me dit terug te geven,’ zei ze lusteloos. ‘God mag weten waarom.’

‘Voorschriften, waarschijnlijk.’

‘Er staat amper iets in. Megan hield zijn zakenagenda bij. Alleen maar... willekeurige aantekeningen.’ Ze hield hem open en schoof hem over tafel naar me toe. ‘Maar een rare vermelding bij vandaag.’

Ik keek omlaag. *Lois Carmichael*, had Matt geschreven. *Ram Jam, 6*. ‘Wat betekent dat?’

‘De Ram Jam is een café aan de Great North Road bij Stretton. Het lijkt erop dat hij van plan was Lois Carmichael daar vanavond te ontmoeten.’

‘En wie is dat?’

‘Ik weet het niet. Megan evenmin. Geen flauw idee. Raar eigenlijk. Er staat ook geen telefoonnummer bij, dus ik kan haar niet eens vertellen dat ze voor niets gaat.’

‘Misschien moet er iemand heen om het uit te leggen.’

‘Kun jij?’

‘Ja hoor.’ Het was vreemder dan Lucy leek te beseffen. Matts gelikte, ordelijke en voorspelbare bestaan had niet echt ruimte voor afspraken met mensen van wie zijn vrouw, zijn beste vriend en secretaresse zelfs nooit gehoord hadden. ‘Kleine moeite.’

We arriveerden halverwege de middag op Maydew House. Daisy had al een kamer voor Lucy in orde gebracht. Ze slikte gehoorzaam een paar slaaptabletten die ze in het ziekenhuis had gekregen en ging naar bed. Onderweg had ze iets over schone kleren gezegd en ik had aangeboden een stel op Otherways te gaan halen. Ik zei dat ik op weg naar of terug van de Ram Jam even langs zou gaan. Ik vertelde er niet bij dat ik nog een reden had om naar Otherways te gaan. Net als Matt had ik een afspraak waar niemand anders iets van wist.

De trein uit Londen arriveerde precies op tijd in Petersborough, een paar minuten over vijf. Onder de laatste mensen die van het perron af kwamen was Lester Kidmore, vooraanstaand beveiligingsspecialist. Hij liep zoals gewoonlijk alsof hij alle tijd van de wereld had. Ik wist dat hij heel wat meer geld verdiende dan toen ik hem voor het eerst had ontmoet, maar hij zag er nog altijd uit alsof hij zijn kleren bij het Leger des Heils haalde. Het leven in de City had hem er evenmin toe gebracht iets aan zijn haar te doen, dat er even wild en verward uitzag als altijd.

'Aardig van je om zo snel te komen, Lester.'

'Voor u is geen moeite me te veel, meneer Sheridan. Wat heeft u voor me in petto?'

Een van Lesters beste eigenschappen is zijn tunnelvisie. Hij concentreert zich op wat hem wordt gevraagd en vergeet de hele wereld om zich heen. Dat verklaart waarschijnlijk zijn manier van kleden. Het verklaarde waarschijnlijk ook waarom hij met geen woord over de bouwkundige eigenaardigheden van Otherways repte en niet vroeg wat ik zo ver van Londen uitspookte.

Zijn gezelschap ontdeed het huis van een groot deel van zijn griezeligheid die ik er ongetwijfeld had bespeurd als ik er alleen was gearriveerd. De sensatie beloerd te worden, zou me vrijwel zeker hebben bekropen. Maar onder de gegeven omstandigheden kon ik het gevoel op afstand houden en me concentreren op de actuele vraag: niet of ik in de gaten werd gehouden, maar of ik werd afgeluisterd.

'Wilt u dat ik elke kamer doe, meneer Sheridan?'

'Het moet grondig gebeuren.'

'Dan kan ik maar beter meteen beginnen.' Hij klikte zijn koffertje open. 'Het zal even duren.'

'Hoe lang?'

'Op zijn minst een paar uur.'

'Dat is in orde. Ik heb om zes uur een afspraak.' Ik wierp een blik op de klok. Ik zou minstens een paar minuten te laat zijn en kon slechts hopen dat Lois Carmichael geduldig van aard was. 'Dan laat ik je met rust.'

Toen ik de Ram Jam Inn binnenliep, was het bijna kwart over zes. Het leek me voornamelijk een eethuis en op dat tijdstip was het stil. Afgezien van het barmeisje was er maar één vrouwelijke klant: slank postuur, rond de dertig, met kortgeknipt zwart haar en wijd uitstaande donkerbruine ogen die op me bleven rusten toen ik naar de bar liep. Ze zat op een kruk aan een kant van de bar, gekleed in sportschoenen, een legging en een soort ski-jack dat openhing met daaronder een T-shirt met een wijde hals. Er stond een fles Budweiser – het oorspronkelijke Tsjechische product – zonder glas voor haar op de bar. Ze kwam me niet direct voor als Matts doorsnee cafégezelschap.

'Lois Carmichael?'

Ze trok lichtelijk verbaasd een wenkbrauw op. 'Dat ben ik.'

'Ik ben Tony Sheridan. Een vriend van Matt Prior.'

'Ja?'

'U heeft hier een afspraak met hem als ik het goed heb.'

'Dat klopt. Met hem. Niet met een vriend van hem.' Ze werd iets vriendelijker. 'Niets persoonlijk, maar hij was meer op deze afspraak gebrand dan ik. Het minste wat hij had kunnen doen is...'

'Hij ligt in het ziekenhuis. Gisteravond heeft hij een auto-ongeluk gehad.'

'Het spijt me dat te horen.' Ze klonk eerder teleurgesteld. 'Hoe maakt hij het?'

'Momenteel ligt hij in coma. Op de intensive care van het ziekenhuis in Leicester.'

Haar gezicht vertrok. 'Klinkt ernstig.'

'Dat is het ook. Zijn vrouw is natuurlijk erg van haar stuk. Ik doe mijn best om een handje te helpen. Niemand had namelijk van u gehoord. Maar omdat uw naam in zijn agenda stond – Ram Jam, zes uur vanavond, geen telefoonnummer – dacht ik...'

'Ik ga eens kijken wat dat te betekenen heeft.'

'Zoiets.'

'Ik wou dat ik het wist. Maar daar was deze afspraak eigenlijk voor bedoeld. Hij zou me vertellen... waar het over ging.'

'Ik volg u niet.'

'Wist u niet dat hij belangstelling voor mijn werk had?'

'Wat doet u dan?'

'Ik ben astronoom. Ik geef college aan de universiteit van Hull.'

'Echt waar?'

'Ja,' zei ze schalks. 'Echt waar.'

'Sorry. Het was niet mijn bedoeling...'

'Zullen we ergens gaan zitten?' Ze knikte naar een tafeltje. 'Dan kun je van de schok bekomen.'

'Ik ben niet geschokt. Luister...'

'Oké,' glimlachte ze. 'Rustig maar. Maar zullen we nou gaan zitten of niet?'

'Waarom ook niet?'

Ze ging vooruit met haar flesje Budweiser. Ik bestelde iets te drinken en liep haar achterna. Toen ik bij haar was, had ze een sigaret opgestoken. Ze bood me er eentje aan en tot mijn eigen verrassing accepteerde ik.

'Matt heeft nooit de geringste belangstelling voor astronomie aan de dag gelegd,' zei ik, terwijl ik genoot van de eerste trek van de sigaret. Het smaakte beter dan de drank. Jij placht te zeggen dat er geboren niet-rokers zijn die met alle geweld willen roken. En dan zijn er geboren rokers die het weigeren. Je vond altijd dat ik bij de laatste categorie hoorde. 'Meer bedoelde ik niet te zeggen.'

'Laat maar zitten. Het gaat trouwens niet om astronomie. Ik dwaal een heel eind af van de telescoop. Veel te ver naar de zin van mijn collega's.'

'Waarheen?'

'Parawetenschappen, zou je het kunnen noemen. Nou ja, op spoken jagen is boeiender dan sterren in kaart brengen, dat kan ik wel zeggen.'

'En doe je dat... op spoken jagen?'

'Niet zo vaak. Doorgaans praat ik er alleen maar over. En ik schrijf erover.' Ze haalde haar schouders op. 'Zo zit de wetenschap nu eenmaal in elkaar.'

'Door die lezingen... en geschriften... hebben Matt en jij elkaar leren kennen?'

'Ja. Tegen het eind van het afgelopen trimester heb ik een gastcollege aan de universiteit van Leicester gegeven. Het was 's avonds en iedereen kon erheen. *De psychomorfologie van paranormale verschijnselen.* Pakkende titel, vindt u niet?'

'Wat betekent het?'

'In een paar woorden? Het betekent dat ik geloof dat er een wetenschappelijk verklaarbare structuur bestaat voor wat we als paranormale verschijnselen beschouwen: helderziendheid, helderhorendheid, voorschouw, naschouw, spoken, dubbelgangers, *déja vu*-verschijnselen, bezetenheid, de hele trukendoos. Alleen zijn het naar mijn mening geen trucs. Althans niet allemaal. Ze verwijzen naar een ander niveau van de werkelijkheid. We...' Ze zweeg en keek me fronsend aan. 'Wil je dat ik verderga? Ik heb die glazige blik te vaak in collegezalen gezien om hem te missen bij iemand die tegenover me aan een tafeltje zit. Het honorarium voor een lezing dwingt me min of meer om door te gaan. Maar jij hebt niets betaald. Dus wil je liever dat ik dit oversla?'

'Ik luister.' Ik ging rechtop zitten. 'Oké zo?'

'Dat is je maar geraden ook. Hoe dan ook, die vriend van jou was een en al oor. Dat stond als een paal boven water. Hij heeft geen woord gemist.'

'Waarvan?'

'Ik zal het simpel houden. Als we naar een ster kijken – welke ster dan ook – zitten we naar het verleden te kijken. Dikwijls het grijze verleden, vanwege de tijd die het licht van die ster nodig heeft om ons te bereiken. Dat vinden we niet merkwaardig of paranormaal. Dat begrijpen we. Dat accepteren we. Maar als we de herbergier die dit café tweehonderd jaar geleden dreef achter de bar vandaan zien komen met een stenen pijp in zijn mond, zeggen we dat het een spook is. Toch is zijn beeltenis, zijn stem, en zelfs de geur van zijn tabak hier om ons heen, elektromagnetisch geregistreerd als zintuiglijke informatie binnen het web van wereldlijnen.'

'Het wát?'

'Het web van wereldlijnen. Het raster van elkaar snijdende lijnen van de aanwezigheid van elk levend wezen in tijd en ruimte. Beschouw onze vriend de reeds lang gestorven caféhouder als een radiosignaal van de een of andere zwakke, verre zender, overschreeuwd door het veel sterkere signaal van het hier en nu. Zo goed als overschreeuwd althans. Maar soms, op bepaalde plaatsen, voor bepáálde mensen, bestaat er een vorm van resonantie die het signaal in staat stelt om door de interferentie heen te breken. Dan... zien we een spook.'

'Uit het verleden?'

'Nou, daar horen spoken in het algemeen vandaan te komen.'

'Niet de toekomst?'

'Probeert u geestig te zijn?'

'Nee. Allerminst.'

'Maar u zou uw vriend kunnen citeren, woordelijk nog wel. Hij vroeg het me aan het eind van de lezing. Welk theoretisch obstakel er bestond in de psychomorfologie die ik naar voren bracht tegen informatie die ons bereikte van een zender in de toekomst in plaats van in het verleden.'

'En wat zei u?'

'Dat de toekomst die vanuit ons standpunt gezien uit een bijna oneindig aantal variabelen bestaat, veel minder kans maakt om de nodige graad van resonantie te bereiken.'

'Veel minder, maar niet helemaal geen?'

'Precies. Niet helemaal geen. Het is niet uitgesloten.'
'Was hij daar tevreden mee?'
'Blijkbaar niet. Hij belde me maandag en vroeg of we een afspraak konden maken. Hij zei dat er iets was wat ik moest zien en dat betrekking had op ons gesprek in Leicester. Iets waarover hij graag mijn oordeel zou horen.'
'Wat was dat?'
'Dat zei hij niet. Ik ben hierheen gekomen om daarachter te komen.'
'Een lange reis met zo weinig houvast.'
'Sommige mensen geven je een bepaald gevoel.'
'Resonantie?'
'Ja, resonantie. Ik had het gevoel dat uw vriend iets had. Dus ben ik gekomen.'
'Op zoek naar bewijs om uw theorie mee te onderbouwen.'
'Nou, met meer bewijs zou ik een lezingencyclus in de Verenigde Staten kunnen geven in plaats van de East Midlands. Natuurlijk ga ik achter zoiets aan.'
'Het spijt me van de verspilde moeite.'
'Mij ook. Hoe erg is het met hem?'
'Ongeveer zo erg als mogelijk is zonder dood te zijn.'
'Ik hoop dat hij het redt. Niet alleen voor mij. Ik bedoel, ik ken hem amper, maar...'
'Begrepen.'
'Heeft u geen idee wat hij voor me had?'
'Geen flauw idee.' Dat was natuurlijk niet waar. Hij had Otherways voor haar. Maar iets wat ze moest zien? Hij kon niet domweg het huis bedoeld hebben. Waarom zou hij haar niet daar laten komen als dat zo was? Nee, nee. Dit was iets wat hij van plan was mee naar de Ram Jam te nemen. Iets wat hij had ontdekt. Iets waar Lois Carmichael op dit moment naar had kunnen zitten kijken. 'En ik ben bang dat we er misschien nooit achter zullen komen.'

Ze ging onverrichter zake terug naar Hull. Ik had met geen woord over Otherways gesproken. Noch over Emile Posnan, de Milners, de Strathallans, of mijn eigen bizarre ervaringen. Ik weet niet goed waarom niet. Waarschijnlijk was ik er gewoon nog niet aan toe om haar dat allemaal toe te vertrouwen. En ik kon er evenmin van uitgaan dat Matt het haar wel had willen toevertrouwen. Mijn ideeën over hem werden steeds vager en anders. Hij was niet de hartelijke, ongecompliceerde ziel waarin ik zo graag had willen geloven. Hij was een eenzaam iemand die hulp nodig had. Ik had hem van de wal in de sloot geholpen. Misschien had hij een potentiële bondgenoot in Lois Carmichael gezien. Iemand die hem zou geloven. Iemand die ín hem zou geloven. Maar hoe had hij haar willen overtuigen? Wat wilde hij haar laten zien? Wat had hij gevonden?

Lester was nog altijd druk bezig toen ik op Otherways terugkwam. Maar zijn tussentijdse rapport deed vermoeden dat Rainbird echt maar een proefballonnetje had opgelaten. 'De kamers op de benedenverdieping zijn zo schoon als het moppenboekje van de dominee, meneer Sheridan. Nog even en ik ben boven ook klaar. Tot dusverre bent u geheel vrij van elektronisch ongedierte.'

Ik ging naar Matts werkkamer om Daisy te bellen. Er was nog geen nieuws. Lucy zat in bad. Ik zei dat ik binnen een uur zou komen. Daarna ging ik naar boven om wat kleren voor Lucy te pakken.

Lester hoorde me op de overloop, stak zijn hoofd uit de slaapkamer waar hij bezig was en zei: 'Ik was nog vergeten te zeggen dat de gezondheidsverklaring voor beneden een klein voorbehoud heeft.'

'En dat is?'

'Een van de bureauladen in de werkkamer zit op slot. Als u de enige sleutel heeft, maakt het niet uit, want het is duidelijk dat er niet mee gerommeld is, maar...'

'Op slot?'

'Ja. Weet u wel. De sleutel draait om en klik.' Hij grinnikte. 'Dat noemen we op slot.'

Natuurlijk. Een afgesloten la. In Matts bureau. Hij was geen heimelijk type. Maar aan de andere kant was daar misschien ook nooit reden voor geweest. Tot nu toe. 'Kun jij hem open krijgen?'

'Ik moet ergens een loper hebben waarmee het wel zal lukken. Heeft u de sleutel niet?'

'Nee.' Die zou wel bij Matts eigendommen in het ziekenhuis, of bij Lucy op Maydew House zijn. Niet dat het uitmaakte waar hij was. Ik was niet van plan hem te gaan halen. 'Het is te ingewikkeld om uit te leggen, Lester. Ik moet die la open hebben. Nu meteen.'

Er lag maar één ding in: een grote, dikke gele envelop, aan één kant opengescheurd. Matts naam en adres waren erop gekrabbeld in zwarte inkt die door de regen was doorgelopen. Hij was hem per post toegestuurd. Op het poststempel stond *Sussex Coast, 22 juni.* Dat betekende dat hij hem maar een dag of wat voor mijn komst moest hebben ontvangen.

Ik haalde de inhoud te voorschijn: een stapeltje fotokopieën van bladzijden waarop de liniëring van het oorspronkelijke papier vaag zichtbaar was tussen de regels in een vast handschrift dat duidelijk niet hetzelfde was als van de persoon die het adres had geschreven. De datering van de eerste bladzijde verried direct van wie het dan wel was. En die persoon was bijna zestig jaar dood. *De gevangenis van Leicester, 7 november 1939.* Het was de bekentenis van James Milner.

Negen

Toen ik bij Maydew House arriveerde, stond er op de oprijlaan een auto die ik niet kende. Waarschijnlijk had ik wel kunnen raden van wie hij was. Matts broer – je herinnert je Jeremy wel – was met zijn ouders gearriveerd na een bezoek aan het ziekenhuis. Lucy was nog suf van de slaappillen en probeerde uit te leggen hoe het ongeluk was gebeurd, maar de heer en mevrouw Prior schenen te zeer verdoofd door de schok bij het zien van de toestand van hun zoon om veel tot zich door te kunnen laten dringen. Jeremy was analytischer, zoals je wel zou verwachten. Hij wist van de politie dat ik de botsing had gezien en gaf net uiting aan zijn verbazing omtrent het feit dat Matt en ik op hetzelfde tijdstip in verschillende auto's naar Otherways reden... toen ik binnenkwam.

Dat probleem had ik kunnen voorzien. Ik kon ze niet de waarheid vertellen, maar ik had nog geen eensluidend verhaal met Lucy afgesproken. Gelukkig hadden Jeremy's twijfels zich nog niet tot iets specifieks gebundeld. Ik dacht zo hard na als ik kon en zei dat ik Matt gevaarlijk hard door Oakham had zien rijden en hem was gevolgd uit angst voor zijn veiligheid. Ik kon me niet herinneren of dit wel strookte met mijn verklaring tegenover de politie, maar ik ging ervan uit dat Jeremy die niet kende. Natuurlijk kon ik van geen kant verklaren waarom de nuchtere en o zo voorzichtige Matt als een gek had gereden, maar ik had me eruit gepraat, althans voorlopig.

De persoon die ik echt wilde spreken om een aantal vragen van mezelf te stellen, was Daisy. Maar haar onder vier ogen te spreken krijgen met nog vier mensen in huis viel niet mee, vooral niet omdat Lucy me smekende blikken toewierp waarmee ze verzocht of ik alsjeblieft niet wilde weggaan. Toen Daisy uiteindelijk voor het hele gezelschap wat te eten bij elkaar ging scharrelen, verontschuldigde ik mezelf omdat ik iets uit de auto moest halen, wat toevallig ook zo was. Ik kwam door de achterdeur het huis weer in en verraste Daisy in de keuken.

'Ik moet je even spreken,' zei ik en maakte een gebaar met mijn vinger dat we ook niet te hard moesten praten.

'Daarover?' knikte ze naar de envelop onder mijn arm.

'Ja.'

'Wat is het?'

'James Milners bekentenis.'

'Dat kan niet.'

'Toch wel. Ik heb hem op Otherways gevonden. Het is een fotokopie, niet het origineel. Iemand heeft het met de post aan Matt toegezonden. Anoniem.'

'Waarom?'

'Dat weet ik niet.'

'Weet je zeker dat hij echt is?'

'Zo zeker als ik maar kan zijn. Zo zeker als jij volgens mij zult zijn als je hem hebt gelezen. Behalve natuurlijk...'

'Behalve wat?'

'Als je hem al hebt gelezen. Is dat zo, Daisy?'

'Ik heb je gisterochtend verteld dat ik niet eens wist of hij wel bestond.'

'Ja, dat heb je. Maar...' Ik slikte de rest van mijn zin in. Daisy verdiende het voordeel van de twijfel, althans tot ze hetzelfde had gelezen als ik. En ze zag er echt overdonderd uit. Ik legde de envelop op de keukenkast naast haar. 'Lucy mag hier niets van weten. En Matts familie evenmin, vooral niet die muggenzifter van een Jeremy. Dit blijft onder ons, oké?'

'Zoals je wilt.'

'Lees hem vanavond. En laten we dan morgen iets afspreken. In Oakham. Zeg maar tegen Lucy dat je boodschappen moet gaan doen. Zeg maar wat.'

'Goed, maar ik kan je niets beloven. Je ziet hoe de zaken ervoor staan.'

'We moeten dit bespreken, Daisy. Zo gauw mogelijk. Ik zie je wel bij de pomp om negen uur.'

'Is het echt zo dringend? Ik bedoel, het is bijna zestig jaar geleden dat...'

'Lees nou maar. Volgens mij zul je dan beseffen dat het wel degelijk dringend is.'

'Probeer je me de stuipen op het lijf te jagen?'

'Nee. Maar ik denk wel dat wat James Milner heeft geschreven je angst kan inboezemen.' Ik zweeg even en keek haar recht aan. 'Zoals het bij mij heeft gedaan.'

Dat was zo. De laatste woorden van James Milner, drie dagen voor zijn executie wegens de moord op zijn vrouw opgeschreven in zijn dodencel, waren nu een deel van mij. Ze zouden me nooit meer verlaten. En de angst waarin die woorden gegrond waren evenmin.

Toen ik twee uur later omstreeks middernacht door het aardedonkere platteland naar Oakham terugreed, moest ik aan Milner denken, zoals hij in de getraliede duisternis van zijn cel in de gevangenis van Leicester had liggen staren in de leegte die hem weldra zou verzwelgen. Ik moest ook aan Daisy denken, die de envelop openmaakte die ik bij haar had gelaten en haar ogen over de eerste bladzijde van zijn boodschap van lang geleden liet dwalen. De jaren vielen weg. Zelfs de dood trok zijn sluier opzij. Alleen de woorden bleven.

Gevangenis Leicester
7 november 1939

Biechten is goed voor de ziel, zeggen ze. De rechter die me heeft veroordeeld, riep God aan om genade met de mijne te hebben. De aalmoezenier die me begeleidt, verzekert me dat Hij dat ook zal hebben als ik oprecht berouw voel. Arme drommel. Hij zag er zo terneergeslagen uit toen ik vanmorgen zei: 'Misschien wil ik Zijn genade helemaal niet. Misschien wil ik eigenlijk wel... Zijn toorn.'

Ik hield van Ann. Dat doe ik nog. Meer dan ooit, nu ze er niet meer is om bemind te worden. Toch heb ik haar vermoord. Ik heb degene van wie ik het meeste hield vermoord. Hoe is dat mogelijk? Hoe kan dat? Jaloerse razernij is niet voldoende als verklaring. Anns dood – en de mijne – kunnen niet van tafel worden geveegd als een Griekse tragedie. Ik was inderdaad jaloers. Ik was inderdaad razend. Dat moest ook wel, op het moment dat ik het pistool tegen haar hoofd zette en de trekker overhaalde. Maar als ik me het tafereel nu voor de geest roep, lijkt het me nog altijd toe – zoals het altijd nadien is geweest – alsof ik me een boze droom herinner, een nachtmerrie, een slaapvisioen van onmogelijke handelingen. Ik kon het niet hebben gedaan. En toch heb ik het gedaan.

Hoe valt dat te rijmen? Het is zo moeilijk, zo vreselijk moeilijk. Maar ik zal het toch proberen. Dr. Johnson heeft gezegd dat de menselijke geest tot de meest schitterende concentratie in staat is als hij weet dat hij binnen veertien dagen wordt opgehangen. Ik heb nog maar drie dagen. Het zou dus niet al te moeilijk moeten zijn. Waarom vind ik dan van wel? Waarom lig ik liever op mijn bed aan Ann in gelukkiger tijden te denken dan de stappen te beschrijven die ik heb gezet over de weg die tot haar vernietiging leidde?

Laten we beginnen, omdat het moet. Laat mij niet sterven zonder dat dit verhaal is verteld. Laat de waarschuwing uitgaan.

Ik zat in het eerste trimester van mijn tweede jaar in Oxford toen mijn vader

Otherways kocht. Hij haalde me op tijdens een snikheet weekeinde aan het eind van zijn verlof en we reden naar Rutland om het huis te bekijken. Hij had me al verteld over zijn ontmoeting met de architect tijdens een receptie op de ambassade in Lissabon. Ik had zijn verhaal maar met een half oor beluisterd, omdat ik de dringende zorgen van een typische hedonistische Oxfordstudent aan mijn hoofd had om me af te leiden van mijn vaders plannen voor zijn pensioen. Hij had mama in Londen gelaten. Ced was druk met zijn studie in Harrow. Het was een ongebruikelijke excursie, omdat mijn vader en ik een heel weekeinde bij elkaar waren met niemand anders als gezelschap. We namen een kamer in de George in Stamford.

Papa had me verteld dat ik iets ongewoons kon verwachten met Otherways. Arrogant als ik was, had ik me voorgenomen om niet onder de indruk te zijn van wat vermoedelijk een middelmatige jachthut in de Midlands zou zijn. Het was natuurlijk allesbehalve dat. Toen we eromheen liepen, kon ik het effect dat het huis op me had niet verbloemen. Ik was even verbijsterd als mijn vader was geweest en als hij van mij moest hebben verwacht. De kamers waren leeg. De eigendommen van wijlen de heer Oates waren verwijderd, waardoor er alleen vuile plekken waren achtergebleven waar de meubels hadden gestaan. Het huis had er daarom aftands en onverzorgd uit moeten zien. In plaats daarvan was er sprake van onmiddellijke betovering. Otherways in al zijn naaktheid is Otherways onthuld in al zijn gevaarlijke bekoring.

Posnans ontwerp is van een bedwelmende eenvoud. Het raakt een oersnaar van de ziel. Daar heb je dat woord weer. De aalmoezenier zou verheugd zijn als hij wist dat het in mijn gedachten is. Maar in de reden en herinnering vrees ik dat hij datgene zou bespeuren waarvan ik nu zeker weet dat het destijds al is gevormd, die eerste dag, als een klein maar fonkelend deel van de aantrekkingskracht van het huis. Het was iets ziekelijks, bijna een soort lustgevoel. Het was verleiding. En we vielen er allebei voor, mijn vader en ik, allebei op onze eigen manier.

Papa vertelde me dat Posnan op de receptie had gezegd: 'Ik heb een huis gebouwd waar u bij past. Ik zie u daar wonen, echt waar.' Aan die woorden van Posnan moet ik nog vaak denken. 'Een huis waar u bij past.' Niet, zoals je doorgaans zou zeggen: 'Een huis dat bij u past.' En: 'Ik zie u daar wonen.' Daar zit een dubbele bodem in, nietwaar? Vooral voor diegenen onder ons die er hébben gewoond. Papa heeft trouwens nooit ontdekt hoe Posnan op de receptie terecht was gekomen. Zijn naam stond niet op de gastenlijst. Hij was een kluizenaar, hoorden we. Het was een uiterst onwaarschijnlijke dat hij er een gewoonte van maakte om ongenood op feestjes te verschijnen. Maar hij was er toch. Misschien had hij het gevoel dat hij er moest zijn. Misschien had hij het gevoel dat hij geen keus had, of dat wij geen keus hadden om deel uit te gaan maken van de geschiedenis van het huis dat hij had gebouwd.

Die dag had ik ook Ann voor het eerst ontmoet. Het was puur toeval. Ze reed op een paard langs toen we de oprijlaan van Otherways uit kwamen. Haar paard schrok van het geluid van de automotor, maar ze had hem zo weer onder bedwang. Ze was een elegante ruiter en ik was onder de indruk van haar schoonheid. Wie zou dat niet zijn? We wisselden een paar beleefdheden uit, anders niet. Ik kon me natuurlijk van geen kant voorstellen dat ik de persoon had ontmoet met wie ik ooit zou trouwen. En zij evenmin, dat heeft ze me later verzekerd. Maar zo was het. Eerst Otherways, toen Ann. Het was allemaal in de loop van een doodgewoon uurtje beschikt.

Terugblikken is een zinloze activiteit, maar het blijft me toch achtervolgen. Mijn vader was uitermate in zijn sas met de aankoop van Otherways. En ik was verrukt dat hij het had gekocht. Ann was zorgeloos en stralend. De wereld was vriendelijk en koesterend als je jong en welgesteld was. Sindsdien zijn er zeven jaar verstreken, meer niet. Zeven jaar. De mensen met wie ik die dag heb gedeeld, zijn dood, en een van hen door mijn toedoen. De wereld is veranderd, totaal veranderd. Maar Otherways zal blijven, klaar om iemand anders net zo snel en makkelijk in zijn ban te brengen als mij.

Aanvankelijk viel er niet meer te bespeuren dan zijn charme. Alleen mijn moeder leek niet zo verrukt van het huis. Zij en papa trokken er de volgende zomer in en daardoor werd het ook mijn thuis. Ik woonde er natuurlijk alleen in de vakantie en later, toen ik in papa's voetsporen was getreden in de diplomatieke dienst, als ik met verlof was. Het is nooit van dag tot dag mijn huis geweest. Misschien dat zijn minder charmante eigenschappen zich daarom wel zo pijnlijk langzaam aan me hebben geopenbaard, voor zover ze dat ooit helemaal hebben gedaan. Je merkte als het ware dat je heimelijk door een goed gecamoufleerde vijand was gepenetreerd, en je was er pas achter als je volledig omsingeld was. De futloosheid die zich van mama meester maakte na de verhuizing naar Otherways schreef ik toe aan het contrast tussen het kalme plattelandsbestaan en de drukke glamour van het sociale leven op de ambassade. Voor papa gold dat ook, maar voor hem bleek dat contrast een enorme opluchting. Mama was het er niet mee eens. 'Het komt door dit huis,' heeft ze meer dan eens geklaagd. 'Het opprimeert me.' Haar Engels is nooit honderd procent geweest. Wij dachten dat ze bedoelde dat het huis haar deprimeerde. Nu denk ik dat ze van meet af aan de spijker op zijn kop heeft geslagen.

Dokter Temple heeft mama tijdens haar ziekte begeleid. Die begon abrupt binnen een jaar na de verhuizing en sleepte zich op een ellendige manier nog een jaar voort voordat ze stierf. De goede dokter kon niet autorijden. Hij be-

zocht de meeste patiënten nog met de ponywagen. Maar Ann kon wel rijden en zij bracht hem dikwijls naar zijn afgelegen patiënten. Op die manier werd onze kennismaking hernieuwd. We kwamen elkaar ook tegen bij de steeplechase en deden samen mee aan de jacht. Weldra maakten we tochtjes door de omgeving in papa's Delahaye. Na een aarzelend begin bloeide onze relatie op. Het was een gelukkig tegenwicht voor mijn moeders treurige aftakeling.

Een van de laatste dingen die mijn moeder tegen me zei, was tegelijkertijd een van de eerste blijken dat Otherways niet echt zo'n vriendelijke plek was.

'Er huist boosaardigheid in deze muren, James,' zei ze terwijl ze mijn arm heftig omklemde. 'Ik heb het gezien.' Ik schreef haar opmerking toe aan het delirium dat haar koortsaanvallen dikwijls vergezelde, hoewel ze op dat moment geen koorts had.

Een paar maanden later traden Ann en ik in het huwelijk. Veel mensen op de trouwerij zeiden dat het hun speet dat mijn moeder die dag niet had mogen meemaken. Daar bracht ik niets tegen in. Maar het was me opgevallen dat mama geen enkel enthousiasme voor de verbintenis aan de dag had gelegd, hoewel ze moet hebben beseft dat we oprecht van elkaar hielden. Het is merkwaardig. Ze was nooit zo zuinig met haar opgetogenheid geweest. Maar nu valt het me moeilijk om te betwijfelen dat ze ernstige bedenkingen had omtrent onze toekomst. 'Er huist boosaardigheid tussen deze muren. Ik heb het gezien.' Maar wat had ze precies gezien?

Wat mij betrof, leek de toekomst uitnodigend, ja zelfs opwindend. Er was een loopbaan in de diplomatieke dienst voor me weggelegd en ik had een liefhebbende vrouw om me daarin te steunen. Ze wilde met alle geweld met me mee toen ik een positie in Moskou kreeg, hoewel ik ernstige bedenkingen koesterde over de vraag hoe ze het zou redden met de ontberingen van het leven daar. Die had ik trouwens ook wat mezelf aanging.

De ambassade was groot genoeg om het merendeel van het personeel te huisvesten, inclusief de vrouwen die zo dwaas waren om hun man te vergezellen, evenals een dubieuze kliek bedienden en randfiguren. Het gebouw was van buiten barok bewerkt, maar was van binnen bouwvallig en het had een potentieel dodelijk verwarmingssysteem. Eetbaar voedsel was schaars en de bijzonderheden van het alledaagse leven waren zowel troosteloos als om gek van te worden. Het was niet het soort bestaan dat ik Ann toewenste, hoewel ze het dapper en zonder te klagen doorstond.

Door mijn vaders dood kwamen we sneller thuis dan we hadden verwacht. Hij had een beroerte gekregen toen hij alleen thuis was zoals de laatste tijd meestal het geval was geweest. Eensklaps was ik de heer van Otherways en Ann de meesteres. Het was een transformatie in onze leefomstandigheden die veel sneller was gekomen dan ik ooit zou hebben verwacht. Maar ik was nog altijd maar een nederige derde secretaris met plichten die me riepen. We kwamen overeen dat Ann op Otherways zou blijven, althans voorlopig. Eerlijk gezegd vreesde ik voor haar gezondheid in Moskou. In de vakantie zou Ced haar gezelschap houden en ze had haar familie binnen handbereik. Zij en Daisy hadden elkaar altijd na aan het hart gelegen. Ik had geen zin om haar met onregelmatige tussenpozen te ontwortelen voor een bestaan dat op zijn best oersaai en op zijn slechtst puur gevaarlijk was. Stalins excessen werden met de dag verschrikkelijker. Tijdens mijn afwezigheid waren de eerste showprocessen begonnen. Je wist niet wat je boven het hoofd hing. Er was ook sprake van dat ik een poosje op het consulaat in Leningrad geplaatst zou worden, en die stad werd door dysenterie en tyfus geteisterd. Al met al was ik geweldig opgelucht toen Ann ermee instemde thuis op Otherways te blijven.

Ik hoopte net als Ann dat ik weldra zou worden overgeplaatst naar een aangenamere hoofdstad, waar we samen konden zijn, een beschaafd leven konden leiden en aan een gezin konden beginnen. Helaas was het feit dat ik vloeiend Russisch sprak zo'n zeldzaam talent in de diplomatieke dienst, dat de kans op zo'n overplaatsing minimaal was. Lord Chilston zei dat ik me gevleid moest voelen omdat hij me onmisbaar vond, en tot op zekere hoogte was dat ook zo. Maar ik voelde me ook gefrustreerd en op de lange duur gedeprimeerd.

Toen is mijn jaloezie waarschijnlijk begonnen: in het besef dat Ann en Ced en Daisy een comfortabel en gezellig bestaan op Otherways leidden, waar ik maar met mondjesmaat van mocht proeven tussen langdurige, Spartaanse perioden in de Sovjet-Unie. Als ik thuiskwam, vertelde Ann me over alle dingen die ze samen hadden gedaan – zonder mij – en toen ik weer in Moskou was, begon ik me af te vragen hoeveel dingen ze nog meer samen deden waarover ze me niets vertelde.

Als ik met verlof thuis was, had ik af en toe merkwaardige dromen, waarin Ann niet mijn vrouw en ik een vreemde was voor haar en Ced, of hooguit een vriend, maar geen echtgenoot en evenmin een broer. In belendende vertrekken hoorde ik fluistergesprekken waarin ik hen tweeën meende te herkennen, maar als ik ging kijken, trof ik de bewuste kamer leeg aan. Ik had het me verbeeld, of ze waren me op de een of andere manier ontglipt. Ik wist niet wat ik met die ervaringen aan moest, maar ze lieten me niet met rust. Ze namen zelfs toe en groeiden uit tot fantasieën die ik niet altijd als zodanig herkende.

Ceds bezoek aan Moskou vorig jaar tijdens zijn paasvakantie gaf me de gelegenheid om mezelf gerust te stellen door hem het hemd van het lijf te vragen omtrent het leven op Otherways als ik er niet was. Zijn antwoorden hadden me gerust moeten stellen. Er bleek niets verdachts uit. Maar dat overtuigde mij alleen maar van de subtiliteit van het bedrog waarvan ik me het slachtoffer waande. Zo had ik ook troost kunnen putten uit zijn aankondiging van dit voorjaar dat Daisy en hij verloofd waren. Maar die maakte me alleen maar nog argwanender.

Mijn geestestoestand begon zich weldra in mijn werk af te tekenen. Nerveuze spanning was geen onbekende onder het Moskouse personeel. Het was een beroepsrisico. Waarnemer zijn bij de showprocessen, wat ik was, liet me kennismaken met de bizarre aspecten van het menselijk gedrag. Schuld en onschuld leken lastig te definiëren begrippen. Alom heerste twijfel: om me heen en van binnen. Kort nadat ik in mei naar Moskou was teruggekeerd, kreeg ik de een of andere zenuwinstorting. De diagnose van de ambassadedokter was totale mentale en lichamelijke uitputting. Ik kreeg een lange periode ziekteverlof en werd naar huis overgebracht.

Daar voelde ik me aanvankelijk beter. Ann bekommerde zich om mij. Haar zorgzaamheid was een troost. Alles was in orde, hield ik mezelf voor. Er viel niets te vrezen en argwaan was niet nodig. Weldra zou ik weer de oude zijn.

Vervolgens kwam Ced uit Cambridge voor de zomervakantie naar huis, en naarmate mijn krachten stukje bij beetje terugkeerden, deden mijn twijfels dat ook. En ze werden net als daarvoor bevestigd door rare dromen en verontrustend zinsbedrog: glimpen van Ann en Ced die een wandeling maakten door de tuin, schijnbaar hand in hand; flarden van gefluisterde minnewoordjes die op onthutsende wijze mijn oor bereikten op wispelturige briesjes en onregelmatige tochtvlagen. Een zomer van rust en herstel veranderde in één aanhoudende geestelijke kwelling

Er kwam een moment waarop mijn droom- en waakuren in elkaar overliepen. Dan zag of hoorde ik iets, maar begreep later uit de opmerkingen van anderen dat ik het had gedroomd. Of ik droomde dat ik iets zag of hoorde en besefte later door hetzelfde retrospectieve proces dat het echt was gebeurd.

Op een zondag hadden we een tennisfeestje georganiseerd en een net op het gazon gespannen omdat we een stuk of tien vrienden van Daisy en een handvol bevriende collega's van Ced op de thee hadden. Binnen liep ik iemand tegen het lijf die ik tot het gezelschap rekende. Ze zei dat ze Rosalind heette, maar toen ik haar naam liet vallen tegen de anderen, keek men verwonderd op. Er wás niemand die Rosalind heette.

Bij een andere gelegenheid werd ik wakker na een middagslaapje en zag ik iets heel merkwaardigs door het slaapkamerraam: een blauw meer, dat glinsterde in het zonlicht en de ruimte tussen Otherways en Whitwell vulde, op een plaats waar ik vee had moeten zien grazen op de weiden langs de oever van de Gwash: sterker nog, waar ik dat inderdaad een uurtje daarvoor nog had ge-

zien. Mijn eerste gedachte was dat er een soort overstroming was geweest: dat Burley Fishponds op de een of andere manier buiten zijn oevers was getreden. Maar er was te veel water voor zo'n incident, veel te veel. Ik holde naar beneden en verwachtte... ik weet niet wat, maar niet de kalme rust die er heerste. Toen ik de tuin in holde en nog eens keek... was het water verdwenen en ging de Gwash zijn kalme kronkelgangetje door het vriendelijke weidelandschap; ik had me vergist.

Ann was zich ervan bewust dat het niet goed met me ging. Ced moest het ook hebben gemerkt. Er werd niets over gezegd. Niets kwam op tafel tussen ons. Maar in hun ogen las ik medelijden en bezorgdheid, of samenzweerderige minachting, als ik het zo verkoos te interpreteren, wat ik maar al te vaak niet kon onderdrukken.

Eind augustus kreeg ik de tot dan toe meest onthutsende droom. Daarin was ik inderdaad met Ann getrouwd, maar raakte ik er door onweerlegbaar bewijs totaal van overtuigd dat zij en Ced een stiekeme relatie hadden. Ik zeg wel dat het een droom was, en dat was het ook, maar destijds leek hij waar, volkomen en afgrijselijk waar. Ik was het huis in de namiddag onaangekondigd en onopgemerkt binnengegaan en betrapte ze door Ceds half openstaande slaapkamerdeur. Ze bedreven de liefde: mijn vrouw en mijn broer in een hartstochtelijke verstrengeling. Door weerzin en woede overvallen, ging ik weer naar buiten, waar ik op de loer ging liggen. Maar alleen Ann kwam naar buiten. Van Ced was geen spoor. Ann ging naar het prieeltje in het lage gedeelte van de tuin. Ik volgde haar en zag hoe ze daar ging zitten en zich glimlachend de gebeurtenissen van daarnet voor de geest haalde. Daarop haalde ik de revolver uit mijn zak, liep naar haar toe en...

Ik zweer dat ik dacht dat ze dood was, dat ik haar echt had doodgeschoten, toen ik wakker werd uit die droom en zag dat ze vreedzaam naast me lag te slapen. Er was niets waarin ik de gedroomde ervaring van de feitelijke gebeurtenis kon onderscheiden, helemaal niets. Alleen het feit dat ze nog leefde, toonde aan dat ik het niet echt had gedaan.

Dat was maar een paar dagen voor mijn afspraak in Londen met de arts van het ministerie die moest uitmaken of ik weer in staat was om aan het werk te gaan. Op vrijdag 1 september ging ik naar Londen voor mijn afspraak 's middags. Hij stelde een heleboel vragen. Ik beantwoordde ze zo terughoudend mogelijk, uit angst dat hij me geen gezondheidsverklaring zou verstrekken als ik hem over mijn kennelijke waanvoorstellingen zou inlichten. En die verklaring wilde ik maar al te graag, want in dat stadium leek me een vroegtijdige terugkeer naar Moskou mijn enige hoop op verlossing. Helaas werkte mijn ontwijkende verslag in mijn nadeel. De arts vond dat ik minstens nog een maand thuis moest blijven.

Ik logeerde in het Russell Hotel. Ik belde Ann om te vertellen dat ik naar een cricketmatch bij Lord's zou gaan alvorens de volgende avond de trein naar huis te nemen. We kwamen overeen dat zij of Ced naar Oakham zou komen om me van de trein van tien uur te halen. Ik draaide eromheen toen ze informeerde hoe de keuring was verlopen en zei dat ik het wel uit zou leggen als ik thuis was.

In werkelijkheid was ik helemaal niet van plan om naar Lord's te gaan. Het gistte van binnen. Nu was ik het die de zaak bedroog, uit wraak omdat een deel van mij oprecht geloofde dat ik zelf werd bedrogen.

Waarschijnlijk gonsde Londen van de oorlogsgeruchten. Het laat zien hoe afwezig ik was, want het ging allemaal langs me heen. Ik nam de eerste middagtrein van St Pancras, stapte uit in Manton in plaats van Oakham en liep vandaar naar Otherways. Ik weet nog dat het een stille, rustige avond was. Ik voelde mezelf ook merkwaardig rustig; kalmer dan ik me in maanden had gevoeld.

Ik ging het huis stiekem binnen in de verwachting iets... belastends aan te treffen, denk ik. Maar er was niets. Ze waren geen van beiden in velden of wegen te bekennen. Ik keek in Ceds slaapkamer zoals ik in de droom had gedaan. Leeg. Hij was er niet. Ann evenmin. Maar het bed was niet opgemaakt. Het was vlak daarvoor beslapen geweest. De lakens onder de dekens waren nog warm.

Iets in mij knapte toen ik met mijn hand over de warme lakens ging. Het was net alsof ik de droom opnieuw beleefde. Ik haalde de revolver uit de kluis, laadde het magazijn en liep de tuin in. Als Ann in het prieeltje zat, zou dat – naar ik scheen te weten – bevestiging van mijn ergste vrees zijn. Zo niet...

Maar ze zat er wel. Ik zag haar zitten toen ik dichterbij kwam. Dus moest het waar zijn. Ze had me bedrogen. Ik riep niets. Ze zag me ook niet aankomen. Ik liep linea recta op haar af. En vervolgens liet ik de droom werkelijkheid worden.

Nog uren daarna, zelfs na mijn arrestatie en transport naar het politiebureau van Oakham, geloofde ik dat ik elk moment wakker kon worden om te beseffen dat het alleen maar de zoveelste droom was geweest. Uiteindelijk besefte ik in de kleine uurtjes van de volgende morgen dat het echt gebeurd was: ik had Ann doodgeschoten; ik had haar vermoord.

Wat ik had gedaan, wilde ik niet verontschuldigen en ik wilde ook geen verzachtende omstandigheden voor de verschrikking aanvoeren. Ik was schuldig en heb dat van meet af aan toegegeven. Ik had mezelf allang veroordeeld voor de rechter in de rechtszaal zijn zwarte kapje opzette.

Sinds zaterdagavond 2 september heb ik nooit meer een voet in Otherways gezet. Sindsdien heb ik ook niet meer zo gedroomd als ik daar heb gedaan.

Evenmin ben ik door iets irrationeels en onnatuurlijks overvallen zoals me onder zijn ronde dak is overkomen. Daar ben ik allemaal even vrij van als gebonden aan de consequenties van datgene waartoe ik daar ben gedreven.

'Wat heb je gedaan?' vroeg Ced in afgrijzen toen hij die avond thuiskwam en mij aantrof, wachtend op de komst van de politie. 'Wat heb je gedaan?' Een antwoord was er niet, behalve de wandaad zelf. Aan te veel was een einde gekomen om in woorden te worden gevat. Zelfs de talrijke woorden die ik nu heb geschreven, slagen er niet in om het geheel te vatten. Het is een cirkel zonder omtrek. Het is een kale vlakte.

Mijn vader heeft een keer navraag naar de mysterieuze Posnan gedaan. Ik heb er destijds weinig aandacht aan besteed. Maar ik moet steeds vaker denken aan de schamele inlichtingen die hij heeft ingewonnen, nu ik hier zit te wachten op het einde dat ik reeds tot een juridisch feit heb gemaakt. Het zegt veel of weinig, dat is een kwestie van smaak.

Basil Oates was een nabije buurman van Posnans vader in Hertfordshire, ergens in de buurt van St Albans als ik het me goed herinner. Posnan senior was een amateurimker, junior was toen al een soort student bouwkunde die zelden thuis was. Hij had voor zijn vader een soort bijenkorf ontworpen: een rond bouwsel dat op een zomerhuisje moest lijken, maar in werkelijkheid bedoeld was om een tiental korven te herbergen, en de bijen hadden er toegang via gaatjes onder de raamkozijnen, terwijl de oude Posnan van binnenuit de zaak kon inspecteren en de honing kon oogsten. Er werd gezegd dat Oates vanwege de elegante bouwstijl van de bijenkolonie Posnan junior als architect aanwees toen hij besloot zelf als landjonker in Rutland te beginnen.

Halverwege de bouw van Otherways werd Posnan senior bij zijn werk in het bijenhuis overvallen door een zwerm bijen en doodgestoken. De bijenkorf is later afgebroken. Meer kon mijn vader niet achterhalen. Of dat verklaart waarom Posnan de architectuur eraan heeft gegeven en naar Lissabon is gevlucht, is mij nu niet duidelijker dan het destijds voor papa was. Maar het blijft maar door mijn hoofd spoken en is niet makkelijk van me af te schudden. Emile Posnan had een grote gave. Waarschijnlijk heeft hij die nog steeds. Maar hij doet er niets mee. Waarom niet? Wat weerhoudt hem? Ik weet het niet. Of wel? Ben ikzelf wellicht de oorzaak? Of ben ik het slachtoffer van de oorzaak? Zo ja, dan ben ik niet de enige. Maar er schuilt geen troost in dit gezelschap.

Het was een waan. Dat begrijp ik inmiddels wel, met ontstellende helderheid. Ann heeft mij niet bedrogen. Maar iets heeft mij wel bedrogen, iets wat in Otherways huist, of daar nu iemand woont of niet: een krankzinnigheid van bijen of van mensen; een cirkelvormige radeloosheid. Het woont er. Het zal er wonen zolang het huis bestaat. Het zou niet mogelijk moeten zijn. De logica verbiedt het. Maar het is wel zo. Daar ben ik het bewijs van. Ik verwacht niet dat iemand mij zal geloven. Behalve degenen die het aan den lijve ondervinden. En dan nog hoeft dat niet, want het is zonder meer eenvoudiger om het niet te geloven. Misschien moet men ertoe worden gedwongen, net als ik. Dan is er geen keus. En maar één uitweg.

James Clarence Milner

Voordat ik de volgende ochtend uit de Whipper-In vertrok, belde ik het ziekenhuis. Matts toestand was onveranderd. Men zei dat hij 'stabiel' bleef. Ik nam aan dat Jeremy en zijn ouders er al zouden zijn; ze logeerden in een hotel in het centrum van Leicester. Dat was ontegenzeggelijk handig voor ziekenhuisbezoek, hoewel ze het eigenaardig moesten hebben gevonden dat Lucy hen niet op Otherways kon of wilde onderbrengen. Het was minder zeker dat Lucy bij hen in het ziekenhuis zou zijn; ze had er de avond tevoren doodmoe uitgezien. Hoe dan ook, ik ging ervan uit dat Daisy erin was geslaagd om alleen uit Maydew House weg te komen. Als ze eenmaal de bekentenis van haar reeds lang overleden zwager had gelezen, twijfelde ik er niet aan dat ze me wilde spreken, onder vier ogen.

Het was nog net geen negen uur toen ik de markt overstak. De ontmoetingsplaats die ik had genoemd, de stadspomp, was een klein bouwwerkje met een dak in de schaduw van de bomen. De pomp stond in de hoek van de straat waar deze linksaf ging naar het postkantoor en Oakham School. Voor het postkantoor stond een rijtje mensen in afwachting van de openingstijd. Maar bij de pomp aan de overkant stond niemand.

Toen ik dichterbij kwam, maakte zich een gestalte uit de rij los en begon met kwieke tred de andere kant op te lopen. Het was Daisy. Ze had de envelop in haar hand. Je zou gedacht kunnen hebben dat ze opeens van gedachten was veranderd toen ze een brief wilde posten. Ze wierp een blik op mij over haar schouder, maar bleef niet staan en ging evenmin langzamer lopen. Ze wandelde in de richting van de school aan de overkant van de markt, waar een voetpad langs All Saints' Church liep. Tegen de tijd dat ze daar was, had ik haar ingehaald.

'Ik voelde me daar nogal in het oog lopen,' zei ze toen ik naast haar liep.

'Zo leek het anders niet.'

'Mooi.'

'Gaan we ergens heen?'

'Nee, maar we kunnen ook praten onder het lopen. Zal dat niet natuurlijker lijken?'

'Als jij het zegt.' Wat voor indruk we zouden maken, leek me totaal onbelangrijk. Ik vond Daisy's bezorgdheid raadselachtig, maar ik stond er niet lang bij stil. 'Heb je het gelezen?'

'Natuurlijk.' We liepen door het hek het kerkhof op. 'Sinds je gisteravond bent vertrokken, heb ik weinig anders gedaan.' Ze hief de envelop op en slaakte een zucht. 'Steeds maar weer.'

'Dus je bent het met me eens dat hij authentiek is?'

'Ja.' We liepen het pad om de kerk op, de lange omweg naar het hek aan de andere kant van het terrein. 'Dat heeft James geschreven, dat staat als een paal boven water.'

'Herken je zijn handschrift?'

'Nee. Maar de bijzonderheden... kan hij alleen hebben geschreven. Niemand anders noemde Cedric Ced. En dat tennisfeestje, toen hij die onverwachte gast ontmoette...' Ze zuchtte nog een keer. 'Daar was ik bij.'

'Dus is het allemaal waar?'

'Ik was haar naam vergeten, weet je.' Ze schudde haar hoofd. 'Al die jaren, zonder het verband te leggen.' Blijkbaar had ze geen acht op mijn vraag geslagen. Misschien waren vragen wel overbodig, eigenlijk. 'Rosalind, natuurlijk. Dat kon niet anders.'

'Als deze... bekentenis... destijds aan het licht was gekomen, was zijn vonnis misschien omgezet.'

'Op grond waarvan? Krankzinnigheid? Verminderde toerekeningsvatbaarheid? Dat zou hij niet gewild hebben.'

'Omdat hij vastbesloten was met zijn leven te betalen voor wat hij had gedaan?'

'Cedric zou dat hebben begrepen.' Ze had opnieuw mijn vraag genegeerd. 'Hij zou niet tussenbeide zijn gekomen.'

'In elk geval niet destijds.'

'Hoe bedoel je?' De betekenis achter mijn opmerking was haar niet ontgaan.

'Je weet best wat ik bedoel.'

'O ja?' We verlieten het kerkhof weer. Daisy keek me fronsend aan toen we de straat op liepen. Niet omdat ze mijn opmerking niet begreep, kreeg ik de indruk, maar omdat deze haar op de een of andere manier teleurstelde.

'Waarom heeft Matt de bekentenis gekregen, Daisy?'

'Waarom denk je?'

'Iemand meende dat hij gewaarschuwd moest worden omtrent de risico's van het wonen op Otherways.'

'Dat lijkt me in elk geval de enige geloofwaardige reden.' Ze liet haar hoofd hangen. Ze wist wat er nu ging komen. 'Dat ben ik met je eens.'

'Wie?'

'Je vroeg me net of ik het handschrift van James herkende en ik zei nee. Dat was waar. Ik herinner het me niet scherp genoeg om dat te kunnen zeggen.'

'Maar de naam en het adres op de envelop?'

'Dat handschrift ken ik wel.'

'Dat is van Cedric, hè?'

Ze liet me op het antwoord wachten tot we waren overgestoken en waren afgeslagen naar Dean's Lane, een smal kronkelstraatje naar het westen. Daarna zei ze bijna fluisterend: 'Ja, het is van Cedric.'

'Niet dood.'

'Nee.'

'En evenmin in Rusland.'

'Nee.'

'Maar hier in Engeland. Levend en wel.'

'In elk geval levend.'

'Woonachtig aan de kust van Sussex.'

'Misschien.'

'Kom nou, Daisy.' Ze bleef staan en keek me van opzij aan, uit haar dagdroom gewekt door mijn ergernis. 'Ik heb de oplossing gevonden.'

'O, ja?'

'Dat was niet zo moeilijk. Die extra kilometers op de teller van Lucy's auto? Die had Matt zich niet verbeeld. Jullie zijn niet in Worcester gestopt. Daar zijn jullie niet eens geweest.'

'Waar dan heen, Tony? Je klinkt alsof je het denkt te weten.'

'De kust van Sussex.'

'Om Cedric op te zoeken?'

'Nou? Niet dan?'

'Nee. Niet als zodanig.'

'Waarom vertel je me dan niet wat je wel hebt gedaan, als zodanig.'

'Oké.' Ze wierp een blik langs me heen. Haar gezichtsuitdrukking had iets nerveus en ik was niet de aanleiding. Niet de hele aanleiding althans. Ik keek zelf over mijn schouder, maar de straat lag er verlaten bij. 'Laten we die kant op gaan.'

Ze stak over en knikte naar de volgende afslag naar rechts. Het leek erop alsof ze in een boog naar de kerk terug wilde lopen.

'Cedric had een paar maanden geleden contact met me opgenomen. Een telefoontje, dat totaal uit de lucht kwam vallen. In alle jaren dat hij weg was geweest, hadden we elkaar niet gesproken. Je kunt je wel voorstellen wat een schok dat voor me was. En nog twee keer zo erg omdat hij zei dat hij weer in Engeland was en me graag wilde ontmoeten.'

'Waarom?'

'Omdat we allebei oud zijn en niet meer zoveel jaren te leven hebben. Omdat er zoveel was... dat niet was uitgesproken... tussen ons.'

'Dus ging je akkoord?'

'Nee. Dat deed ik niet. Er zijn dingen die je beter onuitgesproken kunt laten. Cedric had verraad gepleegd, Tony. Hij heeft zijn land verraden. Hij heeft mij verraden. Misschien ben ik ouderwets, maar ik ben bang dat bepaalde daden wat mij aangaat onvergeeflijk zijn. Ik had liever gezien dat hij helemaal geen contact met me had opgenomen. Dat zou voor beiden gemakkelijker zijn geweest. Maar zo was het nu eenmaal. Dankzij dat telefoontje wist ik het. Die wetenschap kon ik niet meer ongedaan maken.'

'Wat heb je toen gedaan?'

'Ik zei dat ik bedenktijd nodig had. Daarna heb ik hem geschreven om de hopeloosheid van wat hij voorstelde uit te leggen, dat het veel te laat was voor wat voor verzoening of boetedoening ook, als hij daar althans naar zocht. De brief vereiste geen antwoord. Dat wilde ik niet. Maar hij schreef terug om te vertellen dat er bepaalde... factoren... waren die ik niet begreep. Inmiddels was hij kennelijk druk in de weer geweest om onderzoek naar de geschiedenis van Otherways te doen. Ik bedoel de geschiedenis sinds hij het huis aan majoor Strathallan had verkocht. Daarover zei hij ook dat er dingen waren die ik moest weten. Hij zei dat hij was teruggekeerd om bepaalde dingen recht te zetten en hoopte dat ik hem daarbij zou helpen.'

'Maar daar wilde je niets mee te maken hebben.'

'Je stem heeft iets verwijtends dat ik niet verdien. Ik ben Cedric niets verschuldigd. Ik ben lang geleden met het verleden in het reine gekomen. Dat hij daar niet toe in staat is geweest, hoeft nauwelijks verbazing te wekken, gezien wat zíjn verleden allemaal omvat.' We liepen weer naar de kerk terug. Hij lag recht voor ons aan het eind van de straat. 'Ik had mijn uiterste best gedaan om Cedric te vergeten. Ik had er geen zin in om aan hem herinnerd te worden. Daarom weigerde ik dat ook. Volgens mij had ik daar het volste recht toe.'

'Maar uiteindelijk heb je hem tóch ontmoet, hè?'

'Zoals ik al zei: niet als zodanig. Ik heb zijn brief in de wind geslagen. Maar er kwam er nog een. En nog een. Uiteindelijk heb ik Lucinda in vertrouwen genomen. Zij stemde erin toe om hem persoonlijk te spreken en uit te leggen dat het enige wat ik van hem verlangde een hervatting was van de lange stilte, die hij nooit had mogen verbreken.'

'Dat was hard.'

'Maar volgens mij niet onterecht.'

'Dus heeft Lucy hem opgezocht. En ben jij wél naar de paardenrennen gegaan?'

'Nee. Ik ben met haar mee geweest. Maar ik ben in de auto blijven zitten terwijl zij naar binnen ging om met hem te praten.'

'Wat had hij tegen haar gezegd?'

'Het enige wat hij kón zeggen. Lucinda heeft namelijk tegen hem gezegd dat als hij doorging met mij lastig te vallen, ik de autoriteiten ervan op de hoogte zou brengen dat hij weer in Engeland was.' Haar blik kruiste even de mijne en ze kon haar schaamte niet verbergen. 'Dat was wél hard van me, hè Tony?'

'Ja, dat vind ik wel. Maar wie ben ik om dat te zeggen?'

'Iemand die de begunstigde is van een van de "rechtzettingen" waarop hij zinspeelde, evenals ikzelf momenteel. Maar vergeet niet dat anderen behalve ik Cedric kunnen verraden. Zijn hardnekkige gewroet in het verleden leek me een pertinente uitnodiging om tegen de lamp te lopen. En ontdekking is niet alleen voor hem maar ook voor mij een bedreiging. De kranten zouden uit hun dak gaan. 'Oude spion komt naar huis om te sterven.' Hoe zat het ook weer met de vroegere verloofde van die oude spion? Ze zouden me niet met rust laten, hè? Vooral niet als de overheid hem alsnog ging vervolgen. Bovendien moest ik uitkijken voor Rainbird.'

'Wat heeft hij ermee te maken?'

'Ik weet het niet. Niets waarschijnlijk.' We waren bij de weg die we een paar minuten geleden waren overgestoken toen we van het kerkhof waren gekomen. Maar nu sloeg Daisy af in noordelijke richting, weg van zijn hoge torenspits. 'Maar dat wist ik niet zeker. Het was bij me opgekomen dat Cedric misschien degene was naar wie Rainbird zocht, dat Cedric de reden was dat hij überhaupt een kamer bij me had gehuurd.'

'Dat kan toch n...' Ik stopte. Wat ik als bespottelijk van tafel wilde vegen, kwam me eensklaps onthutsend denkbaar voor. 'Waarom zou Rainbird achter Cedric aan zitten?'

'Ik zeg niet dat het zo is. Ik ben alleen...' Ze schudde haar hoofd. 'Lucinda heeft er altijd op aangedrongen om hem te lozen. Maar ik wilde hem niet graag kwijt, want met hem onder één dak heb ik altijd het gevoel gehad...' Ze glimlachte flauwtjes. '... dat ik hem in de gaten kon houden, ook al was de tol dat híj míj kon bespieden. Norman Rainbird is een mysterie. Maar het mysterie dat mij werkelijk dwarszit, is niet wie hij is, maar wat hij is. Ik heb hem eruit gegooid. Maar je kunt moeilijk beweren dat hij uit ons leven is, of wel soms?'

'Heb je enige reden om aan te nemen dat hij op de hoogte was van je contact met Cedric?'

'Geen enkele. Maar als hij het wel wist, denk ik niet dat hij dat zou vertellen.'

'Heeft Cedric je met rust gelaten sinds je uitstapje naar Sussex?'

'Ja. Maar er is iets wat je niet weet. Toen we hem gingen opzoeken, was dat niet in Sussex. Misschien is hij sindsdien wel verhuisd. Of het poststempel kan een opzettelijke afleidingsmanoeuvre zijn. Ik weet het niet.'

'Niet naar Sussex?'

'Nee.'

'Waar dan?'

Aan onze rechterhand lag nu een park. Daisy stak de weg over en liep een pad op dat er diagonaal doorheen liep. In het midden was een muziekpodium. Er waren een paar wandelaars die hun hond uitlieten en op een bankje zat een oude man een krant te lezen. Het voornaamste geluid was het geraas van het verkeer op de randwegen ten noordoosten van ons. Het zonlicht werd melkwit. De wind stak op. Ik herinner me dat allemaal zo duidelijk – de banale bijzonderheden van een doodgewone locatie – door wat Daisy daarna zei. De schok die haar woorden teweegbrachten, etste de omgeving in mijn geheugen.

'We zijn naar Devon gegaan.'

'Je bent...'

'Ja, naar Devon. Ik had Lucinda laten zweren dat ze het geheim zou houden. En zij heeft haar belofte gehouden om het nooit tegen iemand te zeggen. Maar ik begrijp dat jij het móét weten. Cedric woonde in Torquay, en misschien woont hij daar nog steeds. Hoe ver is dat van jou?'

'Tachtig à negentig kilometer. Een uurtje rijden als je snel bent.'

'Dus niet ver genoeg voor een rustig geweten.'

'Wat bedoel je?'

'Jij hebt me verteld dat Matthew Lucinda ervan verdacht dat ze hem had voorgelogen over waar zij was op de dag dat haar zus verongelukte. Nu weet je dat ze inderdaad heeft gelogen.'

'Op jouw verzoek.'

'Inderdaad. Op mijn verzoek. En ik heb ook gelogen. Gisteren nog. Tegen jou.'

'Maar nu lieg je niet.'

'Nee. De bekentenis – het feit dat Cedric hem naar Matthew heeft gestuurd – laat me geen andere keus dan jou de waarheid vertellen.'

'En dat heb je gedaan.'

'Ja. Maar aan die waarheid ontbreekt nog een element.'

Ze liep voor me uit het trapje van de muziektent op. Daarna draaide ze zich om en keek vanaf het podium op me neer.

'We zijn naar Torquay gereden. We hebben Cedric opgezocht. Daarna zijn we vertrokken.'

'En teruggereden?'

'Nee. Dat wil zeggen: Lucinda heeft me in Newton Abbot op de trein gezet. We zijn gescheiden teruggereisd.'

'Waarom?'

'Ze zei dat er iets was wat ze moest doen. Alleen.'

'Wat?'

'Dat zei ze niet. Ze zei dat ik dat niet hoefde te weten. Na alles wat ze voor mij had gedaan, had ik niet het gevoel dat ik het recht had om aan te dringen. En dat heb ik ook nooit gedaan.'

'Hoe laat ben je op de trein gestapt?'

'Dat kan ik me niet precies herinneren. Halfdrie. Kwart voor drie. Zoiets. Hij was om een uur of zes in Birmingham.'

'En Lucy?'

'Die heeft me niet uitgezwaaid. Ze scheen haast te hebben, alsof...' Ze spreidde hulpeloos haar handen. 'Ik weet het niet.'

'Je wéét het niet?'

'Nee. Misschien wil ik het ook niet weten. Maar jij, Tony...' Ze keek me hoofdschuddend aan, bijna alsof ze met me te doen had. 'Jij móét het weten. Niet dan?'

Tien

Het was gewoon een macaber toeval. Dat hield ik mezelf voor. En toeval gebeurt nu eenmaal. Jij placht te zeggen dat de mensen er te veel waarde aan hechten. Je kent het wel: je gaat op vakantie in Fiji en in hetzelfde hotel logeert iemand met wie je in de klas hebt gezeten. Het is iets willekeurigs, anders niet. De kans is waarschijnlijk niet eens zo klein.

Maar de kans deed er niet toe. En wat ik ook redeneerde evenmin. Lucy was op tachtig kilometer afstand toen jij naar huis reed om wat in de tuin te klussen. Tachtig kilometer maar. En niemand behalve Lucy zelf wist waar ze heen ging en waarom. Het was een mysterie. Een blanco plek die ik kon vullen met wat mijn brein maar wilde verzinnen. Waarom heb je Stanacombe die middag verlaten? Waarom ben je naar Morwenstow gegaan? Een verrassingsbezoekje van je zus was een plausibel antwoord. Dat wilde ik niet, maar het was het wel.

'Wat ga je nu doen?' informeerde Daisy voordat we afscheid namen.

'Ik weet het nog niet,' antwoordde ik. 'Ik moet nadenken. Ik moet... Ik weet het niet.'

'Ga je Cedric opzoeken?'

'Ja.' Ze had mijn volgende stap al geraden nog voordat ik me die goed en wel bewust was geworden. 'Waarschijnlijk wel.'

'Vanwege de bekentenis?'

'Het is het enige houvast dat ik heb. Híj is het enige houvast. Als er een antwoord bestaat, is hij misschien de enige die het kent.'

'Wat moet ik tegen Lucinda zeggen?'

'Niets. Je moet haar niets vertellen.'

Ik vertrok die ochtend uit Oakham en reed in zuidelijke richting via de route die Lucy en Daisy ook moesten hebben genomen, op die ochtend al die weken geleden toen jij nog leefde en onze wereld nog om zijn comfortabele as draaide: dwars door het land naar Warwickshire, langs de Fosse Way door de Cotswolds en daarna over de snelweg naar Devon. Mijn bestemming was evenals de hunne Torquay. Maar ik had geen afspraak met Cedric

Milner – of William Hall: het pseudoniem waaronder hij leefde – en had het sterke vermoeden dat hij niet meer op het adres woonde dat zij me had gegeven.

Maar ik moest het toch proberen. Verder was er niets wat ik kon doen, niet in de laatste plaats omdat niets op zich geen optie was. Ik kon Lucy niet confronteren met wat logischerwijs een krankzinnige verdenking was. Maar ik kon die verdenking ook niet weg wensen. Cedric had de bekentenis van zijn dode broer bij wijze van waarschuwing aan Matt gestuurd. Dat stond vast. Maar waarvoor – of voor wie – wilde hij hem waarschuwen? Er moest een manier zijn om daarachter te komen.

Cedric had in een pension gewoond dat te ver van zee was om voor de kuststreek door te gaan, zelfs voor een badplaats. Hatchmead was zo'n beetje het netste huis van een kort en verder nogal haveloos rijtje vlak bij de grens tussen het Victoriaanse Torquay en het naoorlogse vakjeslandschap. Het zag er niet uit als het soort pension waar iemand lang vertoeft. Wat dat betreft had ik het mis. Niet omdat William Hall er nog woonde. Dat was niet zo, volgens de pensionhoudster, een opzichtig gekleed mens met een rokershoestje en een bijpassend gezicht. 'Die is al zeker een paar maanden weg.' En zonder een doorstuuradres achter te laten, wat me niet verbaasde. 'Ik vraag er nooit naar, beste man.' Maar Hatchmead was niet helemaal een doodlopende straat. 'Je kunt het aan Wisdom vragen. Die woont hier al zo lang dat hij bijna een lid van de familie is geworden. Hij was de enige die iets uit meneer Hall heeft gekregen.'

Ik kwam er niet aan toe om te informeren of Wisdom zijn voor-, achter- of bijnaam was. De man zelf was er trouwens niet. Maar blijkbaar zou je eerder een ijsberg door Torbay zien drijven dan hem omstreeks openingstijd niet aantreffen op zijn favoriete kruk aan het eind van de bar van de Top Hat, de op een na dichtstbijzijnde kroeg bij Hatchmead. (Hij had ruzie gehad met de waard van de dichtstbijzijnde.) Ik bracht een uur zoek op een parkeerterrein op een schiereilandje boven de baai (geen ijsbergen) en reed vervolgens terug op zoek naar Wisdom.

De Top Hat was een buurtkroegje op een hoek, gezegend met de een of andere geheime aantrekkingskracht die maakte dat het binnen tien minuten na de opening al driekwart vol was. Maar niemand was Wisdom voor geweest op zijn vaste stek. Daar zat hij naast een whiskyfles van een liter halfvol met pennies een Mackeson te drinken, gebogen over een monsterkruiswoordpuzzel die de halve pagina vulde van een krant die hij voor zich had opengevouwen. Ik twijfelde er geen moment aan dat hij het was. Hij was ergens tussen de zestig en de tachtig, gekleed in een sleets oud pak, een rafelig overhemd en een groezelige stropdas. Hij was bijna zo kaal als een biljartbal en had een gezicht dat even grauw was als de paar plukjes haar die hem nog restten, en een vreemde, half glimlachende uitdrukking die een mengeling van verlegenheid en koppige trots verried.

'Meneer Wisdom?' probeerde ik toen ik me in de smalle ruimte aan de bar had gewrongen en iets te drinken had besteld.

'Gewoon Wisdom,' antwoordde hij met een hoge stem. Hij liet zijn bril op zijn neuspunt glijden om me een vlugge blik van zijn rattenoogjes toe te werpen.

'Uw huisbazin zei dat ik u misschien hier zou treffen.'

'O ja?' Hij trok een grimas. 'Het is de verkeerde dag van de week voor een prijs in de lotto. Dus goed nieuws kan het niet zijn.'

'Dat spijt me.'

'Daar geloof ik niets van, meneer...'

'Sheridan. Tony Sheridan. Eigenlijk ben ik op zoek naar een vroegere medehuurder van u, William Hall.'

'O ja?'

'Kende u hem?'

'Hij heeft op Hatchmead gewoond. Ik woon daar nog steeds.'

'Waarom is hij vertrokken?'

'Je kunt beter vragen waarom ik blijf. Vi Thursby is niet bepaald een moederdier, dat kan ik u wel vertellen.'

'Volgens haar konden u en hij... het wel met elkaar vinden.'

'Met haar praten is het passieve roken niet waard. Je kunt geen woord vertrouwen dat zij ophoest.'

'Maar is het waar dat u en hij... wel met elkaar overweg konden?'

'We kletsten weleens wat.'

'Hier?'

'Hij drinkt niet.'

'*Drinkt niet.* Dat is de tegenwoordige tijd. Het klinkt alsof u hem nog steeds kent.'

'Dat heb ik niet gezegd.'

'U zegt helemaal niet zoveel.'

'Dat heeft u gauw door.'

'Hoor eens.' Ik haalde de envelop van de bekentenis van James Milner uit mijn zak. 'Ik probeer contact met meneer Hall te leggen. Het is erg dringend.'

'Een zaak van leven en dood.'
'Dat kunt u wel zeggen.'
'Dat deed ik net.'
'Dit is zijn handschrift. Herkent u het?'
Wisdom keek naar Matts naam en adres. 'U zei dat u Sheridan heette, niet Prior.'
'Matt Prior is een vriend van mij. Hij ligt in het ziekenhuis.'
'Waarvoor?'
'Een auto-ongeluk.'
'Ongelukken.' Wisdom trok peinzend zijn neus op. 'Akelige dingen.'
'Ja, inderdaad.'
'Sheridan.' Hij knikte. Zijn voorhoofd rimpelde. 'Ken ik die naam niet ergens van? Een paar maanden geleden stond hij in de krant. Dood door ongeluk. Iemand die van een klif was gevallen, is het niet?'
'U heeft een goed geheugen, Wisdom.'
'Voor sommige dingen. Ben je familie van die Sheridan?'
'Zij was mijn vrouw.'
'Dat spijt me.' Een knikje scheen te beduiden dat zijn medeleven oprecht was.
'Dank u.'
'Ik heb mijn vrouw al heel wat jaartjes geleden verloren. Maar de ring draag ik nog steeds.' Trots duwde hij de trouwring met zijn duim van zijn vinger, keek er fronsend naar en vervolgens naar mij. 'Jij ook, zie ik.'
'Ja.'
'Dus mevrouw Sheridan droeg een ring?'
'Natuurlijk.'
'Ik dacht dat zoiets misschien uit de mode was.'
'Nee. Hoor eens, ik...'
'Aan welke vinger?'
'Wat?'
'Aan welke vinger droeg zij die ring?'
Ik staarde hem aan. Ik was eerder verwonderd dan geïrriteerd. Het was dan ook een bizarre vraag. Je draagt je trouwring aan je ringvinger. Dat wist hij best. Natuurlijk wist hij dat. Dat weet iedereen. Maar dat gold niet voor jou, hè, Marina? Niet nadat je die vinger een paar jaar geleden had gebroken. Die breuk had een vergrote knokkel achtergelaten, zodat je de ring aan je middelvinger droeg. Een kleinigheid waarvan maar weinig mensen op de hoogte waren. En deze man zou dat helemaal niet behoren te weten. Maar zo niet, waarom vroeg hij er dan naar? En zo ja, dan was dezelfde vraag van toepassing.

'Aan welke vinger?' drong hij vriendelijk aan.
'Haar middelvinger.'
'O, ja?'
'Ja. Waarom vroeg u dat?'
'Uit nieuwsgierigheid.'
'Anders niets?'
'Wat zou het anders kunnen zijn?'
'Geen idee.'
'Ik ook niet. En over Bill Hall kan ik je ook niets vertellen. Bepaald geen spraakzaam persoon, onze Bill. Niet iemand die je zijn levensverhaal al bij de tweede of derde ontmoeting vertelt. Of bij de honderdderde, wat dat aangaat.'
'Ik wil hem graag spreken.'
'Dat zei je.' Daar had je die hoofdbeweging weer; het gebaar dat hij scheen te bewaren voor zijn meer gemeende opmerkingen. *Boodschap ontvangen en begrepen*, leek het op de een of andere manier te beduiden. Of hield ik mezelf voor de gek? Ik wist het niet zeker. Wisdom verborg iets, of hij deed maar alsof. Hoe dan ook, met doorvragen kwam ik er niet. 'Als ik hem spreek, zal ik het hem zeker zeggen.'
'Verwacht u hem dan te spreken?'
'Nee. Ik heb hem niet meer gezien sinds hij uit Hatchmead is vertrokken. Ik heb geen idee waar hij is. Torquay, Timboektoe of Tobermory. We kunnen er allebei een gooi naar doen.'
'Ik denkt dat u beter gooit.'
'Nou, sommige mensen werpen beter dan andere, dat is waar. Ik hou het een beetje bij.' Hij knikte naar de krant. 'Op mijn leeftijd moet je wel.'
'En waar gokt u op?'
'Dat onwaarschijnlijke dingen weleens voorkomen.' Hij nam een slok Mackeson. 'Niet vaak. Maar niet nooit.'

Zodra ik de Top Hat achter me had gelaten, werd ik bekropen door twijfels over Wisdom als communicatiekanaal met Cedric Milner. Misschien was hij alleen maar een eenzame oude man die bereid was het vaagste teken van iets intrigerends te omhelzen. Mij een beetje in het vage laten, was vast leuker dan het oplossen van de kruiswoordpuzzel van vorige week.

Dat geloofde ik natuurlijk niet echt. Maar ik was moe en mijn brein was uitgeput van de vele vragen. De enige mensen die ik onvoorwaardelijk kon vertrouwen, waren buiten handbereik. En de mensen die ik graag zou vertrouwen, waren gecompromitteerd door ontdekkingen die ik liever omzeild had. Maar, zoals Daisy had gezegd, als je eenmaal iets weet, kun je dat niet ongedaan maken. Toen ik die avond over Dartmoor reed, kon ik het onderwerp maar niet loslaten. Was Lucy ook deze kant opgereden nadat ze Daisy in Newton Abbot op de trein had gezet? Had ze een plan gesmeed voor wat ze wilde gaan doen?

Voorbij Okehampton, in de verlatenheid van het noordwesten van Devon, tastten lange vingers wijkend zonlicht over het landschap, en wierpen schaduwen van bomen en hagen, en van een eenzaam voortsnellende auto naast en achter me. Ik wist evenmin waarvoor ik op de vlucht was als waar ik heen vluchtte. Maar alles was inmiddels een open vraag geworden. Aan alles kleefde het nadeel van de twijfel.

Toen ik Stanacombe betrad, werd ik alleen begroet door de bedompte sfeer van verlatenheid en verwaarlozing. Er was niets anders. Ons leven daar, ons leven met elkaar hoorde eensklaps heel tastbaar tot het verleden. Ik besefte dat dit het moment was waarop de toekomst had moeten beginnen. Dit was het moment waarop ik een begin zou moeten maken met jou te vergeten. Maar ik kon geen verleden vergeten dat ik nog altijd aan het herschrijven was. Waarom had Wisdom naar je ring geïnformeerd? Hoe kon hij dat hebben geweten?

Dan was er nog het schuldgevoel waar ik mezelf zo lang uit had willen praten. Wisdom had gezien dat ik nog altijd een ring droeg. Maar ik moest denken aan mijn nachten met Lucy, jouw zus, in het bed dat ze met Matt, mijn vriend deelde, en al die tijd – elke keer – had die ring om mijn vinger gezeten. Jij was dood. Jou kon ik niet verraden. Maar mezelf des te meer.

Ik belde het ziekenhuis om te horen dat er nog steeds geen verbetering in Matts toestand was opgetreden. Ik moest denken aan Lucy en aan alle zorgen die ze zich over hem moest maken, en dat mijn onverklaarde afwezigheid daar nu een schepje bovenop deed. Daarna moest ik aan de dag van jouw dood denken. Was er één persoon boven op Henna Cliff geweest? Of waren het er twee? Er was maar één ware versie van de gebeurtenissen. Maar in mijn brein kolkten alle mogelijkheden – de krankzinnige, de triestte en de puur ondenkbare – tezamen. Net zolang tot ik niet meer scherp kon stellen op wat waarschijnlijk of denkbaar was, net zolang tot elk scenario net zo onwaarschijnlijk was als alle andere.

Ik had Wisdom ons telefoonnummer gegeven, dus weerstond ik de sterke neiging om de telefoon eruit te trekken. Maar Lucy belde niet. Ik was er wel bang voor geweest. Ik had geen flauw idee wat er door haar heen ging. Misschien lieten de Priors haar maar weinig tijd om ergens aan te denken. Of misschien was Stanacombe wel de laatste plaats waar ze me verwachtte.

Er belde ook niemand anders. Daar was ook geen enkele reden voor. Het idee dat Cedric Milner mij zou bellen – of zelfs maar zou weten dat ik dat wilde – begon me steeds absurder te lijken. Ik maakte het bed op en ging liggen. Ik had het te koud en was te moe om de slaap te vatten, dus staarde ik net zolang in het pikkedonker van de nacht tot het mijn hersens vulde.

De volgende ochtend reed ik in alle vroegte naar Bude om een paar eerste levensbehoeften te kopen; melk, boter, brood en kaas. Ik wist niet goed waarom ik zelfs die schamele voorraden insloeg, want ik was niet van plan om lang op Stanacombe te blijven. Maar aan de andere kant had ik ook geen andere plannen. Misschien voerde ik als een robot jouw huishoudelijke regels uit. Alleen zou jij naar de kruidenier en de bakker in Holsworthy zijn gegaan in plaats van naar de zielloze supermarkt van Bude.

Toen ik op het parkeerterrein aanstalten maakte om te vertrekken, herkende ik de politieagent die me op Stanacombe had opgewacht om me het nieuws van jouw dood te vertellen. Hij had geen dienst, was in vrijetijdskleding en hees zich uit een auto die te klein voor hem leek. Hij had een vrouw bij zich, en een kind dat zij in een wandelwagentje gespte. Hij en zijn gezin deden de zaterdagochtendboodschappen. Op een ingeving liep ik naar hem toe om hem te begroeten.

Eerst kon hij zich niet herinneren waar we elkaar van kenden. Waarom zou hij ook? Voor hem was het geen gedenkwaardig incident geweest. Het was zijn werk. Uiteindelijk wist hij het weer. 'Hoe is het nu met u?' vroeg hij vriendelijk maar behoedzaam.

'Dat weet ik niet,' zei ik, volledig naar waarheid. 'Mag ik u een paar dingen vragen?'

Afzien van een excursie door de gangpaden van de supermarkt leek me geen groot offer voor hem. Hij zei tegen zijn vrouw dat ze vast vooruit moest gaan, dan zou hij haar zo meteen wel inhalen. 'Wat voor dingen?' vroeg hij.

'Is er ooit twijfel gerezen over... de uitkomst van het gerechtelijk onderzoek?'

'Waarom zou dat?'

'Nou, ik heb me weleens afgevraagd of... de zaak misschien ingewikkelder was dan we dachten.'

'Ingewikkelder?'

'Ik bedoel, hoe kunnen we zeker weten dat het een ongeluk was?'

'De rechter heeft genoegen genomen met de bevindingen.'

'Maar u zult toch ook... andere mogelijkheden hebben onderzocht?'

‘Als ik me goed herinner, leek u ervan overtuigd dat uw vrouw geen zelfmoordneigingen had, meneer Sheridan.’

‘Ik heb het ook niet over zelfmoord.’

‘Waar heeft u het dan over?’

‘Hoe sluit je in dit soort situaties uit dat er sprake is van... vuil spel?’

‘Daar was geen enkele aanwijzing voor.’

‘Wat voor aanwijzingen zouden er dan geweest moeten zijn? Ik bedoel als mijn vrouw was verrast op het randje van de klif, zou er geen teken zijn van een worsteling, hè? En er is niemand die haar heeft zien vallen. Niemand weet honderd procent zeker wat er is gebeurd.’

‘Nee,’ zei hij fronsend. ‘Dat is zo.’

‘Dus moet er toch van enige twijfel sprake zijn?’

‘Niet wat ons betreft, meneer Sheridan. Het was niet meer dan een tragisch ongeval. De zaak is gesloten. ‘Tenzij...’ Hij haalde zijn schouders op.

‘Tenzij wat?’

‘Behalve als u mijn meerderen bij de recherche een goede reden kunt geven om hem te heropenen.’ Hij keek me recht aan. ‘Kunt u dat?’

‘Nee.’ Ik schudde mijn hoofd. ‘Niet echt.’

Ik reed weer terug naar Stanacombe om in de keuken een kop koffie te drinken en naar de tuin te staren waar jij allerlei plannen mee had. Die was inmiddels overwoekerd. Het gras was lang en de struiken deden hun best om te overleven. De natuur maakte korte metten met onze toekomstplannen.

Het was een mooie ochtend, hoewel zich in het westen wolken samenpakten en de wind een scherp kantje had. Ik trok mijn laarzen aan en liep door de weiden naar het pad langs de kliffen. De lentebloemen waren inmiddels verdwenen in het groen van de hagen. Maar de zee veranderde niet. Die was even blauw en grenzeloos als jij hem die middag moet hebben gezien: verlicht vanuit het westen en niet van het oosten, met schaduwen die landinwaarts vielen in plaats van andersom, zoals nu het geval was.

Ik wendde mijn schreden in noordelijke richting naar Duckpool en de rotsen verderop. Ik ging naar Morwenstow. Morwenstow en Henna Cliff, waar ik op de bank bij het hekje kon gaan zitten om me de keren te herinneren dat jij daar naast me had gezeten.

Ik arriveerde er een uur later en klauterde het rotspad op vanaf de brug over het beekje onder aan de klif. Ik was onderweg maar een paar wandelaars tegengekomen. Voor de meesten was het nog te vroeg. Daarom meende ik de top van de klif voor mezelf te hebben. Maar toen ik het hekje naderde, zag ik iemand op de bank zitten: een man met wit haar die een sigaret zat te roken. Hij was in tweed gekleed en had een gele wollen sjaal om zijn nek geknoopt. Hij keek me van opzij aan toen ik door het hekje kwam. Hij had een gerimpeld gezicht met een grijze baard, terwijl zijn haar sneeuwwit was. Een jongensachtige lok was door de wind op zijn voorhoofd geblazen. Onze blikken kruisten elkaar. Die van hem waren waterig blauw, als twee kleine weerspiegelingen van de zee. De hand die de sigaret vasthield, beefde een beetje. Hij nam een trek en keek nog steeds naar me toen ik aan zijn kant van het hekje omlaag kwam.

'Goeiemorgen,' zei ik.

'Goeiemorgen,' groette hij terug. Het kwam er langzaam, raspend en accentloos uit. 'Lange wandeling gemaakt?'

'Nee. Ik woon een stukje naar het zuiden.'

'Waar precies?'

'Het huis heet Stanacombe. Kent u het?'

'Ik ben hier niet bekend,' zei hij. Zijn toon verried op de een of andere manier dat het geen antwoord op mijn vraag was.

'Op vakantie?'

'Nee. Ik zou hier iemand ontmoeten.'

'Hierboven?'

'Ja.'

'Merkwaardige plek voor een rendez-vous.'

'Niet als je het prettig vindt om mensen te zien aankomen.' Hij keek om zich heen naar de lege landerijen en de blanco horizon van de zee. 'Maar ik heb eigenlijk geen afspraak.'

'O nee?'

'Ik heb maar een gooi gedaan. Een plek waar hij misschien heen zou gaan. Een plek die... bepaalde associaties voor hem heeft.'

'Verwacht hij u?'

'Verwacht. Of hoopt.'

Ik keek hem recht aan. 'Ik ben Tony Sheridan.'

'Dat weet ik.'

'Ja, dat dacht ik al.'

'Wilt u niet naast me komen zitten?'

Ik liep naar de bank en ging zitten. Hij bood me een sigaret aan. Ik accepteerde en hij gaf me een vuurtje. De smaak was scherp en onbekend. Ik hoestte.

'Russisch,' zei hij uitdrukkingsloos.

'In een pakje van Benson and Hedges?'

'Uit voorzorg. Adverteren levert niets op.'
'Vandaar William Hall in plaats van Cedric Milner.'
'Hoe bent u mij op het spoor gekomen?'
'Via Daisy.'
Hij knikte. 'Technisch gezien een verbroken belofte.'
'Ik had haar weinig keus gelaten.'
'Vanwege mijn brief aan uw vriend?'
'Onder andere.'
'Ik hoor dat het niet goed met hem gaat.'
'Zwaar gewond door een auto-ongeluk.'
'Ongeluk?'
'Ja.'
'Zeker weten?'
'Absoluut.'
'Het kan weleens moeilijk zijn. Om zulke dingen absoluut zeker te weten.'
'Waarom had u hem de bekentenis van uw broer gestuurd?'
'Waarom denkt u?'
'Bij wijze van waarschuwing.'
'Als u dat denkt, moet u ook weten dat er iets was om hem voor te waarschuwen.'
'Otherways.'
'James is er het slachtoffer van geworden. En Ann. Na mijn terugkeer heb ik ontdekt dat er slachtoffers zijn blijven vallen. De Priors hoeven niet aan de lijst te worden toegevoegd.'
'Dat had u Matt ook persoonlijk kunnen vertellen.'
'Niet zonder woordbreuk tegenover Daisy.'
'Op straffe van ontmaskering als spion, verrader en gezochte misdadiger.'
'Zie ik er zo uit, meneer Sheridan?' Hij keek de rook die hij net had uitgeblazen na. 'Ik ben maar een onschuldige oude man.'
'Net als Wisdom zeker.'
'Niet helemaal net als Wisdom.'
'Waarom bent u uit Hatchmead weggegaan?'
'Omdat ik daar lang genoeg was geweest.'
'Waar bent u heen gegaan?'
'Dat hoeft u niet te weten.'
'Wat moet ik dan wél weten?'
'Dat Otherways gevaarlijk is voor de mensen die er wonen, of die goed

bevriend zijn met de mensen die er wonen. Toen ik de bekentenis van James voor het eerst las, dacht ik dat hij zich het effect dat het huis op hem gehad scheen te hebben maar had aangepraat. Maar sinds mijn terugkeer...'

'Waarom bent u teruggekeerd?'

'Omdat ik een Engelsman ben. Hier ben ik geboren en hier zal ik sterven.'

'Maar in Rusland gemaakt.'

Er speelde een kil glimlachje om zijn lippen. 'En moet ik daarom ook daar worden begraven? Ik vind van niet.'

'Hoe lang bent u al terug?'

'Lang genoeg om me vertrouwd te maken met de recente geschiedenis van Otherways.'

'En heeft die u ervan overtuigd dat uw broer zich die onheilspellende invloed niet heeft verbeeld?'

'Ik heb het huis een keer opgemeten, weet u. Om mijn intellectuele nieuwsgierigheid naar Posnans ontwerp te bevredigen. Ik bedoel de wiskundige aspecten ervan. Ik heb altijd de indruk gehad dat er iets merkwaardigs met de krommingsratio aan de hand was.'

'En was dat zo?'

'Niet precies. Dat is nog wel het merkwaardigste. Ik heb nooit een consequente tabel van cijfers kunnen aanleggen. Telkens als ik ze nog eens controleerde... waren ze veranderd.'

'Dat kan niet.'

'Het zou zeker niet mogen kunnen.'

'Wat verwachtte u dat Matt zou doen nadat u hem de bekentenis had toegestuurd?'

'Ik hóópte dat hij Otherways zou verlaten. Voor zijn eigen bestwil en die van zijn vrouw.'

'Ik begrijp dat u Lucy heeft ontmoet.'

'Zij is als boodschapster van Daisy opgetreden.'

'Hoe zou u haar geestestoestand beschrijven op de dag dat ze u kwam opzoeken?'

'Kalm. Besluitvaardig. Afstandelijk.'

'Heeft ze nog gezegd... waar ze naderhand heen ging?'

'Nee. Ze heeft niets uit eigen beweging gezegd.'

'Dat weet niemand namelijk, ziet u. Ze was met de auto. Naderhand heeft ze Daisy in Newton Abbot op de trein gezet.'

'Was Daisy er ook bij?' Hij keek me met grote, verraste ogen van opzij aan. 'In Torquay?'

'Blijkbaar.'

'Dat wist ik niet.' Hij keek weer de andere kant op en maakte traag een weids gebaar. 'Als ik dat geweten had...'

'Ik vroeg me af of er iets... in Lucy's gedrag was... dat u ertoe had gebracht om aan Matt te schrijven. Dat... plus de toevallige dood van mijn vrouw, natuurlijk.'

'Dat was inderdaad érg toevallig.' Nu keek hij me strak aan. 'En toevalligheden kunnen zorgwekkend zijn.'

'Wacht even. Bedoelt u...' In mijn hoofd vormde zich een nieuwe schakel. 'Wist u dat Marina een zus van Lucy was?'

'Natuurlijk. Het verklaart waarom mevrouw Prior zo'n verre advocaat voor de overdracht van Otherways in de arm had genomen.'

Ik keek hem met open mond aan. Ik was letterlijk met stomheid geslagen. Toen Matt en Lucy Otherways kochten, heb jij de overdracht geregeld, net als voor al hun voorgaande huizen. Natuurlijk. Wat dan nog? Waar wilde Cedric in godsnaam heen?

'Ik wilde erachter komen wie de huiseigenaar was, dus heb ik de makelaar gevraagd wie de overdracht had geregeld. Ze hebben me naar de advocaat van de eigenaar verwezen en dat was uw vrouw. Daarom ben ik bij haar geweest. Ik dacht dat haar connectie met Otherways haar meer...'

'U bent bij haar geweest? Bij Marina?'

'Ja.' Hij keek me kalmpjes aan. 'Begin dit jaar was ik haar cliënt geworden.'

'Wát?'

'Zoals ik al zei, heb ik haar uitgekozen omdat de Priors ook cliënten van haar waren. Ik dacht dat dit een en ander zou vereenvoudigen... op de lange duur. Bovendien, wie anders? Het was beter dan prikken in het handboek van de Orde van Advocaten.'

'Daarom wist u aan welke vinger zij haar trouwring droeg.'

Hij knikte. 'Juist. Zulke dingen vallen me op, begrijpt u. Ze kunnen weleens van pas komen.'

'Maar ik volg het niet. Waarom had u behoefte aan een advocaat?'

'Ik wilde een balletje opgooien. Om te weten of de wereld inderdaad in zou storten als ik open kaart zou spelen omtrent mijn identiteit. Ik had gehoopt dat de autoriteiten een oogje zouden toeknijpen. Dat was naïef van me, mag ik wel zeggen.'

'Hebben ze u geweigerd?'

'Dat niet precies. Voor zover ik weet, had uw vrouw voor haar ongeluk niet meer gedaan dan een paar keer voorzichtig geïnformeerd.'

'Wist zij wie u was?'

'Vanzelf.'

'En wat u op uw kerfstok had?'

'In grote trekken.'

'En dat u ooit in het huis had gewoond dat Matt en Lucy zojuist hadden gekocht?'

'Ja. In alle vertrouwelijkheid natuurlijk. Ik vertrouwde erop dat zij de informatie niet aan de grote klok zou hangen. Zelfs de navraag die ze namens mij heeft gedaan was slechts... in principe.'

'Marina wás betrouwbaar.' Misschien wel te betrouwbaar, dacht ik. Lucy had jou haar geheim omtrent Matts impotentie toevertrouwd, en Cedric het geheim van zijn identiteit. Over beide onderdelen heb je tegenover mij met geen woord gerept. Je bent de ideale zus en de ideale advocaat geweest. Je hebt me nooit een leugen verteld. Dat zou je ook nooit hebben gedaan. Als ik ernaar had gevraagd, zou je naar waarheid antwoord hebben gegeven. Maar ik wist de vragen niet eens. En nu kwam ik op een harde manier achter de antwoorden. 'Wat heb je sinds haar dood gedaan?'

'Me schuilgehouden.'

'Waarom heb je geen andere advocaat genomen?'

'Omdat de eerste een dodelijk ongeluk was overkomen.'

'Je dacht... Nee, nee. Dat is belachelijk. Er zit niemand achter je aan, Cedric.' Nee? Wat zei Daisy ook weer over Rainbird? *Het was bij me opgekomen dat Cedric misschien was waar Rainbird naar zocht.* 'Je zei toch dat Marina slechts in principe inlichtingen had ingewonnen?'

'Dat was ook zo.'

'Hoe kon iemand het dan geweten hebben?'

'Iemand heeft het ze kunnen vertellen.'

'Wie?'

'Daisy. Of mevrouw Prior.'

'Dat is krankzinnig. Waarom zouden ze?'

'Ik weet het niet. Misschien waren er voorzorgsmaatregelen getroffen, is er druk uitgeoefend. Het kan een... preventieve maatregel zijn geweest.'

'Nee, dat kan niet. Waarom zou iemand in godsnaam Marina vermoorden om jou te grazen te nemen? Waarom niet gewoon...'

'Mij vermoorden?'

'Ja. Zoiets.'

'Goeie vraag.' Hij staarde naar de zee. 'Misschien als een laatste waarschuwing: geen heisa maken.'

'Waarover zou jij heisa moeten maken?'

'Het is veiliger als je dat niet weet, Tony. Mag ik Tony zeggen? Ik draag een... duister geheim... met me mee, waar ik ook heenga. Daar zadel ik niemand mee op. En dat heb ik zeker niet met je vrouw gedaan. Maar... als men heeft gedacht dat ik dat wél had gedaan...' Hij schudde zijn hoofd en nam een lange haal van zijn sigaret. 'Tenslotte was ze mijn advocaat.'

'Maar wie wist dat?'

'Weer een goeie vraag. Maar je zult het antwoord nog minder leuk vinden.'

'Nou?'

'Lucy Prior.' Hij draaide zich half naar me toe en ik zag aan zijn ogen dat het hem ernst was. 'Dat heeft ze me die dag gezegd, toen we elkaar in Torquay spraken. "Ik wil dat u uw zaken bij mijn zus terugtrekt." Dat zei ze woordelijk.'

'Hoe kon zij het geweten hebben?'

'Dat heb ik niet gevraagd. Eigenlijk gaf ze me überhaupt nauwelijks de ruimte om vragen te stellen. Over de voorwaarden die ze me heeft gesteld voor haar en Daisy's stilzwijgen over mijn terugkeer naar Engeland viel absoluut niet te onderhandelen. Ik moest vertrekken, zo vlug en zo stil als...'

'Wacht eens even. Vertrekken? Bedoelde ze het land uit?'

'Dat zei ze, ja. En ik zei dat ik dat zou doen.'

'Maar Daisy zei... dat ze alleen wilde dat je ophield met haar lastig te vallen.'

We keken elkaar een hele poos aan terwijl de wind een paar meter verderop met het gras op de rand van de klif speelde. Toen zei Cedric: 'Het schijnt dat mevrouw Prior een paar voorwaarden uit haar eigen koker heeft gesteld.'

'Waarom zou ze dat doen?'

'Zeg jij het maar.'

Maar dat kon ik niet. De hele toestand was totaal onlogisch geworden. Jij was de advocaat van deze man geweest, iets wat Lucy wel maar ik niet wist. Maar jij zou je beroepsgeheim niet geschonden hebben. Dat zou je toch gewoon niet doen? Waarom moest Lucy hem trouwens zo nodig kwijt? En waarom ben jij die middag naar Morwenstow gegaan? Had je een afspraak met haar? Was het daarom, Marina? Was dat het?

'Natuurlijk heb ik geen woord gehouden,' vervolgde Cedric. 'Ik ben niet naar Rusland teruggegaan. Daar ga ik nooit meer heen. Op mijn leeftijd is vluchten niet de moeite waard. Bovendien had de dood van jouw vrouw de overeenkomst wat mij betrof ongeldig gemaakt.'

'Waarom?'

'Ik had haar erbij betrokken. En ik had haar ervan moeten verlossen. Ik ben tekortgeschoten. Maar niettemin...' Hij liet het hoofd hangen. 'Ze hadden haar niet hoeven vermoorden.'

'Wie zijn *zij*?'

'Dat is de kernvraag, hè? Wie. En waarom, natuurlijk. Ik ben hierheen gekomen omdat ik alles wat ik aan je vrouw verschuldigd was – en dat is een hoop – in zekere zin ook aan jou verschuldigd ben. Om harentwille heb jij het recht om alles te weten wat ik je heb verteld. Maar ik kan je niet alles vertellen. Dat zou niet eerlijk zijn. En evenmin wijs.'

'Geloof jij dat Marina vermoord is?'

'Ja.'

'Ik ook.' Hij keek me scherp aan toen ik dat zei, alsof hij de betekenis van die woorden tot zich door moest laten dringen. Ik was opgehouden met pogingen te doen om het ondenkbare van me af te redeneren. Hoe eerder ik het ergste wist – het hele verhaal – des te beter. 'Wie zit hierachter, Cedric? Wie heeft het gedaan?'

'Dat weet ik niet zeker.'

'Maar ik wil het wel zeker weten.'

'Natuurlijk.'

'Ga je me helpen om erachter te komen?'

'O, ik denk het wel.' Hij glimlachte melancholisch. 'Anders was ik waarschijnlijk niet gekomen.'

Cedric had zijn auto geparkeerd bij de boerderij even ten noorden van Morwenstow Church, dus liepen we langs de voet van de helling die kant op. De kerk en de pastorie ernaast stonden onder een afdak van bomen een eindje verderop. Op de akker daarvoor graasden schapen. Het was een rustiek, loom zomertafereeltje. Maar ik voelde me gespannen en gejaagd. Ik was onzeker door wat er allemaal gebeurde en onzeker over waar we – letterlijk – heen gingen.

'Die schotels aan de horizon,' hijgde Cedric; de wandeling viel hem kennelijk zwaar. 'Wat zijn dat?' Hij wees naar de CSO-antennes die mij als bizar en buitenaards waren voorgekomen toen ik ze voor het eerst had gezien, maar die me al binnen een paar weken na de verhuizing naar Stanacombe niet meer opvielen.

'*Composite Signals Organization Station*,' antwoordde ik.

'Ministerie van Defensie?'

'Ik denk het niet. Hoezo? De vos verliest zijn streken niet?'

'Erg geestig, Tony. Heus. Heel grappig.'

'Waarom heb je het gedaan? Dat zou ik graag willen weten. Eerlijk waar. Duncan Strathallan ook.'

'Heb je hem gesproken?'

'Ja. En wat hij zei is me bijgebleven. Stalin was een krankzinnige booswicht. Hoe kon je rechtvaardigen om zo'n man de middelen te geven om Londen tot een soort Hirosjima te maken? Ook al ben – of was – je een overtuigd communist, hoe kon...'

'Machtsevenwicht.'

'Wat?'

'De enige keer dat ze de bom hebben laten vallen, was toen maar één partij erover beschikte. Je hebt het zelf gezegd: Hirosjima. Maar niet Shanghai. Wat heeft Truman ervan weerhouden om een atoomaanval tegen China in te zetten na de val van Seoul in januari 1951? De wetenschap dat Stalin in Europa kon terugslaan. Daarom.'

'Dus ben je gewoon een makelaar van de wereldvrede geweest.'

'Jij zegt het.'

'In dat geval kijk ik ervan op dat je tegen een proces opziet. Dan zou je de Nobelprijs kunnen krijgen in plaats van gevangenisstraf.'

Cedric stopte. Hij hijgde amechtig en zag er opeens oud en breekbaar uit. Hij leunde op mijn arm en glimlachte. Of hij vertrok zijn gezicht, dat was moeilijk te zien. 'Er komt geen proces.' Hij hoestte. 'Verdomde sigaretten. En leeftijd. Allebei, verdomme. Als ik stilzit en niets doe, voel ik me vrij jong. Maar...' Hij slikte de rest van zijn zin in.

'Dat had je ook in Moskou kunnen doen.'

'En daar dood kunnen gaan. Ik weet het. Dan zou je weldra mijn overlijdensbericht in de *Daily Telegraph* hebben kunnen lezen. Een paar beknopte regeltjes met Koude-Oorlogjargon. Die hebben ze waarschijnlijk al sinds Brezjnev klaar liggen. Nou, je zou er weinig wijzer van zijn geworden. En zeker niet de waarheid hebben gelezen.'

'Wat is de waarheid dan?'

'Iets wat jij niet hoeft te weten. En waar we trouwens geen tijd voor hebben. Jij wilt weten wie Marina heeft vermoord.'

'Ja.'

'En waarom.'

'Ja.'

'Dan moeten we bij haar zus beginnen. We moeten erachter zien te komen wat ze die dag heeft gedaan. Ken je haar goed genoeg om te weten of ze al of niet liegt?'

'Ja.'

'Dan stel ik voor dat we haar eens aan de tand gaan voelen.'

'Dit is niet de juiste tijd.'

'Dat geldt voor ons allemaal, mag ik wel zeggen.' Hij liep weer verder. 'Maar het is de enige tijd die we hebben.'

We trokken een plan tussen die plek en het parkeerterrein van het theehuis op de boerderij. Er stonden een paar auto's, hoewel de inzittenden in geen velden of wegen te bekennen waren. Ik nam aan dat ze thee zaten te drinken of over het pad langs de kust wandelden. De oudste en roestigste auto die er stond, was van Cedric. Op naam van Wisdom waarschijnlijk, die er zelf misschien zelden in reed. We hadden afgesproken om hem op Stanacombe te laten en met mijn auto naar het noorden te gaan.

Cedric zei geen woord tijdens het korte stukje dat hij aan het stuur zat. Het leek wel alsof hij al zijn aandacht nodig had om over de smalle weggetjes te sturen. We brachten maar zoveel tijd op Stanacombe door als ik nodig had om mijn tas te pakken. Daarna verwisselden we van auto en vertrokken we weer in de richting van Stratton en de A3072. Ik ging ervan uit dat we voorbij Tiverton de snelweg zouden pakken om zo snel mogelijk in Rutland te komen. Waarschijnlijk rekende ik op allerlei dingen. Maar Cedric, nou ja, misschien wist hij wel beter. Omdat hij van ons beiden degene was die niet opkeek van wat er vervolgens gebeurde.

Een paar minuten nadat we van Stanacombe waren vertrokken, reed er een rode personenauto vlak achter ons. Ik reed ongeveer zeventig, wat aan de hoge kant was, maar zij wilden me voorbij. Jongeren uit de omgeving die een zaterdagochtendritje wilden maken? Daar leek me de auto te duur voor en in mijn spiegeltje kon ik de chauffeur niet zien. Het zonlicht dat door de bomen viel, zorgde voor te veel verwarrende reflectie.

'Die volgen ons al sinds Morwenstow,' zei Cedric kalmpjes.

'Hè?'

'In mijn beroep moet je op zulke dingen letten.'

'Je vergist je. Niemand volgt ons. Behalve in de letterlijke betekenis.'

'Nee, jíj vergist je. Ze volgen ons.' Hij wees op het spiegeltje. 'Ze volgen je al sinds Rutland, in afwachting tot ik zou opduiken.'

'Onzin.'

'Ik wou dat je gelijk had. Helaas is dat de enig mogelijke conclusie. Misschien hebben ze op jou ingezoomd als de enige persoon aan wie ik bereid zou zijn me te vertonen. Even geduldig en geslepen als altijd.' Hij schudde zijn hoofd. 'Ik had het kunnen raden.'

Het weggetje werd breder en voor ons doemde een rechter stuk op. Ik nam gas terug om de rode personenauto uit te dagen ons in te halen en aldus Cedrics theorie te ontkrachten. Tot mijn opluchting was dat precies wat ze deden. Ze vlogen ons met een dot gas voorbij. 'Zie je nou wel?'

'Ja.'

'Gewoon joyriders.' De auto verdween de bocht om. 'Je wordt paranoïde.'

'Ik had het echt moeten raden,' herhaalde hij. 'Misschien heb ik dat ook wel gedaan.'

'Jezus, Cedric. Je hoeft je nergens druk om te maken.'

'Als je voor ze stopt, zijn we er geweest.'

'Waar héb je het over?'

'Ons leven. Of wat daarvan over is. Het jouwe en het mijne.'

'Je bent niet goed wijs.' Terwijl ik dat zei, gingen we de bocht om. En daar stond hij, de rode personenwagen, schuin over het wegdek een stukje verderop. De chauffeur, een zwaar gebouwde figuur in een donker pak liep ons tegemoet en gebaarde dat we moesten stoppen. Een tweede man liep aan de andere kant van de auto. Hij had iets in zijn hand dat verdacht veel van een pistool weg had.

'Als je stopt,' zei Cedric zacht, 'zijn we dood.'

Ik wierp een blik opzij, vervolgens naar de auto verderop en de man die ons langzaam tegemoetkwam. Een deel van me wilde graag, maar al te graag dat dit niet waar was. Maar dat was het wel.

Ik nam een beetje gas terug, daarna nam mijn instinct het over en gaf ik plankgas. Jij had altijd gezegd dat we een kleinere auto moest nemen nadat we uit Londen waren verhuisd, een die meer op de smalle weggetjes van de West Country berekend was. Nu was ik blij dat we daar nooit aan toe waren gekomen.

Ik mikte op de motorkap van de andere auto in de hoop dat de klap hem een eind van de heg zou duwen om ons door te laten. De chauffeur dook opzij en de andere zocht ijlings dekking. We raakten de zijkant met een geweldige klap en het gesnerp van metaal en koplampglas. We maakten een schuiver naar rechts, maar bleven rechtdoor gaan. Er klonk gepiep en vervolgens een bons toen eerst de heg en vervolgens de muur erachter ons afketste. We waren erdoor en joegen terug naar het midden van het weggetje. Eén seconde was de zwaai me te veel, daarna had ik mezelf weer in bedwang, of misschien deed de auto dat wel voor me. Ik riskeerde een blik in het spiegeltje en zag de twee weer in hun auto springen. Eén van hen hield iets tegen zijn oor gedrukt. Misschien een mobiele telefoon.

'Als je een paar achterafweggetjes kent, dan moet je ze nu nemen,' zei Cedric. 'Je bekendheid met de omgeving is zo'n beetje het enige voordeel dat we hebben.'

'Wat is er in godsnaam aan de hand, Cedric?'
'Schadebeperking, heet het officieel. En wij zijn de schade.'
'Dit slaat nergens op.'
'O, jawel hoor. Neem dat maar van mij aan.'
'Wie zijn die lui?'
'Ambtenaren, denk ik. Van het *licensed-to-kill*-soort.'
'Dat kan toch niet?'
'Jawel hoor. En door hun wegversperring knallen is niet het eind van het liedje. Ik ben nu waar ze me hebben willen, Tony. In het open veld. En het spijt me dat ik dit moet zeggen...' Hij keek me van opzij aan. '... maar jij zit in hetzelfde schuitje.'

Elf

Het incident op het landweggetje bij Stanacombe had van begin tot eind nog geen dertig seconden geduurd. Maar het had alles veranderd. Tot dat moment was ik nog in staat geweest een neutrale houding in te nemen tegenover Cedrics bewering dat ze jou hadden vermoord om hem te grazen te nemen. Ik had gezegd dat ik hem geloofde, maar dat was niet echt zo. Hoe kon ik nou zoiets bizars geloven? Nou, nu kon ik het wel. En deed ik het ook.

Cedric had gelijk met de suggestie dat mijn bekendheid met de omgeving ons een voorsprong gaf. Een omweg door Poughill en Bude en vervolgens een slingerende weg met haarspeldbochten door de vallei van de Ottery naar Launceston verloste ons van onze achtervolgers. Volgens Cedric waren ze ervan uitgegaan dat we naar de snelweg wilden en hadden ze daar iemand op de loer liggen als ze ons onderweg niet in zouden halen. Toch waren we alleen aan de auto makkelijk te herkennen. Misschien waren we minder snel als we ander vervoer kozen, maar was dat wel zo veilig. Vandaar dat Cedric voorstelde om naar Plymouth te rijden en daar op de trein te stappen. Ik ging ermee akkoord omdat de massa me opeens een schamel soort bescherming leek te bieden. Bescherming waartegen precies was een teer punt. Cedric wilde het niet zeggen, en ik had maar een glimp van de harde kop van de chauffeur van de rode personenauto om me aan vast te houden.

'Dit is krankzinnig, Cedric.'

'Dat hoor je mij niet ontkennen.'

'Waarom zou iemand jou willen vermoorden?'

'Je kunt je beter concentreren op de vraag hoe ze me hebben gevonden.'

'Door mij te volgen.'

'Ja. Maar wie wist dat je de moeite van het volgen waard was?'

'Daisy?'

'Precies. En ze had je precies de aanmoediging gegeven die je nodig had, hè, met die klapper over Lucy Prior?'

'Ik begrijp niet waar Lucy in dit plaatje past.'

'Misschien heeft ze er niets mee te maken, Tony. Begrijp je dat niet? Wie had haar verteld dat Marina mijn advocaat was? En wier woord hebben we dat ze alleen uit Torquay is teruggereden?'

'Bedoel je dat Daisy me erin heeft geluisd?'

'Misschien. Misschien had ze er opdracht toe gekregen. Door de instantie waarmee Marina namens mij contact had opgenomen.'

'Waarom zou Daisy dat doen?'

'Mijn broer heeft haar zus vermoord. En ik heb haar land verraden. Dat kan voldoende reden zijn. Bovendien denk ik niet dat ze verwachtte dat er zulke... extreme maatregelen zouden worden genomen.'

'En waarom worden die genomen, Cedric? Je moet het vertellen.'

'Nee. Wat ik moet doen, is een deal maken. Om jou uit de nesten te halen en mezelf ook, met een beetje geluk.'

'En hoe ga je dat voor elkaar krijgen?'

'Door contact op te nemen met iemand die op de juiste plaats invloed kan uitoefenen.'

'Ken je zo iemand?'

'Jawel.'

'Waarom heb je dat dan niet veel eerder gedaan? Waarom had je Marina dan nodig?'

'Omdat ik op die manier het centrale thema kon vermijden en zij ook. Ik probeerde ze een pijnloze oplossing voor het probleem aan te bieden.'

'Maar die hebben ze afgewezen?'

'Radicaal.'

'Als Daisy aan hun kant staat – welke kant dat ook moge zijn – waarom hebben ze je die eerste keer dan laten glippen? Waarom hebben ze niet gewoon de politie naar Hatchmead gestuurd om je te arresteren?'

'Omdat een arrestatie wel het laatste is wat ze willen. En omdat ze toen nog bereid waren om me stilletjes te laten vertrekken. Vanwege de goeie ouwe tijd, waarschijnlijk. Kennelijk waren ze me dat nog wel verplicht.'

'Waarvoor?'

'We komen steeds weer bij dezelfde vraag terug. Ik ga het je niet vertellen, Tony. Ze hebben Marina vermoord omdat ze dachten dat ik het haar had verteld. En volgens mij kun jij niet met succes doen alsof je het niet weet als je dat wel doet. Dus hou je maar aan je onwetendheid vast. Misschien zal dat je redding zijn.'

'Of misschien ook niet. Eens zul je het me moeten vertellen.'

Daar dacht hij even over na en vervolgens knikte hij met tegenzin. 'Waarschijnlijk heb je gelijk. Maar eens is niet nu.'

Een zomerzaterdag betekent veel verkeer in Plymouth. Maar de vertraging was merkwaardig geruststellend. De rode personenauto was niet meer in het achteruitkijkspiegeltje verschenen, en het leek me onwaarschijnlijk dat iemand onze indirecte route had geraden. Op het station waren massa's vakantiegangers en die hadden hetzelfde effect als de verkeersopstoppingen. Ik begon me te ontspannen, of me op zijn minst een beetje minder bang te voelen. Cedrics geestesgesteldheid was moeilijk te peilen. Waarschijnlijk had hij zijn ware gevoelens zo lang verborgen gehouden dat het meer een gewoonte dan een techniek was geworden.

'Ik denk dat we van ze verlost zijn,' gaf hij met tegenzin toe. 'Maar ik weet het niet zeker.'

'Laten we het van de zonnige kant bekijken. Aangenomen dat we dat zijn: stappen we dan gewoon op de eerstvolgende trein naar de Midlands?'

'Nee. Ik moet eerst iemand bellen.'

'Ikzelf ook. Naar het ziekenhuis. Horen hoe Matt het maakt.'

'Dat is veel te riskant. Dat verwachten ze misschien. Als ze dat telefoontje traceren, weten ze dat we hier op de trein zijn gestapt.'

'Waarom is jouw telefoontje dat risico dan wel waard?'

'Omdat ze dat telefoontje niet zullen verwachten.'

'Naar je mysterieuze tussenpersoon.'

'Precies. Dus als er sprake van enig risico is, moeten we dat maar nemen. Koop jij maar een paar kaartjes voor de volgende trein naar Londen terwijl ik ga bellen.'

'Londen?'

'De veiligheid van aantallen, Tony. Die maakt Londen tot de veiligste plek die er is. O, en je kunt het beste contant betalen.'

'Ik weet niet of ik wel genoeg bij me heb.'

'Laat mij maar.' Hij haalde een portefeuille te voorschijn en gaf me een stapeltje briefjes van twintig. 'Maar goed dat ik nooit plastic gebruik, hè?'

De geheimzinnige man bleek niet thuis. We stonden er maar liever niet bij stil wat we moesten doen als bleek dat hij een maand in Toscane was. Althans niet voordat Cedric het later nog eens had geprobeerd. We stapten op de volgende trein naar Londen, die om drie uur in Paddington zou aankomen. Er viel ons dus niets anders te doen dan een plekje te midden van de gezinnen en oudere echtparen te zoeken die na een weekeinde in de West Country terug naar huis gingen. Ik kocht een borrel om mijn zenuwen te kalmeren en vervolgens nog een, zonder merkbaar effect.

'Ik krijg de indruk,' zei Cedric kort nadat we uit Exeter waren vertrokken,

'dat Lucy's schuld of onschuld erg belangrijk voor je is, Tony.'
'Natuurlijk. Ze is tenslotte mijn schoonzus.'
'Heb je haar serieus verdacht van...' Hij liet zijn stem dalen en glimlachte flauwtjes om de heimelijkheid waartoe hij ondanks het kabaal om hem heen zijn toevlucht moest zoeken. '... zustermoord?'
'Een poosje.' Toen moest ik zelf glimlachen. Dit was een kleine opluchting: als er echt een officiële samenzwering bestond om Cedric Milner het zwijgen op te leggen, was Lucy van alle blaam gezuiverd.
'Waarom?' Zijn stem was zacht, het was niet meer dan een verbaal aanstoten.
'Omstandigheden... deden het mogelijk lijken.'
'Heus?'
'Ja, heus.'
'Dan moet je haar ook een... motief hebben toegeschreven.'
O, dat had ik natuurlijk ook. Maar dat kon ik hem niet vertellen. Dat was te gênant om toe te geven. 'Schuif het maar op Otherways. Je weet wat voor loeren dat huis je kan draaien.'
'Maar al te goed.'
'Heb jij er ooit zelf last van gehad?'
'O, jazeker. Ik was er niet immuun voor, hoewel ik duidelijk niet zo ontvankelijk was als James. Ik was al intern op Harrow toen mijn ouders daar gingen wonen, dus bracht ik altijd evenveel of meer tijd elders door. Eerst in Harrow, later in Cambridge. Dat meetexperiment was mijn eerste echte inzicht in de eigenaardigheden van het huis. Dat heb ik gedaan in de zomer voordat ik naar Cambridge ging. Ik kon de metingen domweg niet sluitend krijgen. Er bleef altijd een marginale... ongelijkheid. Ik gaf de schuld aan het gereedschap. Vervolgens aan mezelf. Daarna gaf ik het op. Het huis had me verslagen, kun je wel zeggen. Of misschien heeft het me zijn geheim wel laten zien zonder dat ik in staat was er greep op te krijgen.'
'En nu?'
'Bekijk het maar zo. Er huist daar meer dan kalksteen en specie. Als ik een gok moest doen waarom jij je schoonzus bent gaan verdenken, denk ik dat ik goed zou gokken. Maar ik heb het voordeel van de ervaring. Ann en ik hebben tijdens de maanden die we alleen op Otherways doorbrachten en James bij de showprocessen in Moskou was...'
'Een relatie gehad?'
'Nee. Maar het had weinig gescheeld. Heel weinig. En de geschiedenis herhaalt zich, nietwaar?' Hij keek me vragend aan. 'Vooral op Otherways.'
'Nu niet meer,' zei ik kordaat in een poging om zijn implicatie van me af

te schudden voordat ik gedwongen zou zijn haar te erkennen. 'Ik heb Lucy zover gekregen om bij Daisy te logeren zolang Matt in het ziekenhuis ligt. Dat kon wel eens heel lang duren. Dus voorlopig is het huis leeg.'

'Leeg, maar altijd op de loer.' Zijn blik ging op oneindig. 'Misschien ben ik daarom wel teruggekomen.'

Op een bepaald moment viel ik – zeg maar door de drank of door de beweging van de trein – in slaap. Toen ik wakker werd, was Cedric weg. Eerst maakte ik me niet druk. Hij was al een paar keer weggegaan om een sigaret te roken. Maar toen zijn afwezigheid zich uitstrekte tot de tijd waarin je een half pakje soldaat kunt maken, begon ik me zorgen te maken. Om de een of andere idiote reden kreeg ik het idee dat we waren gestopt zonder dat ik wakker was geworden en dat hij was uitgestapt. We reden langs het Kennet and Avon Canal, wat maakte dat we ergens halverwege Pewsey en Reading moesten zijn, maar ik kon me niet herinneren of we in Westbury hadden moeten stoppen. Het sloeg natuurlijk nergens op, tenzij hij had besloten dat ik veiliger zou zijn als hij er niet bij was. Dat was wel mogelijk.

Ik stond op en liep naar de voorkant van de trein en vroeg me af waar hij kon zijn als hij niet was uitgestapt. Ik bereikte de restauratie zonder dat er een spoor van hem te bekennen was en liep door naar de eersteklas. Helemaal naar voren lopen leek me zinloos, maar ik deed het toch.

En daar stond hij kalmpjes op het voorbalkon van de laatste wagon een van zijn Russische sigaretten te roken. Hij hield zich aan de balustrade vast alsof die het enige was wat hem nog overeind hield en zag er bleek en afgetobd uit. Diep in zijn keel blafte een hoestje toen hij een trek van zijn sigaret nam.

'Mooie dromen gehad?' vroeg hij met zijn wenkbrauw ironisch opgetrokken.

'Niet dat ik me herinner.'

'Volgens mij zijn ze de beste soort.'

'Gaat het een beetje? Je ziet eruit als een lijk.'

'Je hebt vast niet veel lijken gezien als je dat denkt. Ik ben moe, Tony. Moe en oud. Zo eenvoudig is het. Ik ben veel te oud voor dit James Bondgedoe. Er moet een eind aan komen.'

'Kan dat?'

'Misschien. Ik ben hierheen gegaan om die te gebruiken.' Hij wees naar een telefoon in het hokje achter ons. 'Ik heb net opgehangen.'

'En?'

'Heraclitus wil ons ontvangen.'

'Wie?'

'Een oude codenaam. Die heeft hij van mij. Een overdreven keus, moet ik zeggen. Om aan te geven dat ook natuurkundigen hun klassieken kennen.'

'Heraclitus was ook de bron van het opschrift op de grafzerk van Ann.'

'Inderdaad. *Alles gaat en niets blijft.* Toevallig heb ik dat gesuggereerd. Toen wilde Daisy nog naar me luisteren. Nu niet meer. Maar Heraclitus zal wel luisteren. Voor wat het waard is.' Hij hief fronsend zijn hand en de rook van zijn sigaret verwaaide in de tocht van het raam. 'Sorry. Dat is de vermoeidheid die spreekt. Het ís de moeite van een poging waard. Echt. Trouwens, het is het enige wát we kunnen proberen, zo simpel is het.'

'Wanneer gaan we naar hem toe?'

'Morgenavond om zes uur.'

'Waarom moeten we zo lang wachten?'

'Hij moet een heel eind reizen. Ruim veertig jaar is een hele reis. Waarschijnlijk heb ik daarom een locatie gekozen die we allebei kennen.' Toen wist ik zonder enige twijfel of uitweiding welke locatie hij had gekozen. 'Nou,' voegde hij er schouderophalend aan toe. 'Je zei toch dat het leeg stond?'

In de restauratie kocht hij op de terugweg een paar miniflesjes Glenfiddich en sloeg ze achterover terwijl de trein verder snelde naar Londen. Het maakte de hoestaanvallen erger, maar het bracht ook weer wat kleur op zijn wangen en wat optimisme in zijn ziel.

'Dus je bent nooit voor de wodka gevallen?' vroeg ik terwijl hij naar buiten keek.

'Je drinkt alleen moedermelk als ze je moeder ís,' antwoordde hij zonder zijn blik van het landschap af te wenden.

'Is Rusland dat dan niet, op z'n minst via adoptie?'

'Ik ben Engelsman.'

'Maar ook communist.'

'Heb ik dat ooit gezegd?'

'Ik besef dat ze dun gezaaid zijn in het Rusland van tegenwoordig, maar toch...'

'Ik ben nooit partijlid geweest waar dat ertoe doet: in mijn hart.'

'Waarom dan overlopen?'

'Er is een punt gekomen waarop ik geen andere keus had. Als ik was gebleven, hadden ze me voor de wolven geworpen. Ik had natuurlijk geen flauw vermoeden dat ze zoveel jaar later nog steeds op me loerden, daar buiten in het woud.'

'Hoe lang had je voor de Russen gespioneerd?'

'Drieënhalf jaar.'

'Heb je ze echt de waterstofbom gegeven?'

'Ik heb ze zeker een handje geholpen. Los Alamos had mijn diensten niet nodig. Ten tijde van de Trinityproef zat ik in Montreal. Het is niet het soort evenement waarvan je verwacht dat je een tweede kans krijgt om het te zien. Maar dat is mij natuurlijk wel overkomen. In Semipalatinsk, augustus drieënvijftig. Zo'n gigantische verwoesting, je hebt er geen voorstelling van. *Ground zero* kun je letterlijk nemen: niets. Het is eigenlijk geen verwoesting, het is... uitwissen.'

'Was je trots over je bijdrage?'

'Ik was tevreden over mijn werk.'

'Waarvoor je ongetwijfeld ruimschoots bent beloond.'

'Het is dat je het vraagt, maar dat was niet spectaculair. Overlopers hebben hun nut, maar ze worden niet bepaald bewonderd.'

'Volgens Strathallan genoot je van het plegen van verraad op zich. Volgens hem was dat een sterker motief voor jou dan politiek.'

Nu keek Cedric wel opzij. 'Heeft hij dat gezegd?'

'Tegen een journalist die Martin Fisher heet. Het staat in een boek over jou en een aantal anderen. *Zeven gezichten van het verraad.* Fisher is in de jaren zeventig naar Moskou geweest om je te interviewen, maar de KGB heeft hem uitgezwaaid.'

'Daar waren ze voor.'

'Heb je nergens spijt van, Cedric?'

'O, een hele hoop.'

'Maar geheimen aan Stalin verkopen hoort daar zeker niet bij?'

'Ik heb ze niet verkocht, ik heb ze gegeven.'

'Hoe dan ook.'

'Dat is een subtiel verschil.'

'Het blijft verraad. Het blijft landverraad.'

'Vind je?'

'Natuurlijk. Dat weet je best. Je neemt die kennis waarschijnlijk je hele leven mee naar bed.'

Cedric leunde achterover in zijn stoel en deed zijn ogen dicht. 'Ben jij godsdienstig, Tony?'

'Nee.'

'Dat dacht ik al. Ik ook niet. Maar als jongen heb ik een flinke hoeveelheid christelijke cathechisatie geabsorbeerd. Daar had ik weinig keus in.'

'Nou en?'

‘De figuur Judas heeft me altijd dwarsgezeten. Ik heb hem nooit begrepen. De aartsverrader aller tijden. Dertig zilverlingen en het Veld van Bloed. Tweeduizend jaar een ander woord voor verraad. Dat is me nog eens een *In Memoriam*, hè? Maar waarom? Waarom moest iemand Jezus verraden? Hij was niet bepaald onopvallend. De Hogepriesters zouden geen enkele moeite hebben gehad om hem uit een menigte van honderd mensen te halen, laat staan een bende van twaalf. Waarom hadden ze die Judas eigenlijk nodig?’

‘Geen idee.’

Cedric deed zijn ogen open en keek me strak aan. ‘Dat was om een profetie uit het Oude Testament te vervullen. De messias moest worden verraden. Anders werd hij misschien de messias niet. Iemand moest het doen. En hij moest het oprecht doen, in het volle besef van de voorspelde beloning. *Dat zijn behuizing troosteloos moge zijn en niemand daar vertoeve: en dat zijn diocees hem ontnomen worde.* Dat is een van de bijbelteksten die ik me nog wél herinner.’

‘Waar wil je heen?’

‘Het hart van het verraad, niet het gezicht van het verraad. Er is een verschil.’

‘En het verschil is waarom Heraclitus ons wil ontmoeten?’

‘Mij, om je de waarheid te zeggen. Niet ons. Hij weet niets van jou. Maar hij verdient een verrassing, dus mag jij dat zijn.’

‘Je hebt mijn vraag nog niet beantwoord.’

‘Nee. Maar ik verwacht wel een antwoord.’ Hij keek weer naar buiten. ‘Morgen.’

Maar morgen was nog een half etmaal verder. Tot die tijd moesten we ons gedeisd houden en afwachten. Toen de trein op Paddington arriveerde, gingen we te voet op zoek naar het soort hotel dat respect voor privacy heeft, zij het misschien minder voor brandweervoorschriften. Er waren er nogal wat tussen het station en Hyde Park. We kozen het goedkope en vreugdeloze Allerline House in Sussex Gardens, reserveerden een kamer en liepen vervolgens naar het park om min of meer in de richting van de Serpentine te kuieren.

Er was de gebruikelijke verzameling joggers, honduitlaters, frisbeewerpers en eenlingen. De zon scheen en van de oever van de vijver verderop klonken kinderstemmen. Het was een alledaags en weinig bijzonder tafereel: een Londens park in de zomer, veilig, zonder schaduwen of spoken. Maar de wereld is wat je met je meedraagt, niet wat je omgeeft. Onze veiligheid was tijdelijk. En onze spoken hielden alleen maar even afstand.

'Wat verwachtte je eigenlijk dat Matt met de bekentenis van James zou doen?' vroeg ik, evenzeer om de stilte te verbreken die tussen ons was gevallen nadat we het hotel hadden verlaten, als om enig inzicht in Cedrics gedachtegang te krijgen.

'Ik had geen verwachting. Ik wilde gewoon dat hij zou inzien in wat voor huis hij woonde.'

'Dacht je dat hij het serieus zou nemen?'

'Als hij al een paar van de eigenaardigheden van Otherways heeft ervaren, kon hij niet anders.'

'Hij was eigenlijk van plan om hem aan een geleerde van de universiteit van Hull te laten zien. Een astronome die Lois Carmichael heet. Ze is een soort spokenjaagster. Volgens mij zocht hij een onafhankelijke bevestiging dat die... eigenaardigheden echt bestaan.'

'Dat doet vermoeden dat hij ze inderdaad heeft ervaren.'

'Ja, dat klopt. Maar hij heeft het nooit gezegd. Hij heeft Lucy noch mij ooit in vertrouwen genomen.'

'Misschien vertrouwde hij je niet.'

'Dat zit me juist dwars.'

'Wat verloren is, kun je terugwinnen.'

'Ja?'

'Ik hoop het wel.' Hij bleef even staan om een sigaret op te steken en op adem te komen. 'Dat kun jij maar beter ook hopen.'

Een wandelingetje door Hyde Park was voldoende om Cedric uit te putten. De snelheid van zijn hersens en zijn opmerkzaamheid hadden me zijn leeftijd doen vergeten. We moesten op een bankje halverwege uitrusten voordat we terug konden naar Allerline House.

'Ik denk dat ik een tukje ga doen,' zei hij toen ik hem naar zijn kamer bracht, die tot in elk haveloos detail een tweeling was van mijn eigen vertrek een eindje verderop in de gang. 'Het is me het dagje wel geweest.' Een hoestaanval onderbrak zijn gang naar het bed. Hij liet zich er voelbaar opgelucht op zakken.

'Misschien moet je minder roken,' zei ik toen hij zijn halfvolle pakje sigaretten op het nachtkastje gooide.

'Als ik kanker heb, zal het niet van de sigaretten zijn.' Hij liet zich langzaam op het kussen zakken en staarde naar het bladderende pleisterwerk van het plafond. 'Ik kan me nog de hitte op mijn gezicht herinneren bij die thermonucleaire proef in november drieënvijftig. Het was alsof je voor een open oven stond. Toch vroor het en waren we zeventig kilometer van *ground zero*. Dat was nog eens een gezondheidsrisico.'

'Voor de hele wereld.'

'Ja, ja.' Zijn stem was dik en dromerig onduidelijk geworden. 'Ik weet wat je denkt.' Even dacht ik dat hij in slaap was gevallen, maar zijn geest dwaalde nog door het verleden. 'Na de proef was er een feestelijk banket in Nedelins huis. Wetenschappers en generaals die elkaar op de schouder sloegen. Toen koesterde ik nog hoop. Ik had... bereikt wat ik wilde doen... en geloofde echt... dat er een manier was...'

Hij zei niets meer. Toen zijn ademhaling het langzame, zware patroon van de slaap had aangenomen, glipte ik naar buiten en deed de deur zacht achter me dicht.

Cedric had rust nodig, maar voor mij was daar geen sprake van. Nu waren we in Londen en een telefoontje om naar Matts toestand te informeren leek me niet al te riskant. Maar gedeeltelijk om Cedric gerust te stellen als die erachter zou komen, liep ik een kleine kilometer verderop naar een café in Marylebone om daar te bellen met het wisselgeld dat ik na aanschaf van een drankje had gekregen.

De telefoon zat aan de wand boven aan de trap die omlaag ging naar de toiletten. Als hij in het café was geweest, had ik waarschijnlijk niet kunnen horen wat de telefonist van het ziekenhuis te zeggen had. Het café zat vol met mensen die ver waren gevorderd om zich ervan te verzekeren dat dit een onvergetelijke zaterdagavond zou worden. Ik kruiste letterlijk mijn vingers toen de telefonist me met Matts afdeling doorverbond, en stak een schietgebedje af dat dit geen zaterdagavond zou worden die ik zou willen vergeten.

'Goed nieuws, meneer Sheridan,' zei de afdelingszuster. 'Meneer Prior is weer bij bewustzijn.'

'Dat is geweldig.'

'Hij is nog steeds versuft natuurlijk, en heeft nogal wat pijn, maar...'

'Het komt dus goed.'

'Nou, natuurlijk is...'

'Maar dat is toch zo? Daar komt het toch op neer?'

'Laten we maar zeggen dat we erg blij zijn met zijn vooruitgang.'

'Oké.' Ze kon me waarschijnlijk helemaal in Leicester horen grijnzen. 'Laten we dat maar zeggen.'

'Hij heeft trouwens naar u gevraagd.'

'O, ja?'

'Kan ik zeggen dat u hem gauw komt opzoeken?'

'Natuurlijk.' Ik drukte mezelf tegen de muur om ruimte te maken voor iemand die naar de wc wilde. Hij aarzelde boven aan de trap, zodat hij me dwong op mijn plek te blijven staan. Nu kon ik door het hele café kijken. Toen ik naar de ingang aan de andere kant keek, kruiste mijn blik die van een zwaargebouwde figuur in een donker pak. Zijn blik was ernstig en hij keek niet weg. Hij glimlachte niet. En we herkenden elkaar allebei.

'Meneer Sheridan?'

Op hetzelfde ogenblik voelde ik een scherpe pijn in mijn rechterdij. Ik draaide me om naar de man die boven aan de trap stond en besefte dat hij me uitdrukkingsloos aanstaarde. Ik probeerde iets te zeggen, maar werd overvallen door een golf van misselijkheid en slapte. Opeens zag ik alles wazig. Ik begon te vallen en hoorde de telefoon achter me tegen de muur slaan alsof het de echo van een geluid in de verte was. Daarna was alles – en iedereen – verdwenen.

Mijn hersens stonden een hele poos op non-actief. Niet dat tijd enige betekenis had in de cocon van vergetelheid waarin ik op de een of andere manier verpakt zat. Maar het was bewusteloosheid, geen coma; het was een droomloze, euforische toestand op een plek waar niets ertoe scheen te doen. Het voelde als oneindigheid. Ik dacht dat ik waarschijnlijk dood was.

Daarna begonnen er flarden van de werkelijkheid binnen te dringen. Stemmen en gezichten. Beweging en indrukken. Pijn baande zich een weg naar de plek waar ik me had verscholen. Daarna volgde m'n geheugen en daarmee sloeg de verwarring toe. Waar was ik? Wat was er met me gebeurd? Ik zag een raam waarachter een vogel vloog tegen de achtergrond van een blauwe lucht en het zonlicht glinsterde op het glas. Ik zag een metalen buis waar mijn eigen hand zelfstandig op leek te rusten. Ik deed mijn ogen weer dicht.

Toen ik ze weer opendeed, was het raam zwart. Het was nacht geworden. Ik lag in een bed, een ziekenhuisbed, in een kamer voor mezelf. Hij was hel verlicht en de deur rechts van me stond open. Een zuster kwam binnen, glimlachte naar me en controleerde een infuus dat aan mijn arm zat.

'Wat is er gebeurd?' mompelde ik.

'Ik zal de dokter even halen,' glimlachte ze vriendelijk.

Of de dokter direct kwam of een uur later kan ik niet zeggen. Hij was een kleine, kalende man met een bijgeknipte snor en een licht kribbige uitdrukking. Volgens het naamkaartje op zijn revers heette hij Bose.

'Wat is er gebeurd?' herhaalde ik.

'Ik had gehoopt dat u me dat kon vertellen, meneer Sheridan. De cocktail van drugs in uw systeem is nogal exotisch. Gebaseerd op amfetaminen, dat is duidelijk. Maar dat is alleen maar de basis. Was het een soort... experiment?'

'Wat?'

'Herinnert u zich dat u in elkaar bent gezakt?'

'Een café... in Marylebone.'

'Dat is juist. U was kennelijk bijna van een steile trap gevallen.'

'Hoe laat is het?'

'Over elven. U bent bijna zes uur van de wereld geweest.'

'En waar...'

'St Mary's Hospital in Paddington.'

'Dit...' Ik hief de arm waar het infuus aan zat.

'Een glucosezoutoplossing. Die zullen we verwijderen omdat u bij bewustzijn bent. Omdat we niet weten wat u had geslikt, was dat het enige wat we...'

'Ik heb niets geslikt.'

Dokter Bose glimlachte. 'Het bloedonderzoek wijst iets anders uit.'

'Ik snap er niets van.'

'Jammer. Buiten wacht een politieman die hoopt dat u hém uit de droom kunt helpen. Voelt u zich in staat om zijn vragen te beantwoorden?'

'En als ik dat niet doe?'

'Dan wacht hij wel.'

'Gaat hij niet weg?'

'Ik denk het niet.'

'Misschien is dat maar beter ook.' In werkelijkheid wilde ik net zo graag een paar antwoorden als die politieman. 'Laat maar binnenkomen.'

Op de een of andere manier had ik een agent in uniform verwacht. Maar het was een rechercheur in burger. Hij was groot en zwaargebouwd met gemillimeterd haar en een neus die duidelijk minstens één keer was gebroken. Hij zag er eerder uit als een zware jongen uit East End dan een politieman, maar de gelijkenis hield op bij zijn stem. Die was zacht en neutraal, maar op de een of andere manier verre van geruststellend. Hij stelde zichzelf voor als rechercheur-brigadier Harmison en schoof een stoel naast mijn bed.

'Vriendelijk van u dat u me wilt ontvangen, meneer Sheridan,' zei hij zonder het schijnbaar te menen.

'Wat is er aan de hand, rechercheur? Ben ik overvallen?'
'Is dat wat er volgens u is gebeurd, meneer?'
'Iemand heeft me ergens mee geïnjecteerd, denk ik. In dat café.'
'The Orb and Sceptre.'
'De naam herinner ik me niet.'
'Daar bent u in elkaar gezakt.'
'Juist. Daar was het dan.'
'U was alleen, meneer. Niemand heeft iemand anders bij u gezien.'
'Dat kan wel zijn, maar...'
'Wat doet u in Londen, meneer?'
'Doet dat ter zake?'
'Voor mijn onderzoek wel, ja.'
'En wat onderzoekt u... precies?'
'U heeft vanmiddag een kamer in het Allerline House in Sussex Gardens genomen in het gezelschap van een zekere meneer Hall. Klopt dat?'
'Ja. Maar hoe weet...'
'U had uw kamersleutel op zak. Aan de ketting zaten de naam en het adres van het hotel.'
Dat kon niet. Ik wist zeker dat ik de sleutel bij de receptie had achtergelaten toen ik naar buiten ging. Maar hoe betrouwbaar was mijn geheugen eigenlijk?
'Wanneer had u meneer Hall voor het laatst gezien?'
'Ongeveer... om vijf uur.'
'Hoe was het toen met hem?'
'Prima.' Maar dat was niet meer het geval. Op de een of andere wijze wist ik wat Harmison nu zou gaan zeggen.' 'Is hem iets overkomen?'
'Ik ben bang van wel meneer. Meneer Hall is dood.'
'Dood?'
'Hij is vroeg in de avond in zijn kamer in het Allerline House aangetroffen. Zijn kamerdeur was op een kier gelaten door...' Hij trok een wenkbrauw vragend op. 'Iemand.'
'Is hij dood?'
'Jawel, meneer.'
'Maar...' Cedric was er niet meer. Al die jaren dat hij op een kans had gewacht om naar huis te gaan hadden slechts hiertoe geleid: een dood als vreemde in een goedkoop hotel. 'Hoe? Hoe is hij om het leven gekomen?'
'Daarom ben ik hier, meneer.' Harmison boog zich onderzoekend naar voren in zijn stoel. Ik had gehoopt dat u me dat kon vertellen.'

Twaalf

Mijn hersens schenen op en neer te golven tussen hyperactiviteit en totale lusteloosheid. Toen Harmison was opgestapt – dankzij dokter Bose eerder dan hij van plan was geweest – bleef ik stil liggen. Beurtelings werd ik verdoofd door de stroom van gebeurtenissen en opgejaagd tot een stroom van gevolgtrekkingen. Harmison zou de volgende ochtend terugkomen. Dat had hij beloofd. Misschien zou hij me dan het hele verhaal vertellen. Dat had hij me natuurlijk niet toegezegd, omdat hij me had verzekerd dat hij al alles had verteld wat hij wist.

William Hall – ik had hem zijn zogenaamde voornaam vrijwillig gegeven – was even na zevenen dood aangetroffen op zijn kamer in het Allerline House. De doodsoorzaak scheen een soort overdosis van het een of ander te zijn; de resultaten van de sectie moesten nog komen. Er waren tekenen van een 'soort worsteling'. De kamer was in 'wanorde'. De hotelgast in de belendende kamer had tussen vijf en zes uur 'commotie' gehoord. Ondertussen was ik naar het ziekenhuis gebracht als gevolg van 'bewustzijnsverlies die met drugs te maken had' en de 'relatie tussen mij en William Hall' was gelegd. Toen ik in elkaar was gezakt, had niemand in The Orb and Sceptre iemand bij mij in de buurt gezien. Niemand in het Allerline House had me het hotel zien verlaten. Kon ik 'licht werpen' op wat er was voorgevallen?

Het ware antwoord was ja en nee. Cedric was vermoord, waarschijnlijk door het stel zware jongens van die mislukte wegversperring die ochtend in de buurt van Stanacombe. Ze waren er echter wel in geslaagd om me die avond een cocktail van ongetwijfeld illegale, verlammende drugs in te spuiten. Maar waarom? En hoe? En belangrijker nog: waarom was ik nog in leven? En wat moest ik nu doen? Harmison voor één nacht uit de buurt houden, was betrekkelijk eenvoudig geweest. Maar dat was alleen uitstel van executie. Ik had geen idee wat ze werkelijk op Cedrics kamer hadden aangetroffen: wat daar was neergelegd om te worden gevonden. Een gebruikte spuit; een *stash* drugs; bewijs van William Halls ware identiteit: ik had domweg geen flauw idee. Behalve de zekerheid dat Harmison iets voor me achterhield. Misschien had ik al iets belastends gezegd. Misschien had ik precies gezegd wat ik geacht werd te zeggen.

William Hall was een vreemde voor me. We hadden elkaar ontmoet op de trein uit Plymouth, waren aan de praat geraakt en hadden samen een hotel in Paddington gezocht. Ik wist niets over hem, hoegenaamd niets. En ook niet over de drugs in mijn bloed. Ik was aangevallen en deed aangifte van een misdrijf. William Hall had niets gemankeerd toen ik hem voor het laatst zag. Zijn dood was een mysterie voor me. Een volslagen mysterie. Dat was mijn verhaal. Het enige verhaal dat ik veiligheidshalve kon vertellen.

Harmison geloofde me niet, dat wist ik zeker. Het feit dat hij maar met een half oor naar mijn beschrijving van de twee mannen in het café luisterde, deed de deur dicht. Hij dacht dat William Halls bloed dezelfde drugs zou bevatten als die mij het zeiltje hadden doen strijken, maar dan in een fatale dosis. Hoe hij mij bekeek – als moordenaar, drugsverslaafde of viespeuk – was niet duidelijk, maar onschuldig hoorde in elk geval niet in het rijtje thuis. Hij stelde voor om me de volgende ochtend een verklaring af te nemen, onder voorbehoud van Boses toestemming. Dan zou mijn versie van de gebeurtenissen als het ware zwart op wit staan. En vervolgens zou ik daar dan eerdaags verantwoording over moeten afleggen.

De zuster verwijderde het infuus en gaf me een slaappil. Ik deed alsof ik die inslikte, maar stopte hem gauw onder het matras toen ze zich had verwijderd. Ik voelde me voldoende afgemat en verbijsterd om zonder hulp te kunnen slapen, maar ik vreesde dat Harmison zich de volgende morgen met een arrestatiebevel over mijn bed zou buigen. Ik moest nadenken. Ik moest een uitweg zien te vinden.

Cedric was dood. Maar Heraclitus wist dat waarschijnlijk niet. Misschien zou hij toch zijn afspraak op Otherways nakomen. Dat was mijn enige kans om achter de waarheid te komen en degene die de honden achter ons aan had gestuurd over te halen om ze terug te roepen. Voor Cedric was het te laat, maar ik kon op zijn minst hopen dat het voor mij nog niet te laat was.

Dus moest ik naar Otherways. En moest ik voor de volgende ochtend weg zien te komen. Een duizelig wandelingetje naar de wc had me laten zien dat ik fysiek niet in staat was om het ziekenhuis te verlaten. Maar of ik daar nu toe in staat was of niet, het moest. Een poging om mezelf te laten ontslaan zou er waarschijnlijk op uitdraaien dat er met grote snelheid een patrouillewagen mijn kant op zou komen. Een clandestien vertrek beloofde evenmin veel kans van slagen. Maar uiteindelijk was dat toch wat ik moest proberen.

Het feit dat ik een eigen kamer had gekregen was op zich al verdacht. Was dat om te voorkomen dat ik iets tegen andere patiënten zou zeggen? Of zagen ze me als een potentiële bedreiging? Hoe dan ook, mijn aparte status was het enige voordeel dat me waarschijnlijk was gegund. Mijn kleren hingen in de kast. Ik kon ze aantrekken zonder op te vallen en de afdeling af glippen als iedereen sliep.

Ik viel in een ondiepe sluimer. De spanning hield volledige bewusteloosheid op afstand en zorgde er waarschijnlijk voor dat ik er weinig van opkikkerde. Om twee uur kwam ik in actie.

Me aankleden kostte meer energie dan ik had gedacht. Een deel van me wilde het meteen opgeven, zo duizelig voelde ik me. Maar een ander deel – het denkende deel – wist dat ik geen keus had. Ik ging op bed zitten wachten tot mijn ademhaling en hartslag weer normaal waren geworden. Daarna liep ik naar de deur om naar buiten te gluren.

De afdeling was vrijwel in duisternis gehuld. Een eindje verderop gaf een plek gedempt licht aan waar de zusterkamer was. Daar was op dat moment niemand. De uitgang was rechts daarvan. Geruisloos en langzaam liep ik tussen de bedden door. Voor zover ik kon zien, had niemand me in de gaten. In de deuropening bleef ik lang genoeg staan om zeker te weten dat er niemand rondliep. Daarna ging ik kordaat de hoek om, de gang in en liep ik langs de wc's naar de trap. Er was een lift op de overloop, maar mijn gevoel zei dat ik de langste weg naar beneden moest nemen.

En lang was het inderdaad. Ik moest met schuifelende tred drie trappen afdalen. Mijn hoofd en alle gewrichten deden zeer, alsof ik griep had zonder koorts. Ik had het niet op een lopen, maar op een wankelen gezet.

In de schemerig verlichte hal onder aan de trap zat de dienstdoende receptioniste achter de balie. Toen ik de laatste tree had bereikt, zag ik haar om de hoek. De hoofduitgang – dubbele deuren en een vermoeden van koele nachtlucht – was daar vlak achter. Ik nam even de tijd om op adem te komen en daarna ging ik op pad.

Zo te ruiken dronk ze een kop soep, en ze zat een pocket te lezen. Toen ik langsliep, keek ze op. Het licht van haar lamp weerkaatste in haar bril. Maar ze zei niets. Waarschijnlijk was ze blij dat ik niets van haar moest.

Buiten was het zo donker en stil als de nacht in Londen maar kan worden. Ik herinnerde me St Mary's als een doolhof van oude en nieuwe gebouwen een klein stukje ten oosten van Paddington Station, en gokte erop dat ik maar het beste naar het station kon gaan. Daar kon ik misschien een taxi vinden. Waar die me heen moest brengen was een andere kwestie. Ik kon niet riskeren om terug naar Allerline House te gaan om de rest van mijn spullen op te halen, maar het zou nog een hele poos duren voordat ik de eerste trein naar het noorden kon nemen; waarschijnlijk langer dan normaal omdat het zondag was.

De straat lag er klam en verlaten bij en er stonden geparkeerde auto's langs de stoeprand. Ik sloeg linksaf. Ik bevond me achter het gebouw, dus moest het station die kant op zijn. Ik liep onder een voetgangersbrug door die de ene vleugel van het ziekenhuis met de andere verbond. Ik liep langzaam om het beetje energie waarover ik beschikte te sparen. Ik begon te denken dat ik kans van slagen had.

Plotseling werd me de weg versperd door een portier van een geparkeerde auto dat wijd openzwaaide. Tegelijkertijd hoorde ik een ander portier opengaan en het geluid van hollende voetstappen achter me. Toen ik me omdraaide, zag ik een lange, donkere gestalte dichterbij komen. Ik werd tegen de auto geworpen en daar vastgehouden. Mijn hersens reageerden zo duf op de gebeurtenissen, dat het bijna was alsof ik ze van een afstandje gadesloeg, in plaats van ze uit de eerste hand mee te maken. Er waren twee mannen, een aan weerskanten. Ik probeerde ze weg te duwen, maar al had ik geen rubberledematen gehad, dan nog zouden ze veel te sterk voor me zijn geweest. Ik werd op de achterbank geduwd. Een van de mannen volgde me naar binnen. De andere holde om en sprong aan de andere kant naast me. Daarna spoot de auto ervandoor. De chauffeur wierp een blik over zijn schouder. Het was de man die ik op het weggetje bij Stanacombe en later in de kroeg had gezien. Zijn gezicht stond strak en uitdrukkingsloos.

'We dachten dat je wel een lift kon gebruiken,' zei een van de anderen met een spottend lachje. In zijn ogen zag ik een krankzinnige glinstering dankzij het oranjerode licht van de voorbij flitsende straatlantaarns. 'Geen dank.'

'Je ziet er niet best uit,' zei de derde man. Hij was rustiger, ernstiger en op de een of andere manier stiller dan zijn metgezellen. 'Waarschijnlijk te veel gedronken.'

'Wat willen jullie?' perste ik eruit.

'Een Picasso op mijn zolder vinden,' zei de krankzinnige. 'Laten we het maar niet hebben over wat wij willen, oké?'

'En ons concentreren,' zei de ander, 'op wat jij met wijlen William Hall te maken had.'

'Val dood.'

Het was een zinloos uitdagende opmerking. De greep van de krankzinnige werd steviger. Opeens zag ik iets van donker metaal tussen ons in glimmen. Bij de volgende lichtflits bleek hij een pistool in zijn hand te hebben. De loop zat een paar centimeter van mijn borst. 'We zijn gemachtigd je dood te maken, Sheridan. Je moet begrijpen hoe makkelijk het ons gemaakt wordt. Erg makkelijk, voel je wel?'

'Hoe heette William Hall in werkelijkheid?' informeerde de kalme bedaard.

'Dat wás zijn echte naam.'

De loop drukte tegen mijn hoofd. 'Wil je nog even nadenken?'

'Cedric Milner.'

'Braaf.' Het pistool verdween.

'Cedric Milner, de verrader,' zei de kalme.

'Ja.'

'Vriendje van je?'

'Niet precies.'

'Vertrouweling?'

'Min of meer.'

'Hij heeft je dingen verteld.'

'Een paar.'

'Ook waarom hij zijn land had verraden?'

'Nee.'

'Wij denken van wel.'

'Je vergist je.'

'Zo ja, dan heb je pech gehad.'

Hij knikte en opeens was het pistool er weer. Het drukte tegen mijn slaap.

'Waarom heeft hij zijn land verraden?'

'Ik weet het niet.'

'Je gaat sterven, Sheridan. Hier, nu, vannacht. Als je het niet zegt.'

'Hoe kan ik je vertellen wat ik niet weet?'

'Dat is jouw probleem.'

'In godsn...'

Ze maakten me niet dood. Ik weet niet zeker wat ze wel deden. Het moest weer zo'n dosis drugs zijn geweest. Ik kan me vaag herinneren dat ik verplaatst, onzacht opgetild en weer neergelegd werd. Ik zag ze op me neerkijken. Ik kan me ook nog de beweging van de auto herinneren, die zo hotste en slingerde dat ik heen en weer gleed over de achterbank, en een rommelend geluid in de verte. Volgorde en betekenis herinnerde ik me niet en gek genoeg scheen het me ook niets te kunnen schelen. Ik had nergens iets over te zeggen, geen verantwoordelijkheid en ook geen verpletterend gevoel van schuld of mislukking. Ik was totaal van de wereld.

Toen ik me weer van mijn omgeving bewust werd, was het ochtend. Het was een frisse, heldere, zomerse zondagochtend. Ik lag half opgericht tegen een transformatorhuisje op een braak stuk land in de buurt van een spoorweg, in de gigantische schaduw van een met graffiti bekladde viaductpilaar. Vogels floten, onberoerd door het onregelmatige geraas van het verkeer op het viaduct boven me.

Mijn hoofd deed zeer en bonsde bij de geringste beweging. De felle zon die nog laag aan de hemel stond, deed mijn ogen tranen en mijn hoofd des te erger bonken. Mijn nek voelde alsof hij gebroken was en pijnscheuten vlogen langs mijn ruggengraat omhoog toen ik mezelf oprichtte. Voorlopig was dat alles waartoe ik in staat was. Ik moest mijn uiterste best doen om mijn gedachten op orde te krijgen en dat leek even moeilijk als een roerei terug in zijn schaal doen.

Ik was in leven. Dat was zo'n beetje het enige wat ik zeker wist. Maar waarom? Waarom zouden ze me met de dood bedreigen als ze het niet gingen doen? Waarom hadden ze me opgepikt om me vervolgens toch weer – veilig maar niet erg wel – te dumpen?

Ik hees mezelf overeind, leunde tegen het transformatorhuisje en probeerde me te oriënteren. Volgens mijn horloge was het net zes uur geweest. Langs de spoorweg voor me liep een metrospoor. In de verte zag ik een station. Het was te ver weg om meer te zien dan het bordje van de ondergrondse op een paal. Maar het viaduct kon gemakkelijk van de A40 zijn, en in dat geval hadden ze me niet zo ver weg gebracht. Royal Oak, Westbourne Park, zoiets.

Ik hinkte de kant van het metrostation op en probeerde onderweg zo goed en zo kwaad als het ging na te denken. Wat had me gered? Dat kon alleen maar mijn onvermogen zijn om de vraag over Cedrics verraad te beantwoorden, zelfs met een pistool tegen mijn hoofd. Ze moesten me geloofd hebben. Ik had ze er vast van overtuigd dat ik de waarheid niet wist. En dat betekende dat de waarheid anders was dan wat iedereen dacht. Het moest erger, veel erger zijn.

Misschien was dit de laatste waarschuwing, mijn laatste kans om die hele krankzinnige toestand de rug toe te keren. Maar dat was niet helemaal logisch. Er was ook nog mijn veronderstelde aandeel in Cedrics dood om de zaak ingewikkeld te maken. Een verdachte die hem stiekem smeert is veel makkelijker te verklaren dan een met een kogel door zijn kop. Ik kon er niet van weglopen. Dat zou me niet vergund zijn. Heraclitus was nog altijd mijn enige kans. Ik moest op Otherways zijn als hij arriveerde. En dan moest ik een manier zien te vinden om hem zo ver te krijgen dat hij me zou helpen.

Ik trok een reep chocola uit een automaat op het station en dwong mezelf die op te eten. Daarna ging ik languit op een bank op de eerste trein naar het oosten liggen wachten. Ik had geen idee hoe laat de eerste sneltrein van King's Cross in Londen zou vertrekken, maar ze stopten allemaal in Petersborough en ik had de hele dag de tijd om op mijn bestemming te komen. Als iemand vastbesloten was om me iets in de weg te leggen, zou dat niet moeilijk zijn. Maar ik was te uitgeput om me daar veel zorgen over te maken. Ik zou gewoon mijn best doen.

En dan? Ik wist het niet. Je zou met me te doen hebben gehad, Marina. God mag weten hoe ik eruitzag, ineengezakt op die bank in gekreukelde kleren die na die slechte nacht onder de scheuren en vlekken zaten, ongeschoren, ongewassen, gehavend en overdekt met blauwe plekken. Ik was bijna aan het eind van mijn Latijn. Er had meer rek in gezeten dan jij of ik zou hebben verwacht. Maar er was niet veel meer over.

Mijn afgematte geest wendde zich naar jou, naar de herinneringen aan ons gedeelde verleden. Het leven dat we hadden gedeeld, leek me zo vreugdevol en eenvoudig tegen de achtergrond van alles wat erna was gebeurd. Waarom had het niet gewoon door mogen gaan? Waarom kon de hel waar ik na jouw dood doorheen was gegaan niet de droom zijn, en de fantasie om jou weer te zien de werkelijkheid?

Eén ogenblik – misschien wel een paar ogenblikken toen ik daar zo lag – geloofde ik bijna dat het mogelijk was. Toen het gerommel van een naderende trein me uit mijn dagdroom wekte, meende ik dat ik ontwaakte in mijn leunstoel op Stanacombe en jouw auto de oprijlaan op hoorde rijden. Vervolgens was ik weer omgeven door fel licht en bot lawaai, raakte ik je weer kwijt zoals al zo dikwijls was gebeurd en voelde ik je wegglippen. Je was verdwenen. En een deel van mij was met je meegegaan. De rest – het overblijfsel – sprong van de bank op en haastte zich naar de openzwaaiende treindeuren.

Op King's Cross knapte ik me zo goed en zo kwaad als het ging op. In de trein gebruikte ik iets van een ontbijt en tegen de tijd dat ik in Petersborough arriveerde, zag ik er waarschijnlijk weer betrekkelijk gewoon uit. Halverwege het station en de kathedraal nam ik een kamer in een hotel, een bad en een tweede ontbijt en daarna sliep ik vier absurd ongestoorde uren achter elkaar door. Om drie uur ging ik weer naar het station met de bedoeling de eerstvolgende trein naar Oakham te nemen. Er leek me niets in de weg te worden gelegd.

Totdat er een auto die me min of meer bekend voorkwam met knipperende waarschuwingslichten voor me stopte. Ik bleef staan en draaide me met een ruk om, uit angst dat ik een van hen weer van achteren aan zou zien komen. Maar er was niemand. Vervolgens hoorde ik iemand mijn naam roepen.

'Tony!'

En plotseling herinnerde ik me van wie die auto was.

'Wil je meerijden, Tony? Waarschijnlijk moeten we dezelfde kant op.'

Nesta Worthington woonde in Oakham, maar had een dochter in Petersborough. Ze was op weg naar huis na bij haar de zondagslunch te hebben gebruikt. Haar aanwezigheid in de stad was volkomen verklaarbaar. In tegenstelling tot de mijne.

'Ik ben met de trein gekomen,' legde ik naar waarheid uit, toen we over de A47 reden. 'Ik was gewoon bezig de tijd te doden. Je weet hoe de verbindingen tegenwoordig zijn op dit soort spoorwegen. Ze bestaan gewoon niet.'

'Wat is er met je auto?'

'Wilde gewoon niet starten. Dood. Maar toen ik hoorde dat Matt weer aan de beterende hand was... besloot ik dat ik geen zin had om te wachten tot de garage hem had nagekeken.'

'Goed nieuws van Matt, hè? Lucy heeft me gisteravond gebeld. Het was duidelijk een pak van haar hart.'

'Dat geldt voor iedereen.'

'Ga je vanmiddag nog naar het ziekenhuis?' Haar stem klonk al... zo niet argwanend, dan wel ongerust. Als ik naar Leicester wilde, wat deed ik dan in Petersborough? 'Je kunt wel met mij mee.'

'Ik, eh... moet eerst iets doen in Oakham.'

'Dat is geen probleem. Ik kan wel wachten. Ik wil Matt zelf graag zien.'

'Ga jij maar vooruit. Ik ben echt...'

'Niet van plan om erheen te gaan?' Ze keek me scherp van opzij aan. 'Lucy heeft me gevraagd of ik iets van je had gehoord. Vind je dat niet vreemd? Ik had de indruk dat ze zich aan een strohalm vastklampte. Ik bedoel, waarom zou ik iets van je moeten weten als zij niets van je had vernomen?'

'Ik heb geen idee.' Dat geloofde Nesta niet. Volgens mij had ze voldoende gehoord of gezien om te weten wat er tussen Lucy en mij gaande was. Dat betekende nog niet dat ze begreep wat er nu aan de hand was. Maar dat wist ze niet. Mijn gedrag maakte op haar waarschijnlijk de indruk van gewoon schuldgevoel.

'Ik ben erg op Matt gesteld. En op Lucy.'

'Ik ook.'
'Sinds jouw komst op Otherways gaat het niet goed met ze.'
'Mijn schuld, denk je?'
'Dat zeg ik niet.'
'Maar dat vraag je je wel af.'
'Ja, misschien is dat wel zo.'
'Ik wou dat het zo eenvoudig was.'
'Wat bedoel je?'
'Ik bedoel dat je geen idee hebt wat hier op het spel staat, Nesta. En het is ook maar beter dat je dat niet weet. Veel beter.'

De rest van de reis verstreek in gespannen en korzelig stilzwijgen. We reden via de A1 langs Stamford, sloegen vervolgens af naar Oakham en weldra vingen we een eerste glimp van Rutland Water op, dat vriendelijk in de middagzon lag te glinsteren. Het was het warmste en kalmste deel van de dag. Op het meer waren zeilboten en pleziervaartuigen. Op de fietspaden eromheen wemelde het van de zondagsfietsers. Het zag er allemaal vreedzaam en aardig en o zo duurzaam uit.

Maar toen we Barnsdale Hill op reden en ik over het schiereiland van Hambleton staarde, moest ik aan James Milners droom van ditzelfde tafereel denken. Lijnen van wat wel en niet kon, liepen zowel naar het verleden als naar de toekomst.

Plotseling zag ik het ronde dak van Otherways als een vlek van lichtbruine leisteen die bijna aan het oog werd onttrokken door de dichte bosschages van iepen en eiken eromheen. Wat had Cedric ook weer over Henna Cliff als rendez-vous gezegd? 'Ideaal, als je het prettig vindt om mensen te zien aankomen.' De schepping van het meer had dat met Otherways gedaan. Het had als het ware een grotere buitengracht gekregen zodat je ze voor eeuwig aan kon zien komen. Als Oates lager gelegen land had gekocht, zou Posnans creatie niet meer bestaan. Maar op de een of andere manier had dat nooit het geval kunnen zijn. Hoe hoog het water ook had moeten reiken, Otherways had altijd hoger gelegen.

Ik liet me door Nesta op de markt in Oakham afzetten. Het was bepaald geen hartelijk afscheid, maar haar tegen de haren in strijken was een tol die het betalen waard was om haar niet te laten weten waar ik heen ging en waarom. Vanuit de Whipper-In belde ik een taxi en twintig minuten later was ik in Hambleton.

Op het parkeerterrein van de Finches Arms rekende ik af met de taxichauffeur. Toen ik zag dat het café open was, kocht ik een biertje en ging ik met mijn gezicht naar de kerk aan een van de tafeltjes zitten. Ik had nog ruim een uur te gaan voor mijn – of liever gezegd Cedrics – afspraak op Otherways. Er was geen haast. Integendeel, er was zelfs alle reden om me niet te haasten. Hoe minder tijd ik op Otherways hoefde door te brengen, des te beter. Daar zou ik veel zenuwachtiger – en kwetsbaarder – zijn dan in de tuin van de Finches Arms. Ik dronk mijn bier op en nam nog een whisky. Daarna ging ik op pad.

Ik had nog altijd ruimschoots de tijd om voor zes uur bij het huis te zijn. En de tegenzin was er nog steeds. Ik liep om naar de kerk en ging het kerkhof op om, zonder specifieke reden, een kijkje bij het graf van Ann Milner te nemen.

Ik had het grootste stuk van het pad erheen afgelegd toen ik met een ruk stilstond. Daar was Daisy. Ze zat met haar rug naar me toe naast het graf van haar zus gehurkt. Haar hoofd was op dezelfde hoogte als de bovenkant van de zerk. Dat en haar jas van grijsachtige tweed hadden haar zo goed aan het oog onttrokken dat ik tot op een paar meter afstand was genaderd zonder te beseffen dat zij er ook was.

Ik bleef staan waar ik stond en vroeg me af of ze me had horen aankomen, en zo ja, of ze zich om zou draaien. In de stilte van het kerkhof vingen mijn eigen gespitste oren eensklaps een heel vaag geluid op. Daisy zat te huilen. Er klonk een vage snik. Ik zag het natte spoor van een traan op haar linkerjukbeen, wat het enige stuk van haar gezicht was dat ik kon zien. Daarna boog ze zich naar voren en zette ze snijbloemen met een lange steel een voor een in de vaas aan de voet van de zerk. Het was een merkwaardige keus, gezien de grote hoeveelheid die er overal om ons heen in het wild groeiden. En toch was het ook weer niet zo vreemd, want het waren *daisy's*, margrieten.

Ik had Daisy een boel te vertellen. Ik moest haar van een leugen beschuldigen en van dubbel spel betichten. Maar dit was niet het juiste moment. En het graf van haar zus was niet de juiste plek. Ik maakte langzaam rechtsomkeert en sloop terug.

Bij het hek wierp ik een blik over mijn schouder. Ze was in geen velden of wegen te bekennen, net als toen ik het kerkhof had betreden. Het leek erop dat ik was gekomen en gegaan zonder dat ze zich van mijn aanwezigheid bewust was geweest. En zo wilde ik het ook. Voorlopig.

De snelste route naar Otherways was rechtdoor via het weggetje. Maar ik ging liever via het voetpad dat het dorp uitliep en door de akkers naar het visserspaadje om het schiereiland. Daarna zou ik dat een poosje volgen alvorens over de weiden naar het huis door te steken. Toen ik de laatste akker overstak voor het hekje van het visserspad, had ik even de indruk dat er iemand vlak achter me liep. Maar toen ik me met een ruk omdraaide... Niets. Mijn ontsnapping op het nippertje bij de kerk had me zeker overgevoelig gemaakt. Of misschien was het wel door de nabijheid van Otherways. Ik hoefde niet ver meer. Noch lang te wachten. Spoedig zou ik weten wat er te weten viel.

Ik liep door naar het hekje en bleef daar even in de schaduw van een boom staan. Ik keek op mijn horloge en wiste het zweet van mijn gezicht. Het leek wel warmer dan daarnet, alsof het zonlicht sterker werd in plaats van zwakker, zoals in de namiddag het geval zou moeten zijn. Ik zou graag een sigaret hebben gerookt, maar die had ik niet gekocht onderweg. Ik was door al mijn vertragingstactieken heen. Ik klom over het hekje en liep door via het visserspad.

Ik had Otherways nog nooit via die route benaderd. Het deed me beseffen hoe zorgvuldig Posnan de plek had uitgekozen. Het huis verhief zich boven zijn omgeving, maar ging er toch in schuil: een topografische buitenkans die Posnan met beide handen had aangegrepen. De tijd en de wasdom van de bomen die hij had laten planten, hadden het effect nog geaccentueerd. Het huis was er – voelbaar voordat het zichtbaar was – en leek er altijd al te hebben gestaan. Maar dat was evenals het meer een illusie. In feite was het makkelijk voor te stellen dat het meer deel uitmaakte van Posnans bouwkundige verschijntruc. Had hij de aanleg ervan op de een of andere manier voorzien? Had hij de contouren voorvoeld?

Dat was natuurlijk uitgesloten, maar ik kon het me makkelijk voorstellen toen ik de laatste weide overstak voor de muur die om het terrein van Otherways heen liep. Ik klom eroverheen en haastte me tussen de bomen om de tuin door. Ik had de zon in de rug en de lichtbundels vielen door de takken boven mijn hoofd om links en rechts gouden vlekken op de ronde flank van het huis te werpen. Vlak voor me waren de ramen van de huiskamer en ik kon recht het vertrek in kijken. Daar stond de stoel waarin ik vier dagen geleden omstreeks dezelfde tijd op Matt had zitten wachten. Hij was nu leeg. Net als het huis. Maar niet lang meer.

Toen ik het gazon wilde oversteken, zag ik een auto over de oprijlaan aankomen. Het was een donkerblauwe Volvo sedan. Aarzelend liep ik door. Met voorzichtigheid schoot ik niets op.

Toen ik de rand van de oprijlaan bereikte, stopte de Volvo voor het huis.

De enige inzittende was een mollige man van middelbare leeftijd met gepommadeerd zwart haar en een scheiding in het midden, gekleed in een zakenpak. Hij duwde het portier met zijn voet open, hees zichzelf eruit en ik ving een glimp van enorme, felrode bretels op toen hij me over de rand van een halvemaanvormige hoornen bril aanstaarde. Ik keek hem aan en hield zijn blik gevangen toen ik om de motorkap naar hem toe liep. Daarna zei hij met een glimlach: 'Is meneer Prior aanwezig?'

Ik bleef fronsend staan. 'Komt u voor meneer Hall?'

'Nee, voor meneer Prior.'

'En u bent?'

'Frank Bissell.' Hij zwaaide met een visitekaartje. 'Bissell, Unsworth en Hegg.'

'Wie?'

'Bissell, Unsworth en Hegg, makelaars.' Zijn glimlach kreeg iets geërgerds. 'Hoort u eens, op zondag hier komen heeft me aanzienlijke huiselijk frictie opgeleverd, maar meneer Prior heeft erop gestaan dat het de enige tijd was die hij vrij kon maken, dus...'

'Heeft u een afspraak met hem?'

'Zeker. Het spijt me als ik een paar minuten te laat ben, maar...'

'Nee, het spijt mij, meneer Bissell. U heeft het nieuws kennelijk nog niet gehoord. Ik ben een vriend van de familie. Meneer Prior ligt in het ziekenhuis. Hij heeft een ongeluk gehad.'

'O, mijn hemel,' zei Bissell geschrokken. 'Ernstig?'

'Hij is er zeker ernstig aan toe en zal een hele poos uit de roulatie zijn.'

'Verdorie.'

'Ja.'

'Sorry. Ik bedoel, het spijt me dat te horen. Dus dit,' zei hij met een gebaar naar het huis, 'zal een poosje op een laag pitje staan.'

'Dit?'

'De verkoop.'

'De verkoop van het huis?'

'Natuurlijk.' Hij keek me aan alsof ik opzettelijk deed alsof ik op mijn achterhoofd was gevallen. 'Dat kwam ik met de heer Prior bespreken.'

'Aha.' Ik knikte, zwichtend voor de logica van de ontdekking. Matt wilde Otherways kwijt. En wie kon hem dat kwalijk nemen? 'Natuurlijk.'

'Is mevrouw Prior er misschien wel?'

'Nee.'

'Jammer.'

Bissell zou het natuurlijk niet zo jammer hebben gevonden als hij had geweten dat Lucy totaal niet van Matts beslissing op de hoogte was, hoewel dat anders lag – moest ik mezelf spottend bekennen – als hij wist wat Matt tot die beslissing had gebracht.

'Nou, ik wens meneer Prior een voorspoedig herstel toe.'

'Ik ook.'

'Zegt u dat ik langs ben geweest?'

'Ik zal het zeggen.'

'En mevrouw Prior? Ik bedoel, als zij de zaken wil waarnemen zolang meneer Prior... *hors de combat* is. Misschien wilt u haar mijn kaartje geven.' Hij reikte het me aan. 'Ik zou u vreselijk dankbaar zijn.'

Er schoot me iets te binnen toen ik het kaartje van hem aanpakte. 'Had uw firma de verkoop áán de Priors ook in handen, meneer Bissell?'

'Inderdaad.' Dus Frank Bissell was waarschijnlijk degene die Cedric jouw naam had gegeven. Hij had in zekere zin heel wat op zijn kerfstok. 'Ik keek er een beetje van op, moet ik zeggen.'

'Waarvan?'

'Het telefoontje van meneer Prior. Ik bedoel, het is een beetje snel om weer te verhuizen. Vooral omdat ik de indruk had dat ze verliefd op het huis waren.'

'Dat is de moeilijkheid met verliefdheid. Het kan zo weer over zijn.'

'Ja.' Bissell keek me onzeker aan. 'Nou, ik kan maar beter terug naar mijn eigen liefde. Met uw welnemen.'

Ik keek Bissells auto na toen hij over de oprijlaan uit het gezicht verdween. Daarna haalde ik Lucy's sleutels uit mijn zak en stak de gracht over. Ik bleef even aan de voet van het bordes staan en keek op mijn horloge. Het was acht minuten voor zes. Ik haalde diep adem, liep naar boven, stak de sleutel in het slot en draaide.

Maar hij wilde niet draaien. Ik oefende wat kracht uit en toen besefte ik wat eraan schortte. De deur zat niet op slot. Toen Lester en ik donderdagavond waren vertrokken, had ik hem wel op slot gedaan. Ik herinnerde me nog hoe hij naast me had staan kwebbelen over statistisch bewijs van het broeikaseffect. Ik had hem beslist op slot gedaan.

Maar hij zat niet meer op slot. Dat kon betekenen dat iemand intussen was gekomen en gegaan en de deur gewoon van de knip had gelaten. Of er was iemand gekomen en niet vertrokken.

Ik maakte het slot met de Yalesleutel open, liep de gang in en deed de deur weer achter me dicht. Het alarm zweeg. Dat werd door de derde sleutel aan Lucy's ring bediend. En dat had ik beslist ingeschakeld. Maar het was afgezet of onklaar gemaakt. Het zag er intact uit, maar ik was geen deskundige. Ik stopte de sleutels in mijn zak en liep langzaam de gang door.

Niets bewoog. Het huis had geluiden van buiten altijd onthutsend efficiënt buitengesloten. Ik had me weleens afgevraagd of Posnan een vorm van geluidsisolatie in het ontwerp had verwerkt. Ik zou er niet van opgekeken hebben.

'Hallo!' riep ik, vastbesloten om me niet te laten intimideren. Mijn stem werd hoog boven me weerkaatst door de dakkoepel en ik keek omhoog. Op de overloop was niets te bekennen. 'Is er iemand?'

Er gingen een paar seconden voorbij. Vervolgens hoorde ik drie tinkelende geluiden, alsof iemand met een lepel tegen een glas tikte om publiek tot stilte te manen voor een toespraak. Het geluid leek uit de keuken te komen. Ik liep naar de trap en daalde af.

De keukendeur stond op een kier. Ik duwde hem wijder open met mijn voet. Toen hij openzwaaide, zag ik een man aan de tafel in het midden van het vertrek zitten. In zijn linkerhand hield hij een glas met iets erin dat op whisky leek en in zijn rechterhand een pistool. En dat was op mij gericht.

'Strathallan.' Mijn mond viel open. 'Ben jij... Heraclitus?'

'Bij wijze van spreken,' antwoordde hij. 'Maar jij bent absoluut Cedric Milner niet.' Hij spande zijn wapen. 'Waar is hij?'

Dertien

Strathallan had iets van een bejaarde heer die op het punt staat als eregast op een dorpsfeest op te treden: met zijn lichtblauwe pantalon, marineblauwe blazer-met-wapentje, witte overhemd en cravate: een alledaags en elegant anachronisme. Het pistool was ook oud. Het kon makkelijk een oorlogsmodel zijn. Maar het zag er patent uit. En Strathallans hand beefde niet.

'Je gaat me toch niet neerschieten?' vroeg ik.

'Daar ben ik nog helemaal niet zo zeker van. Wáár is Cedric?'

'Dood.'

Hij vertoonde geen spoor van reactie. 'Hoe?'

'Dat is een vrij lang verhaal. Ik vertel het rustiger als je dat pistool neerlegt.'

'Ben je alleen gekomen?'

'Wat denk je?'

'Ik denk dat het wel je bedoeling was.'

'Dus...'

'Maar ik weet het niet zeker. Dus totdat ik het wel weet, blijft het pistool op je gericht. Begin maar te praten, meneer Sheridan. Ik zal wel zeggen wanneer je moet stoppen.'

Ik vertelde het verhaal min of meer zonder omhaal, vanaf de doodlopende weg in Lissabon, via de toevallige ontdekking van de bekentenis van James Milner, tot mijn kennismaking met Cedric, en de doodlopende weg, waar die ook toe had geleid. Strathallan luisterdc onbewogen toe. Hij scheen zelfs niet in de verleiding te komen om me in de rede te vallen. Ook hoefde hij me niet het zwijgen op te leggen zoals hij had aangekondigd. Het slot van mijn verslag lag voor de hand en was onvermijdelijk. Het was waar we ons bevonden. Het was er altijd geweest.

Toen ik was uitgesproken, ontspande hij het pistool weer en legde het in de la onder de tafel. Daarna gebaarde hij met een knikje naar de stoel tegenover hem dat ik moest gaan zitten. De spanning tussen ons was afgenomen, maar in zijn gezichtsuitdrukking of stem was niets veranderd. Op tafel stonden een fles Lagavulin en twee glazen. Het lege had natuurlijk voor

Cedric moeten zijn. Strathallan schonk voor me in toen ik ging zitten. Het zonlicht dat door het linkerraam viel sprankelde in het kristallen glas.

'Het spijt me dat ik u slecht nieuws moet brengen,' zei ik toen ik een slokje whisky had genomen en me op slag dankbaar voelde voor het verwarmende effect. In de wereld buiten Otherways was het een warme dag geweest, maar niets van die warmte scheen de muren van het huis gepenetreerd te hebben. 'Althans, als u het slecht nieuws vindt.'

'Het was stom van Cedric om terug te komen,' zei Strathallan, en uiteindelijk klonk er een spoortje gevoel in zijn stem. 'Hij wist welk risico hij liep.'

'Maar u bent hierheen gekomen om hem te ontmoeten.'

'Inderdaad.'

'Dus u moet hem gesteund hebben om zo ver te gaan.'

'Niet echt. Maar hij had een kans. Ik moest hem de dienst bewijzen om te veronderstellen dat die kans voldoende zou zijn.'

'Waarom?'

'Omdat, om maar eens een cliché te gebruiken, dat wel het minste was dat ik hem verschuldigd was.' Hij zuchtte. 'Je vroeg me of het me speet om te horen dat hij dood was. Het antwoord is dat ik opgelucht hoor te zijn. In mijn officiële capaciteit zou ik het glas moeten heffen op de oplossing van een probleem en het onschadelijk maken van een bedreiging.'

'Wat is uw officiële capaciteit?'

'Dat mag ik niet zeggen.'

'Waarom niet? Als het probleem toch is opgelost...'

'Laat het maar opgelost blijven.'

'Was Cedric een verrader?'

'Natuurlijk.'

'Maar is dat uw officiële mening, of de waarheid?'

'Allebei. Als je waarheid tenminste definieert als datgene dat algemeen geloofd wordt en altijd geloofd zal worden.'

'En hoe zit het met de absolute waarheid?'

'Dat wil je niet weten.'

'We hebben het niet alleen over Cedrics dood, maar ook over die van mijn vrouw.'

'Aye. Dat weet ik.' Hij nam een slokje whisky en spoelde er zijn mond mee alvorens het door te slikken. Daarna leunde hij naar achteren en keek me fronsend aan. 'Het is geen vrolijk verhaal.'

'Ik heb het recht om...'

'Het te begrijpen, zo niet te weten?' Zijn mondhoeken krulden een klein beetje in het vermoeden van een glimlach. 'Wel, wel, misschien is dat nauwkeurig genoeg. Het eerste wat je moet begrijpen, is dat ik meer te verliezen heb dan jij.'

'Hoe komt u daarbij?'

'Je denkt toch zeker niet dat het feit dat je je aan deze afspraak hebt gehouden betekent dat je op de een of andere manier hebt geboft? Je hebt me zelf verteld dat je twee keer aan de genade van je achtervolgers overgeleverd bent geweest: in dat café in Marylebone en toen ze je oppikten nadat je 'm uit het ziekenhuis was gesmeerd. Waarom denk je dat ze je hebben laten gaan?'

'Wat denkt ú?'

'Dat ligt toch voor de hand, man. Om mij uit te roken. Ze wisten dat Cedric contact met Heraclitus op zou nemen als hij maar voldoende in de nesten zat. En ze wisten dat Heraclitus zou reageren. Ze konden het zich niet veroorloven om Cedric een centimeter speelruimte te geven. Maar jouw lijntje konden ze helemaal laten vieren en je rechtstreeks naar mij toe volgen alvorens de lus om mijn nek te slaan.'

'Niemand is me gevolgd.'

'Ze zouden ook belabberd werk hebben geleverd als je meende van wel. Maar neem maar van mij aan dat ze je zijn gevolgd.'

'Nee, ik zeg toch...'

'Ik ben bang dat majoor Strathallan het bij het rechte eind heeft,' klonk een stem achter me.

Ik sprong op van mijn stoel en draaide me met een ruk om. De deur stond wijdopen en Rainbird kwam binnen. Hij was door een lichtgewicht pak en een coltrui getransformeerd in een onthutsend grootsteedse versie van zichzelf. Hij werd op de voet gevolgd door de bars ogende man die de auto had bestuurd waarin ik in Paddington was geduwd. Hij bleef in de deuropening staan alsof hij die moest bewaken. Maar Rainbird kuierde naar binnen en ging tegen het fornuis staan. Hij sloeg de armen over elkaar en trakteerde ons op een weke glimlach.

'Het spijt me dat ik jullie moet onderbreken,' zei hij. 'Jullie moeten zo in jullie gesprek zijn opgegaan dat je de bel zeker niet hebt gehoord. Ik hoop dat jullie het niet erg vinden dat we onszelf maar hebben binnengelaten.'

Ik voelde de woede in me opwellen voor ik de tijd had om die te analyseren. 'Klootzak,' riep ik, terwijl ik op hem afsprong. Maar ik had nog geen meter afgelegd voordat de man in de deuropening tussenbeide was gekomen. En een seconde later zat ik weer op mijn stoel met de armen op de rug gedraaid.

'Dank je, Walker,' zei Rainbird. 'Tony is gewoon een beetje heetgebakerd.

Ik weet zeker dat verdere actie onnodig is.' Walkers greep verslapte, maar ik werd nog steeds effectief op mijn plek gehouden. 'Is dat niet zo, Tony?'

'Dat zal wel,' zei ik met tegenzin.

'Mooi.' Walker liet me los en keerde terug naar de deur. 'Welnu, majoor,' vervolgde Rainbird, 'ik wil niet arrogant doen, maar er zijn collega's die popelen om het nog eens met u over de goeie ouwe tijd te hebben, als u begrijpt wat ik bedoel. Dus kunt u meteen vertrekken? De auto staat al voor.'

'Waarom ook niet?' Strathallan aarzelde even. Ik vroeg me af of hij het pistool wilde grijpen. Zijn blik scheen heel even omlaag naar de la te gaan. Maar nee. Uiteindelijk leegde hij slechts zijn glas en kwam hij langzaam overeind uit zijn stoel. 'Ik zou ze niet graag willen laten wachten.'

'Precies. Vooral niet omdat ze al zo lang gewacht hebben.' Rainbird wierp een blik op mij. 'Tony en ik blijven hier voor een babbeltje over dingen die onze wederzijdse belangstelling hebben.' Daarna keek hij weer naar Strathallan. 'Het was heel leerzaam, majoor, echt waar. Maar ik moet bekennen dat ik er niet van opkijk. Ik heb u van meet af aan in het snotje gehad. Anderen mogen dan voor uw vertoon van verbittering jegens Cedric Milner zijn gevallen, maar ik heb altijd gevonden dat u te bitter was om waar te zijn.'

'Hoe buitengewoon opmerkzaam van u,' zei Strathallan, terwijl hij zijn blazer dichtknoopte en zijn manchetten rechttrok. 'Het moet heel bevredigend zijn om zo precies lokeenden van dode eenden te onderscheiden.'

'Ik moet toegeven dat u gelijk heeft. Maar we moeten voortmaken. Althans, dat moet u. Walker zal u begeleiden.'

'Waar brengen jullie hem naartoe?'

'Een comfortabel rusthuis in de Chilterns,' zei Rainbird. 'Het zal hem aan niets ontbreken.'

'Aye,' zei Strathallan. 'De dienst zal zeker heel attent zijn.' Hij rechtte zijn schouders, knikte me werktuiglijk vaarwel en liep vervolgens de keuken uit. Walker ging naast hem lopen.

'Wat is er in godsnaam aan de hand?' Ik keek Rainbird nijdig aan. 'Wat geeft jou het recht om dit allemaal te doen?'

'Het parlement, zou ik zeggen,' antwoordde hij opgewekt. 'Ik zou in staat moeten zijn om de bewuste wetten woordelijk te citeren, maar dat hoeft maar zo zelden dat ik vrees dat mijn geheugen een beetje roestig is.'

'Waarom hebben jullie Cedric niet gewoon gearresteerd?'

'Omdat hij geen doorsneeverrader was. In feite...' Hij hief een hand als om aan te geven dat de subtiliteiten van de situatie niet aan hem te wijten waren. 'In feite heb je voldoende gezien en gehoord om ervan overtuigd te zijn dat Cedric Milner niet de doortrapte marxistische spion was die vriend

Fisher in zijn boek heeft afgeschilderd. Omtrent datgene wat hij werkelijk was, hoor ik je in het ongewisse te laten. Maar ik vermoed dat dit je alleen maar zou aanmoedigen om nog verder te spitten, en dat zou ons kunnen nopen om... Nou ja, om je in de kiem te smoren, zogezegd. Geloof het of niet, persoonlijk zou ik zo'n afloop betreuren.'

'Ik geloof het niet.'

'Nee. Natuurlijk niet. De waarheid is dikwijls moeilijk te pruimen; de waarheid omtrent Cedric Milner kan daarvan getuigen.'

'En wat is de waarheid?'

'Weet je heel zeker dat je die wilt weten?'

'Vertel maar op.'

'Goed dan.' Rainbird duwde zich van het fornuis en liep naar de lage kast onder het raam. Hij rekte zijn armen uit tot zijn ellebogen knakten, leunde vervolgens op de kast en staarde omhoog naar het raam. 'Cedric Milner heeft technische informatie over ontwerp en constructie van atoomwapens aan de Sovjet-Unie doorgespeeld... namens de Engelse regering.'

'Wat zeg je?' Even dacht ik dat ik het echt verkeerd had verstaan.

'Namens de Britse regering,' herhaalde Rainbird.

'Dat kan niet.'

'Ik heb je gewaarschuwd dat de waarheid niet altijd makkelijk binnen het raamwerk van je vooringenomenheid in te passen is. Wat ik je vertel, is geheel naar waarheid en even onverifieerbaar. Cedric is dood. Zijn contactpersoon, degene die hem instructies gaf omtrent de door te spelen informatie, die diende als zijn aanvoerkanaal van veel van die informatie en de codenaam Heraclitus had, wordt nu meegenomen voor verhoor. Het onderwerp bewijs zal niet aan de orde komen. Cedrics codenaam, tussen haakjes, was Columbus. Latijn voor *duif*: de overbrenger van boodschappen. Maar een duif kan ook de bedrogene zijn, een half vrijwillig slachtoffer van bedrog. De duif werd nooit geacht om weer naar huis, naar zijn eigen til te vliegen.'

'Bedoel je dat Cedric een soort dubbelspion was?'

'Niet helemaal. Het materiaal dat hij ze leverde, was authentiek. En waardevol. Het heeft de ontwikkeling van de Russische atoombom aanmerkelijk bespoedigd. Het is moeilijk te zeggen in welke mate. De Russen maakten zelf ook enorme vooruitgang. En een echte verrader – Fuchs – was bezig ze een handje te helpen, iets wat Cedrics sponsors niet wisten. Maar hij heeft echt invloed gehad. Zoals de bedoeling ook was.'

'Van wie?'

'Dat heb ik toch gezegd? Van de regering. De politieke machten van toen.

Onze gekozen leiders. Het besluit is genomen door de top. En met de top, bedoel ik... de top.'

'Het kabinet?'

'Lieve hemel, nee. Zo'n gevoelig onderwerp zou nooit door zoveel mensen zijn besproken. Maar het noemen van namen is in wezen speculatie tot onze beste majoor besluit om zijn geweten te ontlasten en beter gezegd, zijn geheugen. Er was een politiek besluit genomen. Dat is het enige wat we zeker weten. SIS – de geheime dienst – was er niet bij betrokken. En geen wonder. Dit ging tenslotte om officieel gesanctioneerd verraad. Maar het bleef natuurlijk onofficieel. Geheim. Niets zwart op wit. Ontkenbaar. Dat was een cruciaal element. Zo'n project mocht nooit bekend worden in de wereld van geheime diensten, laat staan de algemene openbaarheid. Het was het tegenovergestelde van alle beginselen van de publiek beleden politiek. Het was niet alleen verraad, maar ook ketterij. Het was onder één hoedje spelen met de vijand. En toch zat er natuurlijk...' Hij glimlachte. '... een redenering achter.'

'En die was?'

'Een verleidelijke redenering, in een bepaald licht gezien. Binnen een jaar nadat de Verenigde Staten twee atoombommen op Japan hadden laten vallen, maakte het land door het aannemen van de McMahonwet en het laten vastlopen van het Combined Policy Committee – het Anglo-Amerikaanse advieslichaam over de kwestie – duidelijk dat het niet van plan was de geheimen van zijn onderzoek naar atoomwapens ooit met iemand te delen, of het nu oorlogsbondgenoten betrof of niet. De zaak Nunn May had hun het excuus bezorgd waarop ze zaten te wachten. De Britten waren niet te vertrouwen. Attlee reageerde door opdracht te geven voor de ontwikkeling van een onafhankelijke, Britse atoommacht. Die strategie lag voor de hand en was onvermijdelijk. Maar het risico was dat we de Sovjet-Unie tegen ons in het harnas joegen, van wie men aannam dat ze niet over de technische kennis beschikten om zelf een Bom te bouwen, en die al nijdig was over de Amerikaanse neiging om de baas te spelen dankzij diezelfde bom der bommen, die ze permanent in hun holster droegen. Je moet goed begrijpen dat de relatie van de uitgeteerde oom Engeland met neef Amerika toen nog in een embryonaal stadium verkeerde. Evenals de verdeling van de wereld in Russische en Amerikaanse invloedssferen. Iedereen tastte maar wat rond. De toekomst was onzeker. Die toekomst stabiliseren betekende een machtsevenwicht scheppen. En evenwicht vergde gelijkheid. Een Engelse bom zou de Russen zich alleen maar nog ondergeschikter en rancuneuzer doen voelen, met het risico dat ze de Amerikanen zo graag wilden laten zien dat ze zich niet lieten intimideren, dat een confrontatie tussen beide landen uit de hand zou lopen, en waarbij de Britten tussen de wal en het schip zouden vallen. Vandaar dat andere, uiterst geheime element in de nieuwe strategie. Engeland zou de Russen in staat stellen een inhaalmanoeuvre te maken om op gelijke voet te komen, door ze de nodige technische informatie te verschaffen. Maar de Russen mochten niet weten wie daar echt verantwoordelijk voor was. Niemand mocht dat weten. Er was behoefte aan een verrader, een loyale verrader.'

'Een Judas,' mompelde ik.

'Judas?' Rainbird knikte. 'Ja, waarschijnlijk wel, in zekere zin. En moet je kijken wat er met hem is gebeurd.'

'Dus dat was Cedric.'

'Ja. We weten niet waarom hij werd uitverkoren. Hoe ze hem hebben overgehaald, is niet duidelijk. We kunnen alleen maar speculeren wat ze hem hebben beloofd, áls ze dat al hebben gedaan. Majoor Strathallan is misschien in staat om enig licht op die vragen te werpen, alsmede op vele andere. Milners Russische moeder kan een sleutel zijn. Destijds circuleerde de theorie dat een neef van haar die na de oorlog cultureel attaché op de Russische ambassade in Londen werd Milners tussenpersoon was. Daar zijn geen harde bewijzen voor, maar het klopt met de feiten, althans het handjevol feiten dat bekend is. De zaak-Fuchs gooide roet in het eten, begrijp je. Het bracht de bloedhonden naar Harwell en dat garandeerde min of meer Milners ontmaskering, vroeg of laat. Strathallan kon zijn sporen niet voor eeuwig uitwissen. Evenmin mocht de waarheid aan het daglicht komen als hij gepakt zou worden. Hij moest weg. Nou ja, Arzamas-16 was te verkiezen boven de bajes, dat staat als een paal boven water. Dus ging hij. Wat betreft de vraag of hem op het hart werd gedrukt om nooit meer terug te komen...' Rainbird haalde zijn schouders op. 'De waarheid wérd natuurlijk bekendgemaakt. Weliswaar niet openbaar, maar wel aan de SIS. De wisseling van de regering in oktober 1951 bracht het bestaan van het project aan het licht. Maar het werd met zoveel voorzorgsmaatregelen omgeven dat Heraclitus onbekend bleef. Zijn directe chef was een paar maanden daarvoor overleden en niemand wist wie hij was. Het was niet van wezenlijk belang. Milner kon veilig als duivel worden afgeschilderd en in het vergeetboek raken. Ten slotte bleek hij niet de enige verrader. Hij was er een van een handvol. Het ironische is dat zij waarschijnlijk Milners werk gedaan zouden hebben, als hij dat maar geweten had. Zijn offer bleek niet strikt noodzakelijk. Maar het was heel echt. En potentieel dynamiet voor de AngloAmerikaanse betrekkingen. Kun je je voorstellen wat de onthulling zou betekenen, zelfs vandaag de dag? Ik kan je vertellen dat ik er niet graag bij stilsta. Je moet er gewoon niet aan denken.'

'Daar hoef je ook niet over na te denken, hè? Je hebt er wel voor gezorgd dat Cedric zijn verhaal nooit meer kan vertellen.'

'Dat moest gebeuren. Een oude man met niets te verliezen en God mag weten hoeveel manieren om zijn bewering kracht bij te zetten. Zodra bekend was dat hij Rusland had verlaten, begonnen de alarmbellen te rinkelen. Hij moest gevonden worden. En tegengehouden worden. Hier was de voor de hand liggende plek om op de loer te gaan liggen: het was zo'n beetje de enige plek die hij met een beetje moeite zijn thuis kon noemen. Misschien had Strathallan daarom dit huis wel gekocht. Wij hebben mevrouw Temple benaderd en vonden een gewillig oor. Natuurlijk hebben we niets gedaan om haar van het idee af te brengen dat hij een verrader met een hart van steen was. Ze ging ermee akkoord om met ons samen te werken voor het geval hij contact met haar op zou nemen. Volgens mij heeft haar argwaan dat hij haar nooit alles had verteld wat hij over de moord op haar zus wist haar vastbeslotenheid een handje geholpen. Ik was bij de hand om in te grijpen als en wanneer zich iets zou ontwikkelen. Spionnen kijken in plaats van vogels kijken, voor zover er enig verschil is. Ze vergen allebei een schuilplaats, enige camouflage en een heleboel geduld.'

'Nou, je hebt gekregen waar je op hebt gewacht. Cedric heeft Daisy gebeld, zoals je had voorspeld. Waarom heb je hem niet direct opgepikt?'

Rainbird zuchtte. 'Mijn meerderen waren te ambitieus. Een hardnekkige fout van ze. Ze wilden niet alleen Columbus, maar ook Heraclitus. Zowel de duivenmelker als de duif. We probeerden een balletje op te gooien. De theorie was dat Daisy's ultimatum hem naar Heraclitus als zijn enige resterende bondgenoot zou drijven. Maar naar mijn mening was dat een veel te grote gok. En er begonnen te veel mensen bij betrokken te raken. Het feit dat zijn advocaat het ministerie van Binnenlandse Zaken benaderde, was een bijzonder onrustbarende ontwikkeling. We wisten niet eens dát hij een advocaat in de arm had genomen.'

'Zijn advocaat was mijn vrouw, Norman. Dat schijn je te vergeten.'

'Ik weet maar al te goed wat ze van jou was. Voor ons was ze een probleem. En daar hadden we er al meer dan genoeg van.'

'Natuurlijk.' De achteloze toon deed de woede die tijdens zijn hele hooghartige analyse van Cedric Milners tragedie in me had gesudderd, kristalliseren. Maar ditmaal was het woede die ik onder bedwang had. Ik stond nonchalant op uit mijn stoel en kuierde naar de andere kant van de tafel en gleed met mijn hand over het blad tussen Strathallans lege glas en de fles Lagavulin. 'Wat vreselijk vervelend voor je.'

'Mij hoor je niet klagen.' Rainbird keek nog steeds naar het raam. Blijkbaar was hij zich er niet van bewust dat ik naar de la liep en zeker niet van wat er in die la lag. 'Ik word ervoor betaald om problemen op te lossen.'

'Je schijnt er goed in te zijn.' Terwijl ik dat zei, trok ik de la open en camoufleerde het geluid met mijn woorden. 'Echt heel goed.'

'Vriendelijk van je.'

'En in dit geval was die oplossing...' Ik pakte de revolver en haalde het wapen te voorschijn. 'Moord.'

'Moord?' Hij draaide zich om met een verbaasde blik die plaatsmaakte voor verbijstering waar zijn mond van openzakte toen hij zag wat ik in mijn hand had.

'Ja.' Ik richtte het wapen op hem, hield mijn pols met mijn andere hand stil en trok de haan naar achteren. 'Precies.'

'Ik heb niemand vermoord.'

'Mij maakt het niet uit of jij de uitvoerder bent geweest, Norman, of dat een van je zware jongens het heeft gedaan. Misschien die Walker wel. Of een van die gevaarlijke gekken met wie hij op pad gaat. Jij gaat er hoe dan ook voor boeten. Ik denk dat dat eerlijk is.'

'Je begaat een grote vergissing, Tony.'

'O ja?'

'Wij hebben niets met de dood van je vrouw uitstaande.'

'Zo lust ik er nog wel een.'

'Ik kan je verzekeren dat wij er niets mee te maken hadden.' Hij sprak zacht en kalm. Hij was niet bang. Of als hij het wel was, was hij te goed getraind om het te laten merken. 'Het zou volslagen onlogisch zijn geweest als wij toen stappen tegen haar hadden ondernomen. Kijk maar naar het effect dat haar dood in feite had. Het heeft Milner duidelijk gemaakt hoe kwetsbaar zijn positie eigenlijk was en hem ondergronds gejaagd. Het ene moment wisten we nog waar hij uithing, het volgende was hij verdwenen. Dacht je soms dat wij daarop uit waren? Natuurlijk niet. Het joeg ons terug naar af, zo niet helemaal van het bord af. Het noopte mij een aanzienlijke hoeveelheid tijd en inspanning te investeren om hem weer boven water te lokken, met medewerking van jouw persoon. Van ons standpunt uit bekeken, was de dood van je vrouw een regelrechte ramp.'

Als dat niet zo logisch had geklonken, had ik op dat moment de trekker overgehaald. Ik wilde het nog steeds. Ik zocht een doelwit voor het verdriet en de woede die de herinnering aan jouw dood nog altijd opriepen. En daar stond hij, vlak voor mijn neus, een mooier doelwit dan ik ooit zou krijgen.

Maar was hij het júíste doelwit? Ik had slechts één kans op de waarheid. Maar de waarheid was net een caleidoscoop: hij wervelde en veranderde voor mijn ogen. Ergens voorbij en achter het landschap van de wisselende versies van dezelfde gebeurtenis van verschillende mensen school het antwoord. Maar Rainbird vermoorden was niet de manier om het te vinden.

'Leg die revolver neer, Tony,' zei hij terwijl hij langzaam en behoedzaam mijn kant op kwam. 'Ik heb je vrouw niet van die klif gegooid, noch daar opdracht toe gegeven. Het had niets met mij of mijn mensen te maken. Dat weet je best. Je zou mij graag verantwoordelijk willen houden, maar je gelooft niet werkelijk dat ik het ben. En ik weet zeker dat je niet gelooft dat mij een kogel door mijn kop schieten twintig jaar gevangenis waard is. Dat zou het tussen haakjes minstens worden. De rechterlijke macht heeft geen medelijden met moordenaars van ambtenaren. Te dicht bij hun bed, neem ik aan.' Hij bleef staan toen hij nog een paar centimeter van de loop was verwijderd en stak één hand uit als een vriendelijke uitnodiging. 'Leg maar neer, daar doe je goed aan. Ik weet het nog beter gemaakt.' Hij sloot zijn hand onder de mijne. 'Laat mij dat maar voor je doen. Die oude wapens kunnen verraderlijk zijn.'

Ik kon niets zeggen dat niet neer zou komen op het bekennen van een nederlaag, en bovendien las hij die ongetwijfeld toch al in mijn ogen. Ik hijgde en mijn handen sidderden. Mijn god, wat een stompzinnige, zinloze klotetroep was deze hele toetand. Toen Rainbird mijn vingers van de kolf losmaakte, was ik dankbaar, en misselijk van mezelf omdát ik dankbaar was.

'Dank je wel,' zei hij, 'dat je ons niet allebei voor joker hebt gezet.' Hij ontspande de haan en bekeek het wapen nieuwsgierig. 'Van majoor Strathallan, neem ik aan. Vrijwel antiek, maar nog in tiptop conditie. Ik zou niets anders verwacht hebben.' Daarna maakte hij het magazijn open en floot waarderend. Ik keek omlaag en zag dat het leeg was. 'Wel, wel. Niet te geloven. Ik moet zeggen dat ik niet graag met de majoor zou pokeren.'

'Je wist dat hij niet geladen was.'

'Nee. Ik had wel zo'n vermoeden, om je de waarheid te zeggen. Maar ik heb geen moment gedacht dat je zou schieten. Je bent er gewoon het type niet voor. En geloof me, dat type bestáát. Bovendien veracht je me, maar je haat me niet. Dat is een heel groot verschil.'

'Je bent reuzeslim geweest, hè Norman?'

'Ik ben zo vindingrijk geweest als nodig was.'

'Wist Daisy hoe je met Cedric wilde afrekenen?'

'Haar reactie toen ik haar vertelde wat er was gebeurd, doet vermoeden van niet. Maar eigenlijk denk ik dat ze het al die tijd heeft geweten. Ze wilde een vorm van wraak en wij hebben aanboden daarvoor te zorgen. Maar nu het zover is, geeft ze zich rekenschap van de boosaardigheid die haar drijfveer was. Een akelig trekje, boosaardigheid, vooral bij een oude dame. En als kunstenares had Daisy een afschuw van lelijkheid.'

'Moest hij nou echt vermoord worden?'

'We hadden geen keus. Hij had zijn leven in alle rust in Moskou kunnen slijten, maar wilde met alle geweld een grootse exit maken. Hij wist wat terugkeer naar Engeland inhield. De juridische onderhandelingen waren slechts voor de show. Hij wist maar al te goed dat een compromis uitgesloten was. Spionnen en overlopers zijn een beroepsrisico: gênant maar niet onverteerbaar. Cedric Milner was evenwel een bedreiging van de ideologische orde. De Britse regering die de bom cadeau gaf aan Stalin omdat ze vond dat Uncle Sam te groot werd voor zijn cowboylaarzen? Als jij soms dacht dat dit verhaal ooit in de openbaarheid zou mogen komen, ben je naïever dan ik dacht, Tony.'

'Dus het beste soort patriot moet als het ergste soort verrader de geschiedenis ingaan?'

'Hij moet geweten hebben dat het zijn grafschrift zou worden toen hij akkoord ging met de opdracht. Misschien heeft de tragedie die zijn familie heeft getroffen een handje geholpen om hem tot vrije radicaal te maken. Dat betekende dat er niemand was die zich persoonlijk verraden hoefde te voelen door zijn schijnbare overlopen.'

'Behalve Daisy.'

'Behalve Daisy, ja.' Rainbird tuitte zijn lippen. 'Zijn ondergang. Zoals hij de hare is geweest.'

'Je hebt haar toch niet de waarheid verteld?'

'Absoluut niet.' Hij keek me aan alsof het echt een absurd denkbeeld was. 'Dit soort informatie is strikt geheim.'

'Waarom mag ik het dan wel weten?'

Hij grinnikte. 'Noem het maar een speciale concessie. Als dank voor je onbetaalbare bijdrage.'

Ik haalde naar hem uit in een reflex die bewees hoe dicht mijn woede nog aan de oppervlakte zat. Maar hij had mijn arm al vast voordat hij half geheven was. Daarna ontspande ik me en liet hij hem langzaam weer zakken.

'Ik bied je een erg goede deal aan, Tony. Je weet nu hoe de vork in de steel zit. Ik raad je aan om het voor je te houden. Niemand zou je geloven en er is geen spatje bewijs, dus je zou jezelf domweg voor gek zetten door het van de daken te schreeuwen. Erger nog, je zou misschien de aandacht kunnen trekken van een paar collega's van me die lang niet zo inschikkelijk zullen zijn als ik. Ik neem aan dat je snapt waar ik heen wil.'

'Dat begrijp ik best.'

'Mooi. Welnu, wat de politie betreft: maken dat ze jou met rust laten, is onderdeel van het zorgenpakket. Bel ze op, leg een verklaring af, waarin met geen woord wordt verwezen naar het onderwerp dat we zojuist hebben besproken en ik garandeer je dat je er niets meer van zult horen, afgezien van een kortstondige en pijnloze verschijning bij het gerechtelijk onderzoek naar de dood van William Hall over een maand of wat.'

'Goed.'

'Ga je daarmee akkoord?'

'Ik zei toch goed?'

'Inderdaad.' Hij klakte met zijn tong. 'Hoewel ik de indruk heb dat het nog helemaal niet goed zit.'

'Is dat nog zo'n probleem dat je je genoopt voelt op te lossen?'

'Buiten mijn vakgebied, vrees ik.'

'Dat dacht ik al.'

'Precies.' Hij grijnsde me nog een keer toe. Het was het soort grijns waar hij nooit om verlegen scheen te zitten. 'Nou, misschien moest ik er maar eens vandoor.'

Hij keek om zich heen alsof hij zich ervan wilde vergewissen dat hij niets was vergeten. Daarna knikte hij schijnbaar tevreden, stopte het pistool in zijn zak en liep langs me heen naar de deur. Ik draaide me niet om om hem na te kijken. Na een paar meter stopte hij. Ik wist dat hij in de deuropening naar me stond te kijken alsof hij ergens op wachtte. Maar ik zei niets.

'Ik vind het heel verstandig van je,' zei hij na een paar seconden. 'Ik bedoel, dat je het me niet vraagt.' Nu draaide ik me wel naar hem om. 'Want als je dat wel deed, zou ik me verplicht voelen je eerlijk antwoord te geven. En ik weet niet of je dat wel wilt.'

'Ik weet niet waar je het over hebt.' Maar ik wist het wel. Ik wist het precies.

'Natuurlijk niet. Ik snap het helemaal.' Hij knipoogde. 'Vaarwel, Tony. Je zult niets meer van me horen. Vrees niet.'

Veertien

Ik bleef een hele poos zitten. Een uur, misschien wel anderhalf uur. Het licht dat schuin naar binnen viel, veranderde van hoek en van intensiteit. De avond vorderde. Ik dronk langzaam een paar grote glazen Lagavulin. Mijn handen begonnen minder te trillen, zag ik, en voelden nu enigszins verdoofd aan. De alomvattende versie van Otherways' stilte hield me op mijn plek. Er viel niets te doen. Ik kon nergens heen. De vlucht was afgelopen. Nu kon ik alleen nog maar afwachten. Er zou wel iets gebeuren. Er zou wel iemand komen. Dat kon niet anders. En als dat zou gebeuren... wist ik wel wat me te doen stond.

Ik wilde dat ik de klok kon terugdraaien, Marina. Ik wilde dat ik het verleden kon terugspoelen naar die laatste middag van je leven. Ik zou het kunnen veranderen, begrijp je. Ik zou het kunnen herstellen. Je zou niet hoeven sterven. En ik zou me niets meer hoeven af te vragen. Ik zou het weten. De twijfel zou voorbij zijn en het verdriet afgewend. Geen van beide spoken zou me achtervolgen. Ik zou vrij zijn. En jij ook.

Maar zo zit het verleden niet in elkaar. Zoals het was – bekend of onbekend – zo zal het altijd blijven. En dichter dan dit relaas aan jou zal het me nooit in de buurt laten komen. Ik kan niets veranderen. Ik kan alleen proberen het te begrijpen. En hopen dat jij het ook begrijpt.

Eén vraag beheerste mijn gedachten toen ik daar zo zat: de vraag waarvan Rainbird het verstandig had gevonden dat ik hem niet stelde. Hij had me ervan overtuigd dat MI5 of welke tak van de veiligheidsdienst hij ook vertegenwoordigde, geen rol in jouw dood had gespeeld. Ik was terug bij af en geconfronteerd met het mysterie van Lucy's gangen nadat ze die middag uit Torquay was vertrokken. En dat was de vraag. Had Daisy gelogen dat ze alleen naar Rutland was teruggekeerd? Het was mogelijk dat Rainbird haar dat opgedragen had, omdat hij er terecht van uitgegaan zou zijn dat argwaan jegens Lucy bij me zaaien me vastbesloten zou maken om Cedric op te sporen. En dat zou mij – vanwege zijn relatie met jou – veel beter af gaan dan wie ook. Aan de andere kant had Daisy misschien niet de behoefte gevoeld om te liegen. Haar verslag van haar reis naar huis zou weleens de zuivere waarheid geweest kunnen zijn.

Maar zo ja, dan kon het niet de hele waarheid zijn. Daarvoor moest ik erachter zien te komen waar Lucy heen was gegaan nadat ze Daisy in Newton Abbot had afgezet. Waarheen en waarom. De ene vraag verwekte gewoon de volgende. En het verhaal van één persoon kon nooit de hele lading dekken. Maar meer zou ik nooit krijgen. Als ik er überhaupt naar zou vragen.

Dat was de laatste keus die ik onder ogen moest zien: de keus waarvoor Rainbird me had gewaarschuwd. Weten kon erger zijn dan twijfel, de waarheid pijnlijker dan elke halfbewuste angst. Het soort toekomst dat Lucy, Matt en ik hadden hing af van mijn beslissing. En ik had geen idee welke kant het opging.

'Tony?'

Ik hoorde Lucy's stem in de hal de trap af kaatsen. Even vroeg ik me af of ik droomde, maar de sensatie was veel meer alsof ik úít een droom ontwaakte en mijn hersens mijn reactie en berekeningen naar het hier-en-nu sleepten. Ik wierp een blik op de klok aan de keukenmuur. Het was bijna acht uur en de ruimte werd diffuus verlicht door de schemering buiten.

'Tony?'

Ze kwam binnen, bleef staan en keek naar me. Ze droeg een spijkerbroek en een donkere trui. Ze had een afgetobd gezicht en haar ogen stonden hol.

'Waarom gaf je geen antwoord?'

'Ik... Het spijt me, ik...'

'Is het niet van fantastisch, van Matt?' Ze glimlachte, maar haar gezicht had iets nerveus, alsof ze niet goed wist wat haar vreugde over Matts herstel voor ons betekende.

'Natuurlijk. Ik...'

Ze holde op me af en omhelsde me terwijl ik opstond. Op dat moment was het mogelijk om te geloven dat ik had gedroomd wat er tussen ons was gebeurd, dat we domweg de opluchting deelden dat haar man, mijn beste vriend, niet doodging. Daarna kuste ze me en was het moment weer voorbij. Ze probeerde mij en zichzelf gerust te stellen dat we samen verder konden, dat er echt een toekomst voor ons alledrie was. Maar ik voelde me allerminst gerustgesteld.

We lieten elkaar weer onhandig los. Lucy botste tegen de hoek van de tafel. Ik bleef staan waar ik was en staarde haar aan. Ik was te afgemat om mijn verwarring te verbergen. Die voelde ik ook in haar: de weigering om te bekennen dat het allemaal uit de hand was gelopen, de angst dat ze de tekens verkeerd had geïnterpreteerd, gespiegeld door de angst dat ze die maar al te goed had begrepen.

'Waarom ben je niet met Nesta naar het ziekenhuis gekomen?' vroeg ze met brekende stem. 'Matt had je graag willen zien.'

'Ik had... andere verplichtingen.'

'Wat voor andere verplichtingen?'

'Dat is te ingewikkeld om uit te leggen.'

'Nesta zei dat ze je in Petersborough tegen het lijf was gelopen. Wat spookte je daar uit?'

'Moeten we elkaar nu verantwoording afleggen voor wat we doen, Lucy? Is het al zo ver gekomen?' Ja natuurlijk. Zo ver was het precies gekomen.

'Het was toch een logische vraag?' Ze keek gekwetst en daar had ze alle recht op. Dit had ze niet verwacht.

'Hoe wist je dat ik hier zou zijn?'

'Waar kon je anders zijn?'

'Overal.'

'Maar dat ben je toch niet? Je bént toch hier?'

'Ja. En dat kan ik ook niet uitleggen.'

'Wat is er, Tony? Ze deed fronsend een stap in mijn richting. 'Wat scheelt eraan?'

'In de afgelopen paar dagen is er een heleboel met me gebeurd. Te veel om net te doen alsof alles in orde is. Of dat het dat ooit weer zal zijn.'

'Ik begrijp het niet.'

'Ik wou dat ík het niet begreep.'

'Waarom ga je niet met me mee naar het ziekenhuis? Er is nog tijd om langs te gaan. Je zult je beter voelen als je Matt hebt gezien. Het gaat echt goed met hem.'

'Ik denk het niet.'

'Hij weet het niet meer, snap je.'

'Hij heeft geen herinnering aan de uren voor de botsing. Hij weet niets meer. Het is uitgewist.'

'Maar niet schoongewist.'

'Je klinkt niet erg logisch.'

'O, jawel hoor.'

'Luister, Tony.' Ze kwam nog een stap dichterbij en legde haar hand op mijn schouder. Het was een aarzelende liefkozing. Ik had mijn hand op kunnen tillen om de hare te pakken. Dat wilde ze natuurlijk, maar ik deed het niet. Maar ik deinsde evenmin terug. Het was nog altijd mogelijk dat we ons van het randje terugtrokken. 'Matt weet niets over jou en mij. Maar we weten nu wel hoe hij waarschijnlijk zal reageren áls hij erachter komt.'

'Als?'

'Zijn geheugenverlies geeft ons een tweede kans. We kunnen het goedmaken. We kunnen ervoor zorgen dat hij er weer bovenop komt. Jij en ik ook. We kunnen een toekomst... voor ons drieën scheppen.'

'Wat voor toekomst?'

'Ik weet het niet. Ik weet alleen dat we het moeten proberen.' Haar hand ging naar mijn wang. Toen ze me streelde, zag ik dat haar ogen zich met tranen vulden. 'Alsjeblieft. Voor mij. Ik hou van je, Tony.'

'En Matt?'

'Ik hou ook van hem. Net als jij.'

Haar breekbaarheid was nog nooit zo duidelijk naar voren gekomen als op dat moment. Ze had zoveel van jouw openhartigheid, jouw ongekunsteldheid, maar zo weinig van jouw kracht. Wat ze ook voor leugens had verteld, nu geloofde ze die. Om ze haar af te pakken, om haar te dwingen de waarheid onder ogen te zien, zou zijn alsof je de vleugels van een vlinder trok. De enige toekomst die voor ons was weggelegd, vereiste dat we die leugens in stand hielden: intact, onaangesproken en zonder er ooit vraagtekens bij te zetten.

'Ga maar mee. Alsjeblieft. Je zult blij zijn dat je het hebt gedaan.'

'Echt?'

'O ja. Dat beloof ik je.'

Ze meende het. En voor dat ene ogenblik van het heden dat iets van de toekomst weg had, geloofde ik haar. Het kon echt nog goed komen. Er moest een manier zijn om daarvoor te zórgen. En die konden we vinden. We hoefden alleen maar te geloven dat het mogelijk was en dan zou het ook zo zijn.

Ze bracht haar hand naar mijn mond en ging met haar wijsvinger langs mijn lippen. Daarna glimlachte ze, voorzichtig maar oprecht. 'Vertrouw me maar,' zei ze zacht. 'Meer vraag ik niet van je. Dat is toch niet te veel gevraagd?'

Het had wel te veel moeten zijn. In zoveel opzichten was het dat ook. Maar ik kon de moed niet vinden om haar – en mezelf – daar, op dat moment in koelen bloede te breken. 'Nee, waarschijnlijk niet.'

Ze wierp een blik op de tafel en zag voor het eerst de fles en de twee glazen. Daarna keek ze mij weer aan. Ze ging me niet vragen van wie het tweede glas was geweest. Ze ging niets vragen. En ik evenmin. Ze had mijn stilte gekocht met haar eigen stilzwijgen. Er was een overeenkomst gesloten.

'Weet je zeker dat het niet te laat is om nog naar het ziekenhuis te gaan?'

'Ze vinden het niet erg. En Matt zeker niet. We hoeven niet zo lang te blijven.'

'Nee. Natuurlijk niet.'

'Zullen we dan gaan? Als je zover bent?'

'Ik ben zover.'

Lucy gaf me een kus, draaide zich om en haastte zich de keuken uit. Ik liep haar achterna en zag haar voor me de trap opgaan. Ze ging sneller dan ik leek te kunnen. Alles ging me nu te snel. En op niets daarvan scheen ik enige invloed te hebben.

Toen we door de hal liepen, flikkerde er iets in mijn ooghoeken – een schaduw van iets wat zich bewoog – boven aan de trap. Ik bleef staan en keek omhoog. Niets. De overloop was verlaten. Het was zeker gezichtsbedrog geweest door het afnemende licht, of een trucje van mijn oververmoeide hersens. Toch kon ik de vluchtige zekerheid niet van me afzetten dat het iets anders was geweest.

'Wat is er?' Lucy was halverwege de gang naar de voordeur blijven staan en keek naar me.

'Niets. Ik dacht even dat ik...' Ik haalde mijn schouders op. 'Ik vergiste me.'

'Er is toch niemand anders in huis?' De vraag kwam door het tweede glas op tafel. Maar ik kon niet zeggen wat voor argwaan het bij haar had gezaaid.

'Nee. Niemand anders.' Ik haastte me om haar in te halen. 'Eerlijk waar.'

'Het is alleen dat je niet de enige bent die een verdwijntruc heeft uitgehaald.'

'Wie dan nog meer?'

'Daisy. Ze is vanmorgen weggegaan voordat ik naar het ziekenhuis ging en sindsdien is ze niet meer thuis geweest.'

'Weet je het zeker?'

'Ik heb een paar keer gebeld. Ze nam niet op en heeft ook niet teruggebeld. Als ik niet zoveel aan mijn hoofd had gehad, zou ik me bezorgd hebben gemaakt.'

'Dat is waarschijnlijk nergens voor nodig.' Ik had haar kunnen vertellen dat ik Daisy op het kerkhof had gezien, maar dat zou betekenen dat ik haar een heleboel andere dingen moest vertellen waarvoor me vooralsnog de moed ontbrak. 'Waarom bel je haar nu niet nog een keer?'

'Nee, laten we maar voortmaken.' Ze ging me voor naar de deur en deed hem open. 'Zoals je zegt, hoef ik me waarschijnlijk...'

Ze slikte de rest van haar woorden in en haar mond viel open. Ik keek langs haar naar buiten en zag Daisy bij Lucy's auto voor het huis staan. Ze keek naar ons alsof ze op ons had staan wachten en had geweten dat het niet lang zou duren.

'Daisy,' riep Lucy. Ze had zich even snel hersteld als de verbazing had toegeslagen. 'Wat doe je hier?'

'Niets,' mompelde Daisy. 'Helemaal niets.'

Ze zag er oud en afgetobd uit. Haar haar was witter dan ik voor mogelijk had gehouden en haar ogen een tint grijzer dan ik het me herinnerde.

'Waar is je auto?' vroeg Lucy terwijl ze de treden van het bordes afliep en ik de deur achter me dichttrok. Toen hij dichtviel, hoorde ik de telefoon overgaan, wat me aan iets deed denken dat ik niet helemaal kon plaatsen.

'Die heb ik in Hambleton gelaten,' zei Daisy.

'Ben je helemaal komen lopen?' vroeg Lucy.

'Ik had geen haast.'

'Maar misschien had je hier niemand getroffen.'

'Er moest wel iemand zijn.' Toen we dichterbij kwamen, keek ze omhoog en langs ons heen. Haar ogen volgden de ronding van het huis. Hier, aan de andere kant van de gracht, was de telefoon niet te horen. Maar het was makkelijk te geloven dat ik hem nog steeds kon horen. 'Er is altijd iemand.'

'Waar heb je de hele dag gezeten?'

'Dat hoef je niet te weten.' De woorden waren een echo van wat Lucy volgens haar had gezegd toen ze had gevraagd waarom ze gescheiden uit Devon naar huis moesten reizen. Of dat opzettelijk was, kon ik niet zeggen, en helemaal niet of ze voor Lucy of voor mij bestemd waren. 'Goeienavond, Tony,' voegde ze eraan toe met een plotselinge blik in mijn richting.

'Wat is er toch allemaal aan de hand?' vroeg Lucy, terwijl ze van de een naar de ander keek.

Ik haalde mijn schouders op. En Daisy glimlachte flauw. 'Ik weet het niet,' zei ze. 'Ik weet helemaal niets meer.'

'We waren van plan om naar het ziekenhuis te gaan om Matt te bezoeken.'

'Laat me je niet tegenhouden.'

'Maar we kunnen je toch niet zomaar hier laten?'

'Dat kun je wel, lieverd. Dat kan ik je verzekeren.'

'Nee, nee. We brengen je eerst naar huis.'

'Dat hoeft niet.'

'Ik vind van wel. Je ziet er niet best uit.'

'Ik heb me nog nooit zo goed gevoeld.'

'Kom op, Daisy, stap in.' Lucy deed het portier aan de passagierskant open. 'Niet zo moeilijk doen.'

'En míjn auto dan?'

'Die halen we morgenochtend wel op.'

'Dit is allemaal totaal overbodig.' Ze wierp me van opzij een merkwaardige blik toe die ik niet kon peilen. 'Maar als je erop staat...' Met die woorden stapte ze in.

'Kom op, we gaan,' zei Lucy tegen mij terwijl ze haar ogen ten hemel sloeg en het portier dichtsloeg.

Ik stapte achterin achter Daisy, terwijl Lucy om de motorkap naar de bestuurderskant liep. In de paar seconden die Daisy en ik voor onszelf hadden, vroeg ze zonder zich om te draaien: 'Hoe was het met majoor Strathallan?'

Ze had het zo zacht en uitdrukkingsloos gezegd dat het net was alsof ze helemaal niets had gezegd. En voordat ik kon reageren, was Lucy al achter het stuur gekropen. Ze keek met een strak glimlachje over haar schouder. 'Oké?' vroeg ze. Ik knikte.

Lucy startte de auto, reed achteruit en vervolgens langs de brug over de gracht weg de oprijlaan af. Ik wierp een blik op het huis over mijn schouder, op de kegelvormige daklijn en de kromming van het metselwerk die er in dit licht van mijn wijkende gezichtspunt uitzagen alsof ze deel uit konden maken van een zinsbegoocheling: een sluier waarachter de ware vorm der dingen nog op ontdekking wachtte.

'Je moet goed beseffen,' hoorde ik Daisy zeggen, 'dat ik Tony alles heb verteld, Lucinda.' Ik draaide me met een ruk om.

'Wat bedoel je? vroeg Lucy. Ze klonk oprecht verwonderd.

'Over ons uitstapje naar Torquay op de dag dat je zus is omgekomen. Over je ontmoeting met Cedric.'

Lucy zei niets. Ze reed gewoon door, maar ik zag haar knokkels wit worden omdat ze haar greep op het stuur verstevigde.

'Waarschijnlijk heeft Tony er niets over gezegd, maar misschien interesseert het je te weten dat Cedric dood is. Hij is gisteravond gestorven. In Londen. En Tony was de laatste die hem in leven heeft gezien.'

'Hou op,' zei ik, en ik pakte Daisy bij haar schouder. 'Dit is niet het geschikte moment om...'

'De waarheid te spreken?' Daisy wendde zich half naar me toe. 'Is het daar niet altijd het juiste moment voor?'

Lucy remde plotseling en ik werd tegen de rugleuning van Lucy's stoel gegooid. We kwamen met een ruk en met het knarsende geluid van rubber op grind tot stilstand. Toen ik opkeek, zat Lucy me met grote, smekende ogen aan te kijken. Ze smeekte me met die ogen om haar te geloven. 'Ik weet niet wat Daisy tegen je heeft gezegd,' zei ze, terwijl ze elk woord benadrukte, 'maar zij heeft mij geheimhouding laten zweren over ons reisje naar Torquay.'

'Dat is precies wat ik hem heb verteld,' zei Daisy. 'Maar dat was niet alles.'

'Wat heb je dan nog meer gezegd?' Lucy keek haar woedend aan. 'Wát nóg méér?'

'Wat ik me verplicht voelde te zeggen. Dat we ieder op eigen gelegenheid terug zijn gegaan. Dat je me die middag in Newton Abbot hebt afgezet zodat ik de trein naar huis kon nemen, terwijl jij... jouws weegs bent gegaan.'

'Heb je dat gezegd?'

'Ik moest wel.'

'Maar... waarom?'

'Omdat het waar is.'

'Maar dat is niet zo.' Lucy keek weer naar mij. 'Dat is gelogen. Ze liegt.'

'Waarom zou ik liegen?'

'Dit is krankzinnig. We zijn helemaal samen naar huis gereden.'

'Niet waar.'

'Waarom doe je dit, Daisy?' Er tekende zich afgrijzen op Lucy's gezicht af. Afgrijzen omdat er een geheim was onthuld, of omdat er een was verzonnen. 'In godsnaam, waarom?'

'Omdat Tony dat moet weten, lieverd. Hij moest het horen.'

'Wát horen?'

'Waar je die middag heen bent gegaan. Waarom je daarheen bent gegaan. Wat je daar ging doen. Vertel het hem maar. Zeg hem de waarheid maar.'

'We zijn samen teruggekomen. Dát is de waarheid.'

'Het is te laat, Lucinda. Je kunt er niet omheen blijven draaien.'

'Ik dráái nergens omheen.' Ze draaide zich om in haar stoel en pakte me bij de arm. 'Luister naar me, Tony. Ik zeg je de waarheid, de enige waarheid die ik ken. Ik heb Daisy naar Torquay gebracht. En ik heb haar weer naar huis gebracht. We zijn niet uit elkaar gegaan. Ze liegt.'

'Dat zou Tony heel graag willen geloven,' zei Daisy zacht. 'Maar dat kan hij niet.'

'Zeg dat je me gelooft.' Lucy omklemde mijn arm als een bankschroef. Ze keek me recht aan. En haar ogen stonden opengesperd van angst. 'Alsjeblieft, lieveling, zeg het.'

'Ik geloof je.' Ik moest de woorden eruit persen. En de huivering van schrik op haar gezicht vertelde me in klare taal dat ze haar net zo hol in de oren hadden geklonken als mij.

'Maar dat is niet zo, hè?' Haar mond viel open. Haar ogen gingen op oneindig. 'En je zult me ook nooit geloven.' Ze liet mijn arm los en zakte terug in haar stoel. 'Dát is de waarheid.'

'Laten we allemaal tot bedaren komen,' zei ik, want opeens voelde ik dat ik de ontsteking moest verwijderen voordat de situatie explosief werd. 'Laten we teruggaan naar huis en...'

'Néé!' gilde Lucy. Ze draaide zich met een ruk om, rukte de auto in de eerste versnelling en scheurde in een regen van grind weg over de oprijlaan. 'Ik zet daar nooit meer een voet in huis!'

Ze gaf zoveel gas dat ik tegen de rugleuning werd gegooid en opzij viel. Terwijl ik mijn best deed om me weer op te richten, ving ik een blik van Lucy op in het spiegeltje. Het waren de ogen van iemand die ik niet kende geworden: onwrikbaar, hard en angstaanjagend intens. 'Stop!' riep ik. 'Sta stil!'

'Ze luistert niet naar je,' zei Daisy, die nog steeds in haar eigen trance gevangenzat. 'Ze luistert naar haar geesten.'

'Wat?'

'Begrijp je het niet?' Haar blauwe ogen keken over haar schouder terwijl de auto doorscheurde naar het eind van de oprijlaan, en de bomen aan weerskanten in elkaar overliepen als tunnelwanden. 'Eerst geven ze je de keus. Daarna pakken ze je die weer af.'

Ik werd weer opzij geworpen toen Lucy linksaf sloeg naar het eind van het schiereiland. Opeens besefte ik wat ze van plan was. Het was al eens eerder gebeurd, in mijn droom op Otherways, terwijl ik op Matt zat te wachten. Al eerder, maar dan anders. Afgezien van het feit dat ik het had voorkomen. Of misschien had ik het alleen maar veranderd.

'Ze laten je van alles zien,' vervolgde Daisy. 'Maar die dingen zijn nooit wat ze lijken.'

'Lucy!' Ik greep haar schouder. 'Luister in hemelsnaam naar me.'

Maar Daisy had gelijk. Lucy kon al lang niet meer luisteren. Ze gaf weer gas en joeg de volgende bocht door, snoeide de struiken in de berm en wierp me opnieuw uit balans. Daarna gaf ze nog meer gas toen we op het rechte stuk met het hek voor de afdaling naar het meer beland waren. Daar voor ons waren de hekken. Het leek wel alsof ze op ons afraasden in plaats van andersom.

'Niet doen!' was het enige wat ik nog kon schreeuwen voordat we ze precies in het midden raakten. In de doffe klap van metaal op metaal weerklonk het versplinteren van koplampen. Vervolgens waren we erdoorheen en stuiterden de hekken achter ons tegen hun palen.

Ik boog me over de voorbank en greep Lucy onder haar armen en schouders in een poging om haar zo ver naar achteren te trekken dat haar voet van het gaspedaal moest komen. Maar haar handen zaten om het stuur geklonken en ik zag haar rechterbeen zich strekken om plankgas te blijven geven. We joegen de helling af naar de ponton, naar het meer en naar de verre, witte vlek van de kerk van Normanton die nog net aan de overkant in het afnemende zonlicht te zien was. Het ging allemaal razendsnel. En ik zou het niet kunnen voorkomen. Ik wist dat met alle kracht van een droom die ik me herinnerde.

Opeens liet Lucy's linkerhand het stuur los. Haar arm zwaaide naar achteren tegen mijn gezicht, de punt van haar elleboog trof me hard op de brug van mijn neus. Ik viel naar achteren en hoorde haar gillen: 'Ik hield van je!' Ze boog zich weer voorover en concentreerde zich op wat ze voor zich zag terwijl het beeld van het meer de voorruit vulde. Het volgende moment waren we op de ponton en de auto zakte schuin opzij toen we op twee zijwielen naar voren schoten. Het raampje aan de bestuurderskant ging omlaag. Ik zag het gebeuren en vroeg me af wiens vinger op het knopje drukte. Toen raakten we het water.

Het was overal om ons heen, bedekte alle ramen en stroomde langs Lucy in een golf van schuim. We zakten snel en raakten de aflopende meerbodem met een doffe klap te midden van een oogverblindende fontein van luchtbellen. Ik zat voorover op de achterbank. Ik worstelde overeind en moest vechten tegen de schok die me tegelijk met het water had overspoeld. Opeens was het koud en donker. En de auto gleed nog steeds verder. Ik zette me af tegen de vloer en bereikte een afnemend laagje lucht tegen het dak. Daarna draaide ik me omlaag naar de dichtstbijzijnde deurknop en wrong hem open. Ik gleed naar buiten en omhoog, en zwom naar het licht een klein stukje boven me.

Toen ik boven kwam, haalde ik een paar keer snel en diep adem. Om me heen kolkte het van de luchtbellen en de gevolgen van de duik van de ponton. De oever was maar een paar meter terug, maar hij leek wel zo ver als het verleden dat we achter ons hadden. Ik haalde nog een keer diep adem en dook weer naar beneden.

Mijn handen voelden de auto voordat ik hem zag. Even dacht ik dat ik het dak te pakken had, maar toen ik de radiateur voelde, besefte ik dat ik voor de motorkap was. Toen ik naar de zijkant gleed, kon ik door de voorruit in de auto kijken. Daisy was naar voren, tegen het dashboard gerold.

Kennelijk had ze het bewustzijn verloren. Maar Lucy omklemde het stuur nog steeds. Haar ogen waren wijdopen. Het was alsof ze me recht aanstaarde. Ik zwom naar haar toe en hees me naar de zijkant aan de lijst van haar open raampje. Ze verroerde zich niet en keek evenmin opzij.

Ik gaf een ruk aan de deurkruk, maar er gebeurde niets. Hij zat op slot. Het knopje van binnen was omlaag. Lucy moest het ingedrukt hebben. Ze wilde niet gered worden.

Maar ik zou alles doen wat in mijn vermogen lag om haar doodswens te frustreren. Ik stak mijn hoofd door het raampje en greep haar onder een arm. Ze was slap en verzette zich niet. Ze was bewusteloos, maar ik hoopte dat het nog niet te laat was. Toen zag ik de gordel strak over haar borst zitten. Ze had overal aan gedacht. Mijn longen stonden op springen toen ik haar naar me toe trok. Maar de gordel bleef om haar middel zitten. Ik had niet voldoende lucht meer om me naar binnen te wringen en de sluiting los te maken. Ik moest het opgeven.

Ik zette me af tegen de auto en kwam voor de tweede keer boven water. Ik trapte even water om diep adem te halen. Ik zag niemand in de buurt, niet op het meer en ook niet op de kant. Ik dook weer omlaag, linea recta terug naar het portier aan de bestuurderskant.

Mijn greep op de volgorde van de gebeurtenissen nam af naarmate mijn krachten me in de steek lieten. Ik stak mijn hand door het raampje naar binnen, rukte de hendel omhoog en trok het portier vervolgens zo wijd open als ik kon. Lucy had zich dankzij haar gordel niet verplaatst. Daisy, die geen gordel om had, dobberde naast haar en haar hoofd ging heen en weer op de stroming die ik veroorzaakte. Ik zette mezelf schrap tegen de deurlijst en strekte mijn arm over Lucy heen om de gesp los te maken. De gordel dreef vrij en Lucy viel zacht tegen me aan. Ik schrok en verwachtte half en half dat ze mijn arm zou grijpen om me naar binnen te trekken. Maar hoewel haar ogen wijdopen stonden en ze voor zich uit staarde, zat er geen leven meer achter. Ik bewoog me naar achteren en naar buiten en sleepte haar mee met mijn armen om haar middel. Mijn lucht was bijna op. Ik had niets meer over. Ik schopte me naar de oppervlakte.

Ik weet niet zeker of ik Lucy vasthield, of dat ze domweg naast me naar de oppervlakte steeg. Opeens waren we boven water in de frisse lucht en het heldere licht. Ik trok haar tegen me aan en zwom terug naar de oever. Ik voelde de bodem eerder dan ik had verwacht. Ik waadde het laatste stuk en sleepte haar achter me aan naar het grind op de rand van het water. Ik liet haar op de grond zakken en viel naast haar neer. Ik was uitgeput, trilde, hijgde en begon te sidderen in mijn doorweekte kleren, maar als ik haar wilde redden moest ik snel zijn. Ze lag roerloos. Haar gezicht was grauw en koud met lokken die eroverheen geplakt zaten, en haar ogen waren leeg en zagen niets. Ze ademde niet en er was geen spoor van een polsslag. Ik opende haar mond. Er droop water en speeksel uit. Ik herinnerde me fragmentarisch de mond-op-mond-beademingstechniek die ze me ruim tien jaar geleden hadden bijgebracht op die EHBO-cursus die ik op jouw aandrang heb gevolgd. Ik had de volgorde vast verkeerd, maar iets was beter dan niets. Ik liet haar hoofd schuin naar achteren hangen, hurkte over haar heen en blies haar met veel moeite twee keer lucht in. Daarna drukte ik op haar hart. Er was geen reactie. Ik probeerde het opnieuw. En weer. En opnieuw.

Eens achter me op het water hoorde ik een stem boven het insectengesnor van een buitenboordmotor uit. Toen ik me omdraaide, zag ik een bootje mijn kant op komen. Een man gebaarde roepend naar me vanaf de achterplecht. Toen hij de motor afzette en naar de kant dreef, hoorde ik wat hij zei.

'Ik heb gezien wat er is gebeurd, van de overkant.'

Ik had geen lucht om antwoord te geven. Ik zat op handen en knieën en deed mijn uiterste best om het beven onder bedwang te krijgen, maar het begon te veranderen in sidderen van angst en vermoeidheid. Lucy lag nog steeds waar ik haar had laten vallen: ze lag slap en roerloos met nietsziende ogen naar de lucht te staren die steeds roder werd.

'Ik heb al een ambulance gebeld,' riep de man toen hij uit de boot sprong. Hij was een stevig gebouwde man in visserskleren en had een plaatselijk accent. 'Die zal er wel gauw zijn.'

Ik zag neer op Lucy. 'Niet gauw genoeg,' mompelde ik. Vervolgens strekte ik mijn bevende hand uit en deed haar ogen dicht.

Vijftien

Ik was het ene ziekenhuis nog niet ontvlucht of was al in andere beland. Deze keer was het de Leicester Royal Infirmary, en ik lag een verdieping lager dan Matt. Ze vonden dat ik een nacht ter observatie moest blijven, en ik was te uitgeput en ondersteboven om te protesteren. Lucy werd na aankomst dood verklaard, maar dat wist ik al lang voordat de ambulance bij ons was, ondanks de optimistische woorden van de ambulancebroeder die het over iets als een 'duikreflex' had gehad. Ze was dood, het was mijn schuld en vroeg of laat moest ik het aan Matt uitleggen.

Ik zou het ook aan de politie moeten uitleggen, maar daar maakte ik me geen zorgen meer over. Ze zouden de auto uit het meer slepen met Daisy erin en vervolgens proberen de reeks gebeurtenissen uit te vissen die Lucy ertoe had gebracht om met hoge snelheid naar het eind van het schiereiland te rijden in een poging om zichzelf en twee passagiers van het leven te beroven. Ze zouden niet veel aan me hebben, maar ongetwijfeld zouden ze uiteindelijk voldoende weten. Inmiddels zou ik in het reine zijn gekomen met Matt. Of niet.

Ik kon het niet aan om daar diezelfde avond al een poging toe te doen. Ik was te moe en verward om een samenhangend verhaal te breien, laat staan om vragen te beantwoorden die hij me natuurlijk ging stellen, of de beschuldigingen die wellicht op de antwoorden zouden volgen. Hij werd ingelicht over Lucy's dood en kreeg alle bijzonderheden te horen waarover het ziekenhuispersoneel beschikte. Ik sprak hem niet. Waarschijnlijk was dat vergeeflijk, mijn toestand in aanmerking genomen. En ik was te ver heen om me er schuldig over te voelen. Maar het was slechts uitstel. De volgende morgen wist ik dat ik er niet langer mee kon wachten.

Ik wachtte tot ik officieel was ontslagen. Mijn kleren waren inmiddels droog. Ze waren ernstig gekreukt en verfomfaaid, maar hoe ik eruitzag was wel de minste van mijn zorgen. Ik ging naar boven naar de particuliere kamer waar ze Matt hadden gelegd en wist nog altijd niet wat ik tegen hem moest zeggen. Ik wilde niet dat er nog geheimen tussen ons waren. Onze vriendschap was het enige wat nog restte om ons aan vast te klampen te midden van de wrakstukken van zoveel andere dingen, en eerlijkheid leek me de enige manier om die te bewaren. Maar eerlijkheid beloofde in dit geval geen zachte heelmeester te zijn. En ik was niet de enige die de hele nacht had nagedacht over de schade die deze kon aanrichten.

'Goddank dat je er bent,' zei Matt zodra hij me zag. Hij lag nog steeds aan allerlei buizen en monitors, en je kon bepaald niet zeggen dat hij er blakend uitzag of klonk met zijn schorre stem, al dat verband om zijn middenrif en een soort uitslag van oppervlakkige verwondingen – waarvan een aantal met hechtingen – in zijn hals en op zijn gezicht. Hij beefde ook en transpireerde een beetje. Maar aan de andere kant zat hij rechtop en kon hij met me praten. In zekere zin was dat een wonder, al zou het bij dat ene wonder blijven.

'Ik zou wel eerder zijn gekomen, ware het niet...'

'Geeft niet. Ga zitten.'

'Oké.' Ik schoof een stoel bij. 'Het spijt me dat ik haar niet heb kunnen redden, Matt.'

'Ik weet dat je je uiterste best hebt gedaan.'

'Ik was gewoon niet snel genoeg, of sterk genoeg.'

'Heeft de politie al met je gepraat?'

'Nog niet.'

'Maar wat ga je ze vertellen als het zover is?'

'De waarheid denk ik. Maar luister...'

'Je weet het toch?'

'Wat?'

'Daarom is het gebeurd.' Hij liet zijn stem dalen alsof hij bang was voor luistervinken en boog zich naar me over. Maar zijn gezicht vertrok van pijn en hij ging gauw weer recht liggen. Hij gebaarde dat ik dichterbij moest komen. 'Ik heb er heel lang over nagedacht en niets anders lijkt me logisch. Als je mijn gevoelens probeert te ontzien, kun je je de moeite besparen.'

'Ik weet niet wat je bedoelt.' Herinnerde hij zich toch wat ik hem vlak voor de botsing had verteld? Of had hij het geraden? Hij had zichzelf er kennelijk van overtuigd wat er achter de jongste verschrikking stak, en voorlopig moest hij wat dat aanging zijn verdriet in toom zien te houden. Ik had angst en misschien ook argwaan verwacht, maar daar merkte ik niets van. Iets had voorrang gekregen.

'We hebben geen tijd voor spelletjes, Tony. Ik besef wat je probeert te doen. Je denkt dat ik er niet aan toe ben om het te horen. Nou, dat moet ik dan maar zijn. Omdat we moeten besluiten of we hier de politie bij betrekken... of niet.'

'Die zijn er al bij betrokken.'

'Bij Lucy's dood, ja. En die van Daisy, natuurlijk. Maar moeten ze per se het verband met Marina's dood weten? Daar gaat het om, Tony. Moeten we dit echt erger maken dan het al is?'

Toen daagde het. Hij had zich afgevraagd waarom Lucy had gepoogd om zowel Daisy als mij en zichzelf van het leven te beroven, en hij had een antwoord gevonden dat paste op de feiten zoals hij die kende.

'Ik had je toch verteld over de discrepantie op de kilometerteller in haar auto? Daar was ik kapot van en dat was waarschijnlijk de oorzaak van de botsing. Waarschijnlijk hadden we in Oakham afgesproken zodat ik het je kon vertellen, en dat was de reden dat je vlak achter me reed toen die vrachtwagen over me heen ploegde. Sinds de dag dat Marina verongelukte, heb ik me afgevraagd of ik het je moest vertellen. Ik kan me niet herinneren dat ik dat heb besloten. Dat zal ik moeten toeschrijven aan die traumatische amnesie waaraan ik volgens de dokter lijd. Maar dat is toch wat er is gebeurd? Ik heb het helemaal beredeneerd, Tony, dus het heeft geen zin om het te ontkennen.'

En dat was ook zo. Omdat hij op een merkwaardige manier de spijker op z'n kop had geslagen. 'Ik zal het niet ontkennen.'

'Je had haar geconfronteerd, hè? Of Daisy.'

'Ik had ze allebei geconfronteerd.'

'Wat zeiden ze?'

'Matt, ik...'

'Wat zéíden ze?'

'Niets.'

'Niets?'

'Ik heb geen rechtstreeks antwoord gekregen. Ze spraken elkaar tegen. Daarna is Lucy...'

'Het meer in gereden.'

'Ja.'

'Ik had ervan gedroomd, weet je.' Hij wiste het zweet met zijn duim van zijn wenkbrauwen. 'Een paar weken geleden. Ik droomde dat ik haar auto met grote snelheid volgde in de mijne, over dat weggetje. Ik kon haar niet inhalen. Ik zag het gebeuren. Geloof jij in voorspellende dromen?'

'Dat weet ik niet.'

'Ik wel.'

'Ik heb Lois Carmichael gesproken, Matt.'

'Lois Carmichael?' Hij keek even wezenloos. 'O, God, ja. Heb je haar gesproken?'

'Ja. En ik heb James Milners bekentenis gevonden.'

'Dus dan weet je wat me heeft beziggehouden.'

'Lucy heeft Marina niet vermoord.'

'Niet?'

'Nee.' Ik keek hem recht aan zonder een spier te vertrekken. Mijn ontkenning had niets te maken met wat hij of ik dacht dat er op Henna Cliff was gebeurd op de dag dat jij doodviel. Het had met ons tweeën te maken: met onze vriendschap, onze overleving, onze toekomst. 'Ik weet het zeker.'

'Dat kun je niet.'

'Jawel.'

Hij stak een zwakke linkervuist opzij en tikte me op de pols. 'Dank je wel.'

'Ik zeg hier niets over tegen de politie.'

'Hoe ga je dat omzeilen?'

'Ik weet het niet. Ik vind er wel iets op.'

'Dat zal niet meevallen.'

Ik haalde mijn schouders op. 'Het ergste wat er kan gebeuren is dat ze denken dat ik iets voor ze verberg. Daar kan ik wel mee leven.'

'Nogmaals bedankt.'

'Je hoeft me nergens voor te bedanken. Er zijn... nog een paar dingen die je niet weet. Ik ben niet zo'n beste vriend voor je geweest.'

'Ik heb geen betere.'

'Geen slechtere, om je de waarheid te zeggen.'

'Onzin.' Hij keek me een poosje peinzend aan. Daarna deed hij zijn ogen dicht en zei: 'Laten we elkaar hierdoorheen helpen, Tony. Je kunt me die... andere dingen... wel vertellen als we Lucy hebben begraven en de politie hebben afgeschud.' Hij deed zijn ogen weer open en deed een poging tot een glimlach die eindigde in een grimas omdat er een paar wonden uitrekten. 'Als je dat dan nog wilt, tenminste.'

Ik had gehoopt dat ik het ziekenhuis uit zou zijn voordat Matts ouders en broer er waren, maar ik bofte niet. Toen ik uit de lift in de benedenhal stapte, liep ik ze recht in de armen. De heer en mevrouw Prior waren te zeer van hun stuk door het verlies van hun schoondochter zo snel nadat ze bijna hun zoon waren verloren om me relevante vragen te stellen, maar Jeremy wist nu echt zeker dat er iets voor hem werd verzwegen. Dat merkte ik aan zijn argwanende ondertoon toen hij naar mijn welzijn informeerde. Toen hij zijn ouders vooruitstuurde naar Matts kamer en mij apart nam voor een babbeltje, besefte ik dat ik ter plekke een verhaal moest improviseren. De politie was opeens een secundair probleem.

'Ik begrijp niets van wat er allemaal is gebeurd,' zei hij, terwijl hij me met samengeknepen ogen aankeek. 'Waar heb je de afgelopen dagen gezeten?'

'Zaken elders, Jeremy. Daar was niets aan te doen.'

'Ik wist niet dat jij in zaken zat. Lucy begreep in elk geval niets van je afwezigheid. Wij waren er gisteren bij toen die vrouw, Nesta, op bezoek kwam. Lucy is direct opgestapt. Ze leek me er érg tuk op om je te spreken.'

'Ze wilde me gewoon het goede nieuws over Matt vertellen.'

'Dus hoe kan het dan op zo'n verrekte tragedie zijn uitgedraaid?'

'Ik weet het niet. Ze had Daisy bij zich toen ze op Otherways arriveerde. Ze hadden ruzie gehad. Ik heb geen flauw idee waarover. Maar Lucy was van haar stuk, érg van haar stuk. We zouden hierheen gaan voor Matt. In plaats daarvan reed ze als een gek de andere kant op. Pas op het allerlaatste moment besefte ik wat ze van plan was.'

'Maar waarom zou ze zoiets doen?'

'Zoals ik al zei, dat weet ik niet.'

'En wat moest jij trouwens op Otherways?'

'Ik had wat papieren laten liggen die ik nodig had.'

Hij kneep zijn ogen nog meer samen. 'Ik vind dit allemaal erg moeilijk te geloven.'

'Ik ook. Maar het is gebeurd.'

'Er moet meer achter steken. En uiteindelijk zal het wel boven water komen.' Hij liet zijn stem dalen. 'Je zou iedereen het leven heel wat eenvoudiger maken als je me nu jouw kant van het verhaal vertelde.'

'Dat heb ik net gedaan.'

'En daar blijf je bij?'

'Ja.' Ik haalde mijn schouders op. 'Ik kan je niets meer vertellen.'

Een korte wandeling vanaf het ziekenhuis bracht me op de drukke Welford Road. Aan de overkant stond de gevangenis van Leicester: een majestueuze, gekanteelde kolos in Victoriaans-gotische stijl. Ergens tussen zijn muren lag James Milner begraven, niet ver van de dodencel waar hij zijn laatste dagen had doorgebracht met het schrijven van een bekentenis die maar vier mensen hadden gelezen, waarvan er inmiddels nog maar twee in leven waren. Maar zelfs wij waren niet opgehouden met het herschrijven van de geschiedenis, en die voor eigen doeleinden te redigeren. Samenzweren is gedeeltelijk waar vriendschap om draait, denk ik. Eerlijkheid heeft zo zijn grenzen. De waarheid is nooit absoluut. Dat kunnen we niet toestaan. Tenslotte zijn we allemaal maar mensen.

Wat had ik anders moeten doen, Marina? Matt alles moeten vertellen? Had ik hem de waarheid door zijn strot moeten duwen, al had hij het niet begrepen? Misschien had ik dat ook wel gedaan als hij Lucy – al was ze dood – niet zo graag de hand boven het hoofd had gehouden, net zoals bij haar leven. Het ene complot was een metafoor voor het andere geworden. Er was een manier om geheimen te delen zonder ze te openbaren, om twijfels glad te strijken zonder ervoor uit te komen. Dat was Lucy's grafschrift. En daarmee zouden Matt en ik moeten leren leven.

Ik ging naar het politiebureau om een verklaring af te leggen, zoals ik de avond tevoren had beloofd. Het was een vollediger maar geen onthullender versie van wat ik tegen Jeremy had gezegd. Maar de ruzie tussen Lucy en Daisy die ik beschreef, miste zijn effect niet. Het leverde een verklaring, zij het een magere, voor het gebeurde. En het betekende dat ik kon zeggen dat ik van niets wist waar het om Lucy's geestesgesteldheid ging. Ik had de indruk dat de agent die me de verklaring afnam niet wist of hij me al dan niet moest geloven. Niet dat het belangrijk was. Mijn versie van de gebeurtenissen was de enige die ze hadden.

Omstreeks lunchtijd ging ik weer naar het ziekenhuis en de zuster op Matts afdeling bevestigde dat de kust vrij was: Matts ouders en broer waren vertrokken.

Matt zag er moe en afgetobd uit. De zuster had me op het hart gedrukt om niet al te lang te blijven en ik zag wel waarom. De rouw begon hem te bekruipen en hield het herstel tegen dat maar net was begonnen.

'Niet te geloven dat ik haar nooit meer zal zien, Tony. Nooit meer zien, nooit meer voelen, nooit meer horen. Jij kent het gevoel. Er is niets wat je hierop kan voorbereiden. Helemaal niets.'

'Het zal echt beter gaan. Op de lange duur. Dat kan ik je beloven.'

'Ik weet niet of ik dat wel wil.' Hij zuchtte. 'Jeremy gaat de begrafenis regelen. Daar is hij goed in. Misschien is het wel het beste om hem z'n gang te laten gaan.'

'Begrepen.'

'Kun jij Lucy's moeder gaan opzoeken? Ik...'

'Ze zal niet begrijpen wat ik haar te vertellen heb, Matt. Ze verwacht nog altijd bezoek van Marina.'

'Toch geloof ik dat we een poging moeten doen.'

'Oké. Ik ga wel. Morgen.'

'Dank je wel. En... dan is Daisy er natuurlijk ook nog. Zij had geen levende bloedverwanten. Ook niet zoveel vrienden, behalve Lucy. Iemand moet contact met haar advocaat opnemen.'

'Weet jij wie dat is?'

'Halfyard and Co. in Oakham, denk ik. Ik heb haar een keer daar naar buiten zien komen. Hun kantoor is in Mill Street.'

'Ik ga er wel langs.'

'Dank je wel. Het spijt me dat ik jou hier allemaal mee moet belasten, maar...'

'Dat is niet erg. Eigenlijk ben ik er best blij mee. Het zal wat afleiding voor me zijn. Althans voorlopig.'

'Jeremy vertelde me dat je had gezegd dat Lucy en Daisy ruzie hadden gehad. Waarover wist je niet. Heb je dat ook tegen de politie gezegd?'

'Ja.'

'Hebben ze daar genoegen mee genomen?'

'Dat zullen ze wel moeten. Meer krijgen ze niet.'

Ik nam de trein naar Oakham om Halfyard and Co. op te sporen. Het was een kleine, ouderwetse, provinciale advocatenpraktijk. De receptioniste reageerde op Daisy's naam alsof het nieuws van haar dood hen al bereikt had. Ze wisselde een paar woorden met mr. Halfyard en vroeg me even te wachten.

Tien minuten later werd ik het kantoor van de senior partner binnengebracht. Hij was een jaar of zestig, gezet en droeg een tweedpak. Zijn neiging tot vaderlijkheid hield hij beroepshalve in bedwang. In een kommetje op zijn bureau lag een onaangestoken pijp. In de lucht hing nog een mengeling van tabaksrook en de geur van bedompte dossiers. Hij verschoof onrustig in zijn stoel en staarde hunkerend naar zijn pijp, maar liet hem met rust.

'Ik heb het tragische nieuws vanochtend vernomen, meneer Sheridan. Zoals u schijnt te hebben geraden ben, of was ik mevrouw Temples advocaat. En ook haar executeurtestamentair. Ik zal alle nodige maatregelen voor de begrafenis treffen.'

'Dat zal ik meneer Prior vertellen.'

'Gaarne. En weest u zo goed om mijn medeleven over te brengen in verband met zijn tragische verlies.' Halfyard liet zijn handpalmen langs de rand van zijn bureau glijden en hees zich overeind. 'De politie heeft me over de omstandigheden verteld wat men wist, inclusief uw aandeel daarin. Men sprak van een woordenwisseling tussen mevrouw Temple en mevrouw Prior.'

'Ik weet niet waar het over ging.'

'Weet u dat zeker? Ik vraag dit, omdat mevrouw Temple mij gistermiddag thuis belde in wat ik slechts kan beschrijven als...' Hij dacht even na om zijn woorden te wegen. 'Een ongewoon geagiteerde staat.'

'Waarom belde ze u?'

'Voor een afspraak. Zo gauw mogelijk. We hadden een afspraak voor vanochtend tien uur.'

'Maar u weet niet waar het om ging?'

'Helaas niet.'

'Dus vroeg u zich af of ik het soms wist.'

'De gedachte was bij me opgekomen.'

'Ik vrees dat ik u niet kan helpen.'

'Jammer.'

'Wat u zegt.'

'Heel jammer.' Hij boog zich wat naar voren. Ik had het gevoel dat hij het onderwerp moeilijk kon loslaten. 'Als cliënten die enigszins op leeftijd zijn mij dringend willen spreken, meneer Sheridan, is dat doorgaans omdat ze hun testament willen wijzigen.'

'Misschien was dat het dan.'

'Misschien. Maar dat zullen we nooit weten, hè?'

'Ik ben bang van niet.'

'Misschien kunt u meneer Prior zeggen dat hij een brief van me zal ontvangen, tussen haakjes.'

'Waarover?'

'Het testament van mevrouw Temple.'

'Wat heeft hij daarmee te maken?'

'Wist u dat niet?' Halfyard keek me met een verraste frons aan. 'Neemt u mij niet kwalijk. Ik heb voor mijn beurt gesproken. U zult begrijpen dat ik de laatste wil van een cliënt niet met derden mag bespreken. Maar hij zál van mij horen.'

Ik deed geen poging om Halfyards beroepsmatige reserve te overwinnen. Dat hoefde niet. Zijn bedoeling was duidelijk. Matt was de voornaamste, zo niet enige begunstigde van Daisy's testament.

Ik geloofde geen moment dat Daisy haar eigendommen aan hem had nagelaten. Maar wel aan Lucy. En omdat Lucy dood was, ging datgene wat zij zou erven naar haar naaste verwant. Daarom zou Halfyard Matt schrijven. En daarom had het feit dat Daisy haar afspraak niet had kunnen nakomen zoveel vragen opgeroepen die nooit beantwoord zouden worden.

Ik bracht de nacht door in het hotel in Petersborough waar ik de voorgaande ochtend een kamer had genomen, toen Lucy en Daisy beiden nog in leven waren en de waarheid omtrent Cedric Milner nog onvoorstelbaar was. Daar belde ik het ziekenhuis. Ik kreeg te horen dat Matt sliep. Ik ging het hotel uit en liep mezelf in een staat van uitputting door de benauwde straten van een stad die ik niet kende. Ik was alles ontstegen: verdriet, shock en zelfs zelfbeklag; ik werd door mijn instinct overeind gehouden en voortgedreven door lamlendigheid. Ik keerde terug naar het hotel en deed mijn best om dronken te worden in de bar. Maar zelfs beneveling wilde niet lukken. Alle zintuiglijke indrukken en gevoelens waren op afstand en vaag. Ik bezag de wereld als door een gazen sluier: ik maakte er niet langer deel van uit en wist evenmin goed hoe ik erin terug moest keren.

De volgende morgen nam ik de eerste trein naar Londen en ging rechtstreeks van King's Cross naar het politiebureau van Paddington. Rechercheur Harmison scheen er merkwaardig genoeg niet van op te kijken om me te zien. Maar de verandering in zijn manier van doen sprak boekdelen. Rainbird had een woordje in het juiste oor gefluisterd. De druk was van de ketel. Harmison zou geen ernst maken met het zoeken naar mijn overvallers. Maar hij zou mij ook niet meer achter mijn vodden zitten in verband met de dood van William Hall. De autopsie had een tweeslachtig rapport opgeleverd, zei hij, en zijn toon deed vermoeden dat het om een vorm van tweeslachtigheid ging waar hij mee moest leven; dat wist hij best.

In het begin van de middag was ik in Bournemouth. Het bezoek aan je moeder was een zieke grap. Ze gaf geen teken dat ze zelfs maar had gehoord wat ik zei, laat staan dat ze het had begrepen. Iets van afgunst kon ik niet onderdrukken. Waar ze zich ook mocht bevinden, het was daar veiliger dan in de echte wereld. Ze geloofde nog altijd dat haar kleine meisjes gelukkig en gezond waren. Waarom zou ze tegen haar zin moeten luisteren naar tegenstrijdige onzin uit de mond van een man die haar vaag bekend voorkwam, maar wiens naam haar maar niet te binnen wilde schieten?

Ik besloot naar Plymouth af te reizen, waar mijn auto op het stationsplein ruimschoots de betaalde parkeertijd had overschreden. Hij was zelf zo ver over tijd dat er een wielklem op zat. De boete betalen en wachten op zijn bevrijding duurde tot in de avonduren. Er zat niets anders op dan de nacht op Stanacombe doorbrengen en de volgende ochtend naar Rutland terugkeren.

Thuis wachtten me onafgemaakte zaken in de vorm van Wisdoms roestbak van een auto en een brief van de makelaar met een dringend verzoek om een reactie op een bod. Het was minder dan de vraagprijs, maar ik had geen zin in handjeklap. Als ik in staat zou zijn om een nieuw begin te maken, moest dat in een nieuwe omgeving. Ik had geen plannen, geen verwachting, geen hoop. Maar Stanacombe was jouw droom, niet de mijne. En alle dromen waren nu verleden tijd.

Als om dat te onderstrepen, sliep ik die nacht als een os en werd ik pas laat wakker. Het was een zonnige ochtend, maar het gras was nog vochtig van een nachtelijke regenbui en de lucht was zo schoon en helder als gewreven kristal. De lucht was zoals jij die het liefste had, en ik was er gek op geweest namens jou. Maar jij was er niet meer. En weldra zou ik ook weg zijn: weg van de plaatsen die me aan jou deden denken.

Ik belde de makelaar om het bod te accepteren. Daarna belde ik het ziekenhuis en werd met Matt doorverbonden. Hij klonk al wat sterker en meer kon je niet hopen, zo snel na Lucy's dood. Hij zei dat hij zich erop verheugde om me weer te zien, en daardoor werd het gaas tussen mij en de wereld een troostrijk ogenblik opgetild. Wat ik vervolgens en later ook zou doen: Matt vertrouwde op mij. Ik had onze vriendschap één keer verraden. Ik kon en zou dat geen tweede keer laten gebeuren.

Ik gaf Halfyards boodschap niet aan hem door. Als ik gelijk had, kon dat wel wachten tot hij zou schrijven. En als ik het mis had... Wie zou dat iets kunnen schelen?

Alvorens te vertrekken, liep ik naar Duckpool Beach. De zee was kalm, spiegelglad en blauwer dan de helderblauwe lucht. Hij was schitterend. Maar de schoonheid raakte me niet. En de zon kon me evenmin verwarmen. Ik zou weer moeten leren voelen. Maar nu nog niet. Daar was het nog te vroeg voor.

Zo'n beetje het laatste wat ik verwachtte was een bezoeker die voor de deur van Stanacombe op me wachtte. Maar er was er wel een. En hij leek me niet al te blij dat hij daar was.

'Dat werd tijd,' zei Wisdom bij wijze van begroeting. Hij tuurde naar me met samengeknepen ogen door het felle zonlicht dat hij altijd leek te schuwen. 'Ik heb een klein fortuin aan trein, bus en taxikosten uitgegeven om hier te komen. Je had op zijn minst het fatsoen kunnen hebben om thuis te zijn.'

'Ik wist niet dat je zou komen,' zei ik. Ondanks mezelf moest ik glimlachen.

'Ik had ook niet gedacht dat je dat hoefde te weten. Wist ik dat je me de weg zou versperren.'

Ik besefte dat hij het over zijn auto had. Ik moest de mijne verwijderen voordat hij hem van de oprijlaan kon halen. 'Het spijt me,' zei ik schouderophalend. 'Hoe wist je dat hij hier stond?'

'In aanmerking genomen dat jij geen moeite hebt gedaan om me ervan te verwittigen, bedoel je. Goeie vraag. Nou, dat heeft Bill voor je gedaan.'

'Bill?'

'Ja. Je kijkt me aan alsof je nog nooit van hem hebt gehoord. Maar afgelopen vrijdag speelde je heel goed dat je hem maar al te graag wilde spreken. En ik neem aan dat het gelukt is, anders zou mijn auto hier niet staan.'

'Heeft hij je gebeld?' Cedric moest Wisdom hebben gebeld tussen zijn pogingen om Strathallan te bereiken, misschien toen ik een dutje deed in de trein. Dat was zo'n beetje de enige kans die hij had gehad. 'Wanneer was dat dan?'

'Zaterdag omstreeks lunchtijd in de Top Hat.' Dus ik had gelijk. 'Ik kon niet eerder komen.'

'Wisdom...' Ik kwam een stap dichterbij. 'Het spijt me dat ik je dit moet vertellen, maar ik vrees dat de man die jij als Bill Hall kent dood is.'

'Wie had ik dan aan de telefoon? Zijn geest?'

'Nee, dat was hem wel. Hij is zaterdagavond in Londen overleden.'

'Dus diezelfde dag nog.' Wisdom knikte. Hij leek teleurgesteld door het bericht, gedeprimeerd zelfs, maar verre van verbaasd. 'Ze hebben hem uiteindelijk dus toch te pakken gekregen.'

'Ja. Inderdaad.'

'Hij wist dat ze hem op de hielen zaten, hè? Dat kon ik merken.'

'Waaraan?'

'Zijn stem. Hij klonk bijna sentimenteel. En dat was niets voor hem.'

'Wil je weten wat er is gebeurd?'

'Nee. Hoe minder ik weet, des te beter. Het is niet zo dat de onwetendheid zaligmakend is, maar het is ook geen slechte verzekering.' Hij dacht even na. 'Je zou me kunnen vertellen... of het snel gegaan is.'

'Dat denk ik wel, ja.'

'Dan zal ik er eentje op Bill heffen.'

'Hoezo?'

'Nou, het heeft hem een slepend sterfbed bespaard. Kanker heeft geen respect voor menselijke waardigheid.'

'Kanker?'

'Hij had me verteld dat hij vergeven was van de kanker. Heeft hij het daar niet met jou over gehad?'

'Nee.' Ik moest bijna lachen. Cedric had nog een grapje gemaakt over de hoeveelheid straling waaraan hij was blootgesteld. Het waren vrijwel zijn laatste woorden geweest. Misschien was dat zijn manier geweest om een tipje van de sluier op te lichten. En misschien had hij daarom wel geriskeerd om in de val te lopen omdat, wat ze hem ook aan zouden doen, zich al iets ergers had voltrokken. 'Met geen woord.'

'Vissen naar medeleven was niets voor hem.'

'Dat kun je wel zeggen.'

'En hij geloofde sterk in het voldoen van schulden.'

'Dat geloof ik best.'

'Dat is deels waarom hij me belde.'

'O ja?'

'Hij wilde zijn verontschuldigingen aanbieden dat hij de auto niet had teruggebracht. Maar hij zei dat jij me met alle plezier de onkosten zou vergoeden om hem op te gaan halen.' Wisdom grinnikte. 'En de benzine die hij heeft gebruikt.'

Een paar minuten later stond ik op het weggetje Wisdom na te kijken. Toen hij de hoek omsloeg en uit het gezicht verdween, ging Cedric met hem mee. Hij verdween uit mijn wereld, terug naar die merkwaardige schaduwwereld van nepverraad die hij zo lang had bewoond. Hij had bijna een halve eeuw naar hun pijpen gedanst. Maar uiteindelijk had hij de rollen omgedraaid. Zij dachten dat ze hem te grazen hadden genomen, maar het was precies andersom geweest. En ze wisten het niet eens.

Ik liep terug naar het huis, deed de deur van het slot en ging naar binnen. De post die gedurende mijn afwezigheid was bezorgd, lag op de mat. Er was maar één brief. Mijn naam en adres stonden er met balpen op. Ik herkende het handschrift niet. Maar toen ik de envelop opraapte en naar het poststempel keek, kon ik plotseling wel raden van wie hij was.

Epiloog

Sindsdien zijn er twee maanden verstreken. Het is half september. In Rutland is dit het begin van de herfst en in Cornwall het eind van de zomer. Stanacombe is verkocht. De nieuwe eigenaars zijn er vorige week in getrokken. Het leven gaat door, zoals dat heet.

Ik ben weer naar Londen verhuisd. Waar kon ik anders heen? Ik dacht dat ik me wel weer een plaats kon verwerven in de headhunterswereld bij het een of andere bureau, maar mijn afwezigheid van een jaar was moeilijk uit te leggen en misschien hadden ze het gevoel dat mijn hart niet meer bij dat werk was. Waarschijnlijk hadden ze nog gelijk ook.

In dit soort omstandigheden leer je je vrienden kennen. Je zult er niet van opkijken dat Matt de enige echte vriend is gebleken die ik ooit heb gehad, afgezien van jou. Jij hebt dat waarschijnlijk altijd al geweten. Toen hij uit het ziekenhuis kwam, is hij niet teruggegaan naar Otherways. Na een paar weken revalidatie bij zijn ouders heeft hij een huis bij Melton Mowbray gehuurd. Het huis was wat James Milner van Otherways had verwacht: 'een middelmatige jachthut in de Midlands'. Ik ging er in het *bankholiday*-weekeinde van augustus heen om hem te helpen uitpakken. Toen vertelde hij dat hij zijn plannen voor de expansie van *Pizza Prego* in de Verenigde Staten ging doorzetten. Hij had iemand nodig om potentiële franchisenemers te bezoeken en te peilen en bood mij die baan aan. In eerste instantie gaat het om een contract van een halfjaar. Het was geen gunst, verzekerde hij me. Maar een mooie deal voor allebei. Nou, ik weet het niet. Wat vind jij? Ik begin volgende maand.

Toen Halfyard er eindelijk aan toekwam om te schrijven, bleek dat Daisy inderdaad alles aan Lucy had nagelaten, wat betekende dat Matt een huis, een verzameling beeldhouwwerken en een aanzienlijk bedrag aan spaargeld had geërfd. Niets daarvan wilde hij hebben of had hij nodig. Het huis staat te koop en de beeldhouwwerken worden over een paar maanden geveild. Wie weet blijkt Daisy Temple nog wel de postume ster van de kunstwereld. Matt heeft één stuk bewaard: de onvoltooide buste van Lucy, die net zo goed van jou had kunnen zijn.

Er zijn vrij veel dingen die ik Matt zou kunnen vragen, maar dat doe ik niet. En andersom. We delen onze geheimen door er nooit over te spreken. Het gerechtelijk onderzoek naar de dubbele verdrinkingsdood in Rutland is volgende week. We moeten allebei getuigen. Maar we hebben het er niet over. Dat hoeft niet. We weten al wat we gaan zeggen. En wat we niet gaan zeggen. *Spreken is zilver en zwijgen is goud* is wel het laatste spreekwoord waarbij ik ooit gedacht had te zullen zweren. Zwijgen is nooit mijn stijl geweest. Tot nu toe.

Maar het afgelopen weekeinde is er wel een vraag beantwoord die niet was gesteld. Matt nodigde me uit te komen, zogenaamd om het over die Amerikaanse baan te hebben. Hij zal zelf vrij dikwijls in Amerika zijn, dus we zullen elkaar misschien vaker zien dan ooit. En we hadden het er al vrij diepgaand over gehad. Dus keek ik er niet van op dat het onderwerp amper aan de orde kwam. In plaats daarvan hebben we het over jou en Lucy gehad. We praten eigenlijk vrij veel over jullie. De dingen die we met elkaar hebben gedaan, de vakanties die we samen hebben doorgebracht en het plezier dat we gemaakt hebben. Jawel, het plezier. Dat waren we op de een of andere manier door jullie dood vergeten. Maar nu herinneren we het ons weer zonder pijn. Ik bleef tot en met maandag. Matt nam een dag vrij. We reden naar Lincoln om de kathedraal te bekijken, die ik nog nooit had gezien, en na een late lunch gingen we huiswaarts. Matt reed. Toen we de afslag Melton op de A1 oversloegen, dacht ik dat hij zich had vergist. Maar dat was niet zo. Hij wilde me iets laten zien. We sloegen wel af bij de Ram Jam en reden in de richting van Oakham. Waarschijnlijk besefte ik toen waar we heen gingen. Maar ik vroeg het niet.

Weldra hoefde dat ook niet meer, toen we door Hambleton en in oostelijke richting over het schiereiland reden. We reden naar Otherways. Toen Matt de oprijlaan inreed, zei hij: 'Bereid je voor op een schok.' En even later voltrok de schok zich.

Otherways was niet meer. De funderingen en de gracht waren er nog, maar het huis zelf was afgebroken. Slopersvoertuigen laadden en verwijderden de stapels puin. Glas, pleisterwerk en hout lagen in aparte containers. Op het gazon lagen de rokende resten van een afvalverbranding. Ik staarde onthutst naar het tafereel. Een gebouw dat niet helemaal echt had geleken, was nu helemaal niet echt meer. De sloperskogel en de bulldozer hadden Posnans subtiele kunstwerk met de grond gelijk gemaakt. Otherways was deel van zijn eigen geschiedenis geworden.

Een man die eruitzag alsof hij de leiding had, zag ons en kwam naderbij om even met Matt te praten. 'Het is minder van een leien dakje gegaan dan ik wel had gewild, meneer Prior,' zei hij. 'Die muren leken maar niet om te willen.' Ik zag Matt grimmig glimlachen. 'Maar het is ons uiteindelijk toch gelukt.'

'Ik vroeg me al af waarom je het niet te koop had gezet,' zei ik toen de man wegliep.

'Ik kon dat huis toch niet verkopen.' Matt keek me van opzij aan. 'Vind je wel?'

'Ik dacht dat het een monument was.'

'Dat was het ook. Daarom heb ik het tijdens het weekeinde laten doen. Minder kans op bureaucratische interventie. Ik zal natuurlijk vreselijk op mijn lazer krijgen. Plus een dikke boete, denk ik. Maar dat kan me niets schelen. Het is weg. Dat is het enige wat telt.'

'Heb ik je ooit over Stowe House verteld?'

'Ik denk het niet.'

'Eeuwenlang zijn de Grenvilles de grote landeigenaars rondom Stanacombe geweest. Rond 1680 hadden ze een gigantische villa laten bouwen die Stowe House heette. Er volgde een hele reeks familietragedies en de mannelijke tak stierf uit. Het huis werd omstreeks 1740 afgebroken. Het had maar zestig jaar gestaan. Marina had zich in het onderwerp verdiept. Er was een gezegde dat ze placht te citeren: *Binnen de herinnering van één man groeide er gras en werd er gras gezaaid op de weide waarop Stowe House verrees, en groeide er gras en werd er gras gezaaid op de weide waar Stowe House had gestaan.*'

'Een weide,' zei Matt dromerig. 'Dat zie ik wel zitten.'

'Ik ook.'

Ik dacht – en denk nog – dat Posnan er ook wel van gecharmeerd geweest zou zijn. Otherways was zijn beroemdste werk, maar ook de reden dat hij met werken was gestopt. Met Otherways had hij meer dan een huis neergezet. Hij had iets gemaakt waarvan hij bang was geworden. Nu was er niets meer om bang voor te zijn.

'Ik ben blij dat je dit hebt gedaan, Matt.'

'Ik had eigenlijk geen keus. Helemaal geen keus.'

Hij keerde en reed de oprijlaan weer af. We keken geen van beiden om. Matt keek zelfs niet in zijn spiegeltje.

Aan het eind van de oprijlaan sloeg hij linksaf en reed hij helemaal door tot het hek waar Lucy dwars doorheen was gereden, net zoals hij in mijn droom had gedaan. Daar parkeerde hij de auto en vroeg hij me mee te lopen naar de rand van het water.

Het was een kalme, grijze middag en de lucht was herfstfris. We gingen door het zijpoortje voor voetgangers en liepen langzaam verder over de laatste bult in de weg voor de afdaling naar de ponton. Geen van beiden zei een woord. Er viel niets te zeggen.

De ponton kwam in zicht, met links Half Moon Spinney, akkers aan onze rechterhand en het gladde water van het meer recht voor ons. We liepen zij aan zij door totdat we de laatste meter grind voor de rand van het water hadden bereikt. Daar was Lucy gestorven: op de plek waar we stonden of een eindje verderop onder de waterspiegel. Dit was het laatste stukje wereld dat we met haar gedeeld hadden.

'Het is voor het eerst sinds het ongeluk dat ik hier kom,' zei Matt. 'Ik was vergeten hoe vredig het is.'

'Ik heb gedaan wat ik kon om haar te redden.'

'Dat weet ik.'

'Maar ze wilde niet gered worden.'

'Dat weet ik ook.'

'Er is iets wat ik je zal moeten uitleggen,' zei ik. Ik voelde dat het moment was gekomen om hem te vertellen wat een armzalige vriend ik eigenlijk voor hem was geweest.

'Ik eerst, Tony.'

'Jij?'

'Ja. Ik moet morgen naar de dokter voor de maandelijkse controle. Als alles goed gaat, hoef ik waarschijnlijk pas over drie maanden opnieuw terug te komen.'

'En is alles goed?'

'Even afkloppen, maar inderdaad. Ik zal hem zelfs enige vooruitgang die hij had voorspeld kunnen rapporteren.'

'Hoezo vooruitgang?'

'Hij had gezegd dat de amnesie hoogstwaarschijnlijk van tijdelijke aard zou zijn. Nou, dat klopt.'

'Is je geheugen weer terug?'

'Ja.' Matt draaide zich naar me om. 'Inderdaad.' We bleven elkaar een paar seconden aankijken. Daarna vervolgde hij: 'Wat betekent dat je niet de moeite hoeft te nemen om iets uit te leggen.'

'Nee?'

'Niets.' Hij wierp een blik op het water en haalde diep adem. 'Zullen we naar huis gaan?'

We liepen weer naar boven. Ik vroeg me even af of ik niet alsnog een poging tot uitleg moest wagen, ondanks zijn verzekering van het tegendeel. Daarna was het moment voorbij en in de kameraadschappelijke stilte die volgde, besefte ik hoezeer Matt het bij het rechte eind had gehad. We waren klaar met uitleg. We hadden allebei een heleboel dingen kunnen zeggen. Maar er hoefde niets gezegd te worden.

Wat is er op Henna Cliff gebeurd, Marina? Wat is er écht gebeurd? Jij weet het. Dat kan niet anders. Ik kan er alleen maar naar gissen. En Matt laten ophouden met gissen. Op de brief die twee maanden geleden in Stanacombe op me lag te wachten stond het poststempel *Oakham, 12 juli*. De dag daarvoor. Maar hij kon ook heel goed sinds de dag dáárvoor in de brievenbus hebben gelegen; op zondagmiddag worden er geen bussen geleegd. Toen ik de envelop openscheurde, zag ik mezelf naar een spoorkaartje kijken, waarvan een hoekje was afgeknipt. Het was een enkele reis eersteklas van Newton Abbot naar Oakham. Ik hoef je de datum die erop stond niet te vertellen. Die weet je maar al te goed.

Ik draag dat kaartje bij me in mijn portefeuille. Ik weet niet waarom. Ik heb vaak genoeg gedacht dat ik het moest vernietigen, maar dat heb ik niet gedaan. Althans nog niet. Het kan het laatste stukje vervalst bewijs uit een bepaalde hoek zijn. Of het enig overgebleven fragmentje van de waarheid. Hoe dan ook, ik denk dat ik het maar voor me zal houden.